顧亭林《日知錄》研究

胡楚生 著

臺灣學生書局印行

自敘

顧亭林（一六一三～一六八二）初名絳，江蘇崑山人，國變後，改名炎武，字寧人，學者稱爲亭林先生，生於明萬曆四十一年，卒於清康熙二十一年，享年七十歲。

亭林先生祖父紹芳，明萬曆丁丑進士，曾官翰林院檢討，生父同應，萬曆乙卯副榜，工詩文，娶妻何氏，生五子四女，亭林爲其次子。同應之弟同吉，聘王氏，以亭林爲嗣子，同吉年十八歲卒，王氏未婚守節，撫育亭林，親自教誨，授以《四書》、《周易》。嗣祖蠡源公，授以《孫子》、《左傳》、《史記》、《通鑑》等書，又授以鈔書之法，以爲「著書不如鈔書」，並示以天下大事，以爲「士當求實學，凡天文、地理、兵農、水土，及一代典章之故，不可不熟究」，影響於亭林先生之立身志學者，極爲重大。

亭林先生三十二歲之時，適當明思宗崇禎十七年，流寇李自成攻破北京，思宗自縊，而山海關守將吳三桂因愛妾陳圓圓爲李自成部將劉宗敏所掠，憤而開關，引清兵入境，清兵逐走李自成，進入北京，乘勢揮軍南下，晚明大臣，奮勇抵抗，壯烈殉國者雖多，而忍辱偷生、靦顏事敵者，亦不在少，亭林先生曾與友人，起兵抗清，事雖不濟，而光復之志，未嘗稍衰，亭林先生嗣母王氏，聞清兵南下，絕食十五日而死，遺命亭林，勿事二姓。亭林先生，身負國仇家恨，乃六謁孝陵，六謁思陵，遍觀天下，地理形勢，博覽載籍，取法史乘，以求經世而致用，以圖光復於異日。

亭林先生，鑒於晚明學術，偏於狂禪，學士大夫，靦顏事敵，故其爲學，強調「博學於文」、「行己有恥」，以爲「自一身至於天下國家，皆學之事也；自子臣弟友，以至出入往來，辭受取與之間，皆有恥之事也」，故其爲學，亦以「明道」、「救世」，爲其依歸。

全祖望謂亭林先生，「自崇禎己卯後，歷覽二十一史，十三朝實錄，天下圖經，前輩文編說部，以至公移邸抄之類，有關於民生之利害者隨錄之，旁推互證，務質之今日所可行，而不爲泥古之空言，曰《天下郡國利病書》，然猶未敢自信，其後周流西北且二十年，遍行邊塞亭障，無不了了而始成」，「凡先生之遊，以二馬二騾載書自隨，所至阨塞，即呼老兵退卒，詢其曲折，或與平日所聞不合，則即坊肆中發書而對勘之。或徑行平原大野，無足留意，則于鞍上默誦諸經注疏，偶有遺忘，則即坊肆中發書而熟復之」（全祖望〈亭林先生神道表〉），所述亭林先生之好學力行，如在目前。

亭林先生著述宏富，所著《音學五書》、《左傳杜解補正》、《九經誤字》、《五經同異》、《金石文字記》、《石經考》、《求古錄》、《歷代宅京記》、《天下郡國利病書》、《肇域志》、《建康古今記》、《昌平山水記》等，無慮數十種，而《日知錄》一書，尤爲亭林先生血心專注之著作。

亭林先生於《日知錄》書前〈識語〉：云：「愚自少讀書，有所得，輒記之。其有不合，隨時改定。或古人先我而有者，遂削之。積三十餘年，乃成一編。取子夏之言，名曰《日知錄》，以正後之君子。」先生〈又與人書二十五〉云：「別著《日知錄》，上篇經術，中篇治道，下篇博聞，共三十餘卷。有王者起，將以見諸行事，以躋斯世於治古之隆，而未敢爲今人道也。」〈又與友人論門人書〉云：「所著《日知錄》三十餘卷，平生之志與業皆在其中，惟多寫數本，以貽之同好，庶不爲惡其害己者之所去，而有王者起，得以酌取焉，其亦可以畢區區之願矣。」足見《日知錄》一書，爲亭林先生志業之所在，其書中所寄寓之要旨，亦深盼後世有光復之志者，得以參酌取資，並加踐行，則亦不啻亭林先生親身目睹其志業之實現也。

潘耒〈日知錄序〉云：「崑山顧寧人先生，生長世族，少負絕異之資，潛心古學，九經諸史，略能背誦，尤留心當世之故，實錄奏報，手自鈔節，經世要務，一一講求。當明末年，奮欲有所自樹而迄不得試，窮約以老。然憂天閔人之志，未嘗少衰，事關民生國命者，必窮源溯本，討論其所以然。足跡半天下，所至交其賢豪長者，考其山川風俗，疾苦利病，如指諸掌。精力絕人，無他嗜好，自少至老，未嘗一日廢書。出必載書數簏自隨，旅店少休，披尋搜討，曾無倦色。有一疑義，反覆參考，必歸於至當，有一獨見，援古證今，必暢其說而後止。當代文人才士甚多，然語學問，必斂袵推顧先生。凡制度典禮有不能明者，必質諸先生，墜文軼事有不知者，必徵諸先生。先生手畫口誦，探源竟委，人人各得其意去。天下無賢不肖，皆知先生爲通儒也。先生著書不一種，此《日知錄》則其稽古有得，隨時劄記，久而類次成書者。凡經義、史學、官方，吏治、財賦、典禮、輿地、藝文之屬，一一疏通其源流，考正其謬誤。至於嘆禮教之衰遲，傷風俗之頹敗，則古稱先，規切時弊，尤爲深切著明，學博而識精，理到而辭達。」又云：「嗚呼！先生非一世之人，此書非一世之書也。魏司馬朗復井田之議，至易代而後行，元虞集京東水利之策，至異世而見用。立言不爲一時，《錄》中固已言之矣。異日有整頓民物之責者，讀是書而憬然覺悟，採用其說，見諸實行，於世道人心，實非小補。如第以考據之精詳，文辭之博辨，嘆服而稱述焉，則非先生所以著此書之意也。」潘耒爲亭林先生之弟子，爲刊刻《日知錄》而撰序文，其於亭林先生經世之志節，著書之用心，頗能彰著明確，而不負其師之所望者也。

清康熙九年（一六七〇），亭林先生初刻《日知錄》八卷，康熙二十一年（一六八二），亭林先生去世，其弟子潘耒自先生家求得《日知錄》手稿，經再三校勘，於康熙三十四年（一六九五）刻於閩中，是爲遂初堂刻本，計分爲三十二卷。道光十四年（一八三四），嘉定黃汝成，以遂初堂本爲底本，參考閻若璩、沈彤、錢大昕、楊寧四家校本，並收集道光以前約九十餘家之注解成果，彙成《日知錄集釋》一書，其所蒐羅，可謂繁富。然潘耒與黃汝成二人，生當滿清異族統治之下，懍於網禁嚴密，故於《日知錄》中有所違礙於清廷之文字，不得不多加刪削，故潘耒與黃汝成二人所刻二書，亦並非亭林先生原著之眞貌也。

民國二十二年（一九三三），張繼（溥泉）先生於北平購得原抄本《日知錄》，持與章太炎、黃季剛二位先生共同閱讀，黃張二先生，撰爲校勘記，太炎先生爲之序，然後亭林先生之志節苦心，精神意趣，始得重現於人間。

《日知錄校記》既成，太炎先生爲之序云：「昔時讀《日知錄》，怪顧君仕明至部郎，而篇中稱明與前代無異，疑爲後人改竄，又〈素夷狄行乎夷狄〉一條，有錄無書，亦以爲乾隆抽毀也。」又云：「去歲聞友人張繼得亡清雍正時寫本，其缺不書者故在，又多出〈胡服〉一條，纚纚千餘言，其書明則本朝，涉明諱者則用之字，信爲顧君眞本，曩之所疑，于是砉然凍解也。顧其書丹黃雜施，不可攝影以示學者。今歲春，余弟子黃侃因爲校記一通，凡今本所缺者具錄於記，一句一字皆著焉，其功勤矣。」又云：「今校記既就，人人可檢讀以窺其眞，顧君千秋之志得以無恨，而侃之功亦庶幾與先哲並著歟！」敘述原抄本《日知錄》以及《校記》之價值。

《日知錄校記》既成，季剛先生爲之撰序，又作《跋文》云：「中華民國廿二年一月廿一夕，蘄春後學黃侃校訖，恭誦先生詩云：『忽見奇書出世間，又驚胡騎滿江山』，誠不勝其痛憤也！」又云：「此本翳藏二百餘年，突爲溥泉所得。其中如卷四〈納公孫寧儀行父〉一條，卷十〈考次經文〉一條，卷二十〈心學〉一條，〈朱子晚年定論〉一條，〈李贄〉一條，皆比今本多一節或數十字。卷九〈素夷狄行乎夷狄〉一條，今本有目無文。卷廿九〈胡服〉一條，有三紙之長，今本既闕其文，亦泯其目。黃汝成作《集釋》，屢言以元本校，今本此諸條汝成即見之而亦諱言之。天運循環，壞陂終復，此書卒爲我溥泉所得，其亦先生靈爽默相之哉？侃幸覯典經，亦不虛此生矣！」亭林先生此書，世人由是可以得睹眞貌，寧非幸事。

民國四十七年（一九五八），溥泉先生夫人崔震華女士，以所藏原抄本《日知錄》，委請徐文珊教授加以整理，標點校勘，在臺排印出版。徐教授所整理排印出版之原抄本《日知錄》，書前有〈敘例〉十一條，其第十條云：「書中與通行本不同者，多在明清之順逆，內諸夏而外夷狄，對明帝稱謂各端，散見全書各篇，不遑枚舉。舉其要者，如稱明必曰本朝，稱明太祖必曰我太祖，崇禎必曰先帝，明初稱國初等。此皆示作者只知身爲明人，不知有清帝。一字之差，敵我之分，順逆之辨，全在於是。清人必爲竄改，本朝改明朝，我太祖改明太祖，先帝改崇禎，而有明遺臣變爲清之降臣矣！餘如內侵之夷狄稱曰胡、曰虜，清人則改爲邊、爲塞、爲敵、爲外國，五胡改劉石，中原左衽改中原塗炭，凡此種種，輕重褒貶，毫釐千里，不容假借。」又云：「至其全文或全節遭竄改刪除者，率皆措詞嚴厲，含意深遠，爲滿清所不能容者，正足以表現顧氏之精神。」徐教授於整理原抄本《日知錄》排版刊印之外，又摭拾原抄本見有訛誤爲黃侃、張繼二先生《日知錄校記》所未及者，細加勘正，別爲《日知錄校記補》一卷，別附《原抄本日知錄》書後，皆有功於亭林先生是書者也。

二〇〇六年，上海古籍出版社重印黃汝成之《日知錄集釋》，由欒保群、呂宗力二位先生負責點校，由陳祖武教授撰寫〈前言〉，除《集釋》原有引用之九十餘家著作之外，並增加李遇孫、丁晏、俞樾等三家之相關著作，而爲黃汝成所不及見者，至於黃侃、張繼二先生所撰之《日知錄校勘記》，所保留之大量原本文字，則依據《日知錄》原書之目錄或相關條文，散入《集釋》之中，遂使亭林先生之《日知錄》，更添一接近原貌之傳本矣。

綜計亭林先生一生，處迍難之際，抱經世之志，著資治之書，其爲後世所尊仰者，不僅在其博學宏識，斷制分明，而尤在其人格之崇峻，志節之堅毅，行事之卓絕，更足爲世人所欽敬而效法也。

此書所收拙稿，除第一、第七兩篇，曾經刊布之外，其餘各篇，皆近日所草就者，然而囿於學識，其所闡述，如能彰明亭林先生之心意於百一，則是衷心所企盼者也。

中華民國一〇二年八月三十日　胡楚生　謹識

顧亭林《日知錄》研究

目次

壹、顧亭林《日知錄》探微

一、引言

顧炎武（一六一三～一六八二）字寧人，江蘇崑山人，學者稱爲亭林先生，生於明萬曆四十一年，卒於清康熙二十一年，享年七十歲。[1]

亭林先生生當明室覆亡、清人入關之際，其嗣母王氏，於清兵南下之後，絕食殉節，遺言後人，勿事二姓[2]，亭林先生受命之餘，嘗起兵抗清，明亡之後，亭林先生六謁孝陵，六謁思陵，不仕滿廷，又嘗遍觀天下，著書立說，以求俟諸異日，經世而致用。

亭林先生著述宏富，所撰著者，如《音學五書》、《左傳杜解補正》、《金石文字記》、

1 張穆：《顧亭林先生年譜》，（臺灣商務印書館，一九八〇年）。

2 參林微紅：〈吳中第一奇節——顧炎武和他的母親〉，載《歷史月刊》（一九八八年）頁一一二。

《天下郡國利病書》、《肇域志》等，皆屬博學稽古、卓具心得之作，而《日知錄》三十二卷，尤爲亭林先生平生志業所寄寓之書。

清兵入關之後，屠毒之慘，殺戮之衆，亭林先生親身而目擊，種族之禍，亡國之痛，形諸著述，復遭時忌，則其感慨之深，往往不盡見之於字裏行間，而時或有寄寓於言語文詞之外者，後世讀其書者，悉心體會，探索幽微，當能省悟亭林先生用心之一二。

亭林先生〈又與人書二十五〉云：「君子之爲學，以明道也，以救世也。」又云：「別著《日知錄》，上篇經術，中篇治道，下篇博聞，共三十餘卷，有王者起，將以見諸行事，以躋斯世於治古之隆，而未敢爲今人道也。」亭林先生〈又與友人論門人書〉云：「所著《日知錄》三十餘卷，平生之志與業，皆在其中。」又云：「而有王者起，得以酌取焉，其亦可以畢區區之願矣。」[3]亭林先生〈初刻日知錄自序〉云：「若其所欲，明學術，正人心，撥亂世，以興太平之事，則有不盡於是刻。」由以上亭林先生所言，可知《日知錄》一書，其撰著之目的，其內容之大要，以及亭林先生用心之宛曲，寄託之深遠，所謂「明道」、「救世」，是其中有經緯邦國之義存在，所謂「有王者起，將以見諸行事」，明非指清初帝王之身，所謂「平生之志與業，皆在其中」，「未敢爲今人道也」，是其書中當有不盡見於語言文字之中，而委婉幽微寄慨而託諸語言文字之外者。

清康熙三十四年，潘耒初刻《日知錄》行世，道光十六年，黃汝成爲《日知錄集釋》，然皆拘於時忌，多遭竄改，故所刻者，並非原書之本來面目。民國二十二年，張繼（溥泉）先生於北平購得原抄本《日知錄》，持與章太炎黃季剛二位先生共同校閱，黃張二先生，撰爲校勘記，太炎先生爲之序，然後亭林先生之志節苦心，精神意趣，始得重現人間。民國四十七年，溥泉先生夫人崔震華女士，委請徐文珊教授整理原抄本《日知錄》，並在臺刊印出版。

以下所述，即據原抄本《日知錄》，以探索亭林先生對於明室巨變之事所寄寓之隱微心意，至於相關文字之異同增補，則於徵引各條之下，比對通行本，隨文加注，並作說明。

二、探微

㈠隱刺奸佞失節

《日知錄》卷十七〈廉恥〉條云：

《五代史・馮道傳》論曰：「禮義廉恥，國之四維，四維不張，國乃滅亡。善乎管生

3 並見顧炎武：《顧亭林詩文集》，（臺北，漢京文化事業公司，一九八四年）頁四七。

之能言也，禮義，治人之大法，廉恥，立人之大節。蓋不廉則無所不取，不恥則無所不為。人而如此，則禍敗亂亡，亦無所不至。況為大臣而無所不取，無所不為，則天下其有不亂，國家其有不亡者乎？」然而四者之中，恥尤為要。故夫子之論士曰：「行己有恥。」孟子曰：「人不可以無恥，無恥之恥，無恥矣。」又曰：「恥之於人大矣，為機變之巧者，無所用恥焉。」所以然者，人之不廉而至於悖禮犯義，其原皆生於無恥也，故士大夫之無恥，是謂國恥。吾觀三代以下，世衰道微，棄禮義，捐廉恥，非一朝一夕之故。然而松柏後凋於歲寒，雞鳴不已於風雨，彼眾昏之日，固未嘗無獨醒之人也。頃讀《顏氏家訓》，有云：「齊朝一士夫，嘗謂吾曰，我有一兒，年已十七，頗曉書疏，教其鮮卑語及彈琵琶，稍欲通解，以此伏事公卿，無不寵愛。」吾時俯而不答，異哉此人之教子也！若由此業，自致卿相，亦不願汝曹為之。」嗟乎！之推不得已而仕於亂世，猶為此言，尚有〈小宛〉詩人之意，彼閹然媚於世者，能無媿哉？

羅仲素曰：「教化者朝廷之先務，廉恥者士人之美節，風俗者天下之大事。朝廷有教化，則士人有廉恥，士人有廉恥，則天下有風俗。」

古人治軍之道，未有不本於廉恥者，吳子曰：「凡制國治軍，必教之以禮，勵之以義，使有恥也。」夫人有恥，在大足以戰，在小足以守矣。《尉繚子》言：「國必有孝慈廉恥之俗，則可以死易生。」而太公對武王：「將有三勝，一曰禮將，二曰力將，三曰止欲將。」故禮者所以班朝治軍，而〈兔罝〉之武夫，皆本於文王后妃之化，豈有淫芻蕘竊牛馬而為暴於百姓者哉？

《後漢書》：「張奐為安定屬國都尉，羌豪帥感奐恩德，上馬二十匹。先零酋長又遺金鐻八枚。奐並受之，而召主簿於諸羌前，以酒酹地，曰：『使馬如羊，不以入廄。使金如粟，不以入懷。』悉以金馬還之。羌性貪而貴吏清，前有八都尉，率好財貨，為所患苦。及奐正身潔己，威化大行。」嗚呼！自古以來，邊事之敗，有不始於貪求者哉？吾於遼東之事有感！

杜子美詩：「安得廉頗將，三軍同晏眠。」一本作「廉恥將」。詩人之意，未必如此。然吾觀《唐書》言：「王佖為武靈節度使，先是吐蕃欲成烏蘭橋，每於河壖先貯材木，皆為節帥遣人潛載之，委於河流，終莫能成。蕃人知佖貪而無謀，先厚遺之，然後併役成橋，乃築月城守之。自是朔方禦寇不暇，至今為患。」繇佖之黷貨也。故貪夫為帥，而邊城晚開，得此意者，郢書燕說，或可以治國乎？[4]

亭林先生於此條之中，暢論廉恥之義，對於朝廷大臣，立身行己之重要，此條前文所舉，以馮

4 顧亭林：《原抄本日知錄》，（臺北，文史哲出版社，一九七九年）頁三八七。

道身仕五朝爲例，後文所舉，以王佖貪婪黷貨爲例，朝廷命官，一文一武，武將愛財，文官畏死，敗壞廉恥，天下亂矣，亭林先生云：「自古以來，邊事之敗，有不始於貪求者哉！吾於遼東之事有感。」遼東之事，實指洪承疇身爲薊遼總督，而投降滿清，先導入關之事。《明史·本紀》卷二十三〈莊烈帝紀〉記載，崇禎七年十一月乙酉，詔洪承疇兼攝五省軍務，十一年九月辛巳，清兵入牆子嶺，總督薊遼兵部侍郎吳阿衡戰死，十二年正月丁丑，改洪承疇總督薊遼，孫傳庭總督保定、山東、河北，十五年二月戊午，清兵攻松山，洪承疇被俘投降，巡撫都御史丘民仰、總兵官曹變蛟、王廷臣、副總兵江翥、饒勳等死難[5]。又《清史稿校注》卷二百四十四《列傳》二十四記載，洪承疇既被俘，清太宗（皇太極）欲收承疇爲用，命范文程諭降，承疇方科跣謾罵，文程徐與語，泛及古今事，梁間塵偶落，著承疇衣，承疇拂去之，文程遽歸，告太宗曰：「承疇必不死，惜其衣，況其身乎！」皇太極自臨視，解所御貂裘衣之，曰：「先生得無寒乎？」承疇瞠視久，歎曰：「眞命世之主也！」乃叩頭請降，皇太極大悅，即日賞賜無算，置酒陳百戲，諸將或不悅，以爲何待承疇之重也，皇太極進諸將曰：「吾曹櫛風沐雨數十年，將欲何爲？」諸將曰：「欲得中原耳！」皇太極笑曰：「譬諸行道，吾等皆瞽，今獲一導者，吾安得不樂？」莊烈帝初聞承疇死，予祭十六壇，建祠都城外，與丘民仰並列，帝將親臨奠祭，俄聞承疇降，乃止。清世祖順治元年四月，清睿親王多爾袞帥師南下攻明，承疇從之。[6]順治二年，清豫親王多鐸師下江南，命洪承疇總督軍務，招撫江南各省，以迄底定西南各省，承疇皆統兵與戰，效命清廷。[7]且清兵入關之初，本意僅在掠奪貨財，尚未敢有席捲中原之想，而降臣洪承疇導之南下，天下遂不可問。[8]《日知錄》中此條，亭林先生尚論後漢及五代史事，忽於文末，著一感嘆曰：「嗚呼！自古以來，邊事之敗，有不始於貪求者哉？」所謂貪求，貪金錢，貪富貴，貪生惜死，皆貪求者也，亭林先生於此文下又曰：「吾於遼東之事有感！」先生心中隱微之意，豈不灼然明白！[9]

(二)暗喻清兵入關

《日知錄》卷四〈納公孫寧儀行父于陳〉條云：

5 見《明史》，（臺北，鼎文書局，一九七五年）。
6 見《清史稿校註》，（臺灣商務印書館，一九九九年）。
7 參李光濤：《明季流寇始末》下編第四章第三節〈洪承疇之經略南疆〉，（中央研究院歷史語言研究所專刊之五十一，一九六五年）。
8 參李光濤：〈洪承疇援遼始末〉、〈論洪承疇之招撫江南〉，載所著《明清史論集》下冊，（臺灣商務印書館，一九七一年）。
9 清人全祖望於所撰〈梅花嶺記〉（載全氏《鮚埼亭集．外編》卷二十）之中，敘述史可法於揚州殉國之後，大江南北，義軍兵興，皆託史閣部之名，以為忠烈尚在，孫兆奎起兵被執，清軍經略洪承疇與之有舊，問曰：「先生在兵間，審知故揚州閣部史公果死耶？抑未死耶？」孫公答曰：「經略從北來，審知故松山殉難督師洪公果死耶？抑未死耶？」承疇大恚，急呼麾下驅出斬之。

孔寧、儀行父從靈公宣淫于國，殺忠諫之泄冶。君弒不能死，從楚子而入陳，《春秋》之罪人也，故書曰：「納公孫寧、儀行父于陳。」杜預乃謂二子託楚以報君之讎，靈公成喪，賊討國復，功足以補過。嗚呼！使無申叔時之言，陳為楚縣矣！二子者楚之臣僕矣！尚何功之有？幸而楚子復封，成公反國，二子無秋毫之力。而杜氏為之曲說，使後世詐諼不忠之臣，得援以自解，嗚呼！其亦愈于今之已為他人郡縣而猶言報讎者與！有盜于此，將劫一富室，至中途而其主為僕所弒，盜遂入其家，殺其僕，曰：「吾報爾讎矣。」遂有其田宅貨財，子其子孫其孫，其子孫亦遂奉之為祖父。嗚呼！有是理乎？《春秋》之所謂亂臣賊子者，非此而誰邪？與楚子之存陳，不與楚子之納二臣也，公羊子固已言之曰：「存陳，悕矣。」[10]

《左傳》宣公九年記載，陳靈公與孔寧儀行父三人，皆通於夏姬，宣淫於國，大臣泄冶亟諫，靈公殺之，十年，靈公與孔寧儀行父飲於夏氏，靈公謂行父曰：「徵舒似女。」行父對曰：「亦似君。」徵舒乃夏姬之子，聞而病之，遂弒靈公，孔寧儀行父二人，懼而奔楚，十一年，楚伐陳，殺夏徵舒，因以陳爲楚國之縣，楚大臣申叔時諫楚子，以縣陳爲貪，楚子乃復封陳，而使孔寧儀行父二人返陳。杜預注云：「二子淫昏，亂人也，君弒之後，能外託楚，以求報君之讎。」又云：「賊討國復，功足以補過。」而亭林先生非之，以爲二人「何功之有」，以爲「使無申叔時之言，陳爲楚縣矣，二子者楚之臣僕矣」，《日知錄》此條之末，亭林先生所論「有盜于此」一節，實針對吳三桂乞師女眞，以至引滿人入關不返一事而發，《清史稿校註》卷四百八十一〈吳三桂傳〉記，「順治元年，李自成自西安東犯，太原、寧武、大同皆陷，又分兵破眞定。莊烈帝封三桂平西伯，並起襄（吳襄，三桂父）提督京營，徵三桂入衛。寧遠兵號五十萬，三桂簡閱步騎遣入關，而留精銳自將爲殿。三月甲辰，入關。戊甲，次豐潤。而自成已以乙巳破明都，遣降將唐通、白廣恩將兵東攻灤州。三桂擊破之，降其兵八千，引兵還保山海關。自成脅襄以書招之，令通以銀四萬犒師，遣別將率二萬人代三桂守關。三桂引兵西，至灤州，聞其妾陳爲自成將劉宗敏掠去，怒還，擊破自成所遣守關將；遣副將楊坤、遊擊郭雲龍上書睿親王乞師。王方西征，次翁後，三桂使至，明日，進次西拉塔拉，報三桂書，許之。自成聞三桂兵起，自將二十萬以東，執襄置軍中，復遣所置兵政部尚書王則堯招三桂，三桂留不遣。越四日，王進次連山，三桂又遣雲龍齎書趣進兵。師夜發，踰寧遠，次沙河。明日，距山海關十里。三桂遣邏卒報自成將唐通出邊立營，王遣兵攻之，戰於一片石，通敗走。又明日，師至關，三桂出迎。王命設儀仗，吹螺，偕三桂拜天畢，三桂率部將謁王，王令其兵以白布繫肩爲識，前驅

10 顧亭林：《原抄本日知錄》，（臺北，文史哲出版社，一九七九年）頁一○○。

入關」，「王承制進三桂爵平西王，分馬、步各萬隸焉，令前驅逐自成。」[11] 吳三桂以愛妾陳圓圓爲李自成部將所掠，竟開山海關迎清兵入境，罔顧民族大義[12]，亭林先生《日知錄》此條，於尚論《左傳》史事之際，忽爾言及「有盜于此」一節，而云「遂有其田宅貨財」，文末乃稱「子其子孫其孫」，又稱「《春秋》之所謂亂臣賊子者，非此而誰邪」，其指斥之嚴，用意之深，豈不灼然而可見者歟！[13]

㈢指斥大夫無恥

《日知錄》卷十七〈兩漢風俗〉條云：

漢自孝武表章六經之後，師儒雖盛而大義未明，故新莽居攝，頌德獻符者遍於天下。光武有鑒於此，故尊崇節義，敦厲名實，所舉用者，莫非經明行修之人，而風俗為之一變。至其末造，朝政昏濁，國事日非，而黨錮之流，獨行之輩，依仁蹈義，舍命不渝，風雨如晦，雞鳴不已。三代以下，風俗之美，無尚於東京者！故范曄之論，以為「桓靈之間，君道粃僻，朝綱日陵，國隙屢啟。故自中智以下，靡不審其崩離，而權強之臣，息其闚盜之謀，豪俊之夫，屈於鄙生之議」，「所以傾而未顛，決而未潰，皆仁人君子心力之為」。可謂知言者矣！使後代之主，循而弗革，即流風至今，亦何不可？而孟德既有冀州，崇獎跅弛之士，觀其下令再三，至於求「負汙辱之名，見笑之行，不仁不孝，而有治國用兵之術者」，於是權詐迭進，姦逆萌生。故董昭太和之疏，已謂「當今年少，不復以學問為本，專更以交遊為業。國士不以孝悌清修為首，乃以趨勢求利為先」。至正始之際，而一二浮誕之徒，騁其智識，蔑周孔之書，習老莊之教，風俗又為之一變。夫以經術之治，節義之防，光武明章，數世為之而未足，毀方敗常之俗，孟德一人變之而有餘。後之人君，將樹之風聲，納之軌物，以善俗而作人，不可不察乎此矣。

光武躬行勤約，以化臣下，講論經義，常至夜分，一時功臣，如鄧禹「有子十三人，各

11 《清史稿校注》，（臺灣商務印書館，一九九九年）。

12 清人吳偉業〈圓圓曲〉詩（載吳氏《梅村集》）有曰：「鼎湖當日棄人間，破敵收京下玉關，慟哭六軍俱縞素，衝冠一怒為紅顏。」又曰：「妻子豈應關大計，英雄無奈是多情，全家白骨成灰土，一代紅粧照汗青。」意含譏切者，即指此也。

13 世傳清攝政王多爾袞〈與明史可法書〉有曰：「闖賊李自成，稱兵犯闕，手毒君親，中國臣民，不聞加遺一矢，平西王吳三桂，介在東陲，獨效包胥之哭，朝廷感其忠義，念累世之宿好，棄近日之小嫌，爰整貔貅，驅除狗鼠。」又曰：「國家之撫定燕京，乃得之於闖賊，非取之於明朝也。」而史可法〈復清多爾袞書〉則曰：「著契丹和宋，止歲輸以金繒，回紇助唐，原不利其土地，況貴國篤念世好，兵以義動，萬代瞻仰，在此一舉，若乃乘我蒙難，棄好崇讎，規此幅員，為德不卒，是以義始而以利終，為賊人所竊笑也。」是清人入關，利用降臣，詭詐欺愚，久居不去，恬然無恥，猶為狡辯也。

> 使守一藝，閨門修整，可為世法」。貴戚如樊重，「三世共財，子孫朝夕禮敬，常若公家」。以故東漢之世，雖人才之倜儻，不及西京，而士風家法，似有過於前代。東京之末，節義衰而文章盛，自蔡邕始，其仕董卓無守，卓死驚歎無識。觀其集中濫作碑頌，則平日之為人可知矣！以其文采富而交游多，故後人為立佳傳。嗟乎！士君子處衰季之朝，常以負一世之名，而轉移天下之風氣者，視伯喈之為人，其戒之哉！14

亭林先生討論歷代風俗，於東西二周以下，最爲推崇東漢，以爲「光武躬行勤約，以化臣下」，「尊崇節義，敦厲名實」，故「三代以下，風俗之美，無尚於東京者」，然而，自曹操據有冀州之後，崇獎跅弛之士，於是風氣大壞，權詐迭進，姦逆萌生，故亭林先生以爲，「經術之治，節義之防，光武明章，數世爲之而未足，毀方敗常之俗，孟德一人變之而有餘」，至於東漢之末，「節義衰而文章盛」，則亭林先生歸咎於蔡邕，以其無守無識，濫作碑頌，「以其文采富而交游多」，故後人或稱譽之，此則亭林先生，生當晚明之際，筆下所書，雖爲蔡邕，心中所指，豈不在於變節降清之文史冠冕錢謙益乎？《清史稿校註》卷四百九十一《列傳》二百七十一《文苑傳》一記：「錢謙益，字受之，常熟人。明萬曆中進士，授編修，博學工詞章，名隸東林黨。天啓中，御史陳以瑞劾罷之。崇禎元年，起官，不數月至禮部侍郎。會推閣臣，謙益慮尚書溫體仁、侍郎周延並推，則名出己上，謀沮之。體仁追論謙益典試浙江取錢千秋關節事，予杖論贖。體仁復賄常熟人張漢儒訐謙益貪肆不法。謙益求救於司禮太監曹化淳，刑斃漢儒。體仁引疾去，謙益亦削籍歸。流賊陷京師，明臣議立君江寧。謙益陰推戴潞王，與馬士英議不合，已而福王立，懼得罪，上書誦士英功，士英引為禮部尚書。復力薦閹黨阮大鋮等，大鋮遂為兵部侍郎。順治三年，豫親王多鐸定江南，謙益迎降，命以禮部侍郎管秘書院事。馮銓充明史館正總裁，而謙益副之。俄乞歸。五年，鳳陽巡撫陳之龍獲黃毓祺，謙益坐與交通，詔總督馬國柱逮訊。謙益訴辨，國柱遂以謙益、毓祺素非相識定讞。得放還，以著述自娛，越十年卒。謙益為文博贍，諳悉朝典，詩尤擅其勝。明季王、李號稱復古，文體日下，謙益起而力振之。家富藏書，晚歲絳雲樓火，惟一佛像不燼，遂歸心釋教，著楞嚴經蒙鈔。其自為詩文，曰牧齋集、曰初學集、有學集。乾隆三十四年，詔燬板，然傳本至今不絕。」又《清史稿校註》卷三百十二《列傳》九十二記：「沈德潛字碻士，江南長洲人，乾隆元年，舉博學鴻詞，試未入選，四年，成進士，改庶吉士，年六十七矣」，「二十六年，復詣京師祝皇太后七十萬壽，進歷代聖母圖冊。入朝賜杖，上命集文武大臣七十以上者為九老，凡三班，德潛為致仕九老首。命游香山，圖形內府。德潛進所編《國朝詩別裁集》請序，上覽其書以錢謙益為冠，因諭：謙益諸人為明朝達官，而復事本朝，草昧締構，一時權宜。要其人不得為忠孝，其詩自在，聽之可也。

14　顧亭林：《原抄本日知錄》，（臺北，文史哲出版社，一九七九年）頁三七七。

選以冠本朝諸人則不可。錢名世者，皇考所謂名教罪人，更不宜入選。愼郡王，朕之叔父也，朕尚不忍名之。德潛豈宜直書其名？至世次前後倒置，益不可枚舉。命內廷翰林重為校定。二十七年，南巡，德潛及錢陳群迎駕常州，上賜詩，並稱為大老。三十年，復南巡，仍迎駕常州，加太子太傅，賜其孫維熙舉人。三十四年卒，年九十七。贈太子太師，祀賢良祠，諡文慤。御製詩為輓。是時上命燬錢謙益詩集，下兩江總督高晉令察德潛家，如有謙益詩文集，遵旨繳出。會德潛卒，高晉奏德潛家並未藏謙益詩文集，事乃已。」是則錢謙益文史詩名雖盛，沈德潛所編《國朝詩別裁集》，亦以錢氏褎然冠於集首，而清帝已不齒其為人，命燬錢詩版刻，況在明人，寧有不加鄙視者乎！亭林先生云：「士君子處衰季之朝，常以負一世名，而轉移天下之風氣者，視伯嗜之為人，其戒之哉！」此語數也，移之以指斥錢氏之負國恩而敗士節者，誰曰不宜？亭林先生之用心，豈不灼然可知！

㈣憂慮被髮左衽

《日知錄》卷九〈管仲不死子糾〉條云：

> 君臣之分，所關者在一身，夷夏之防，所繫者在天下。故夫子之於管仲，略其不死子糾之罪，而取其一匡九合之功。蓋權衡於大小之間，而以天下為心也。夫以以君臣之分，

猶不敢夷夏之防，《春秋》之志可知矣。

有謂管仲之於子糾，未成為君臣者，子糾於齊未成君，於仲與忽，則成為君臣矣。狐突之子毛及偃，從文公在秦，而曰：「今臣之子，名在重耳，有年數矣。」若毛偃為重耳之臣，而仲與忽不得為糾之臣，是以成敗定君臣也，可乎？又謂桓兄糾弟，此亦強為之說。夫子之意，以被髮左衽之禍，尤重於忘君事讎也。

論至於尊周室攘夷狄之大功，則公子與其臣，區區一身之名分小矣。雖然，其君臣之分故在也，遂謂之無罪，非也。15

《論語．憲問》記：「子路曰，桓公殺公子糾，召忽死之，管仲不死，曰，未仁乎？子曰，桓公九合諸侯，不以兵車，管仲之力也，如其仁，如其仁。」又記：「子貢曰，管仲非仁者與？桓公殺子糾，不能死，又相之。子曰，管仲相桓公，霸諸侯，一匡天下，民到于今受其賜，微管仲，吾其被髮左衽矣，豈若匹夫匹婦之爲諒也，自經於溝瀆，而莫之知也。」管仲不死子糾之難，王肅以爲管仲之於公子糾，「君臣之義未成」，程子以爲，桓公爲兄，子糾爲弟，「桓

15 顧亭林：《原抄本日知錄》，（臺北，文史哲出版社，一九七九年）頁二〇一。

公殺之雖過，而糾之死實當」[16]，皆過為閃爍其詞，亭林先生則以為，「君臣之分，所關者在一身，夷夏之防，所繫者在天下」，「蓋權衡於大小之間，而以天下為心也」，以天下為心，其言最關緊要，亭林先生生當清人入關之際，其於種族陷溺，文化沉淪，感受特為深刻，故於華夷之辨，言之也最為明著，「夫子之意，以被髮左衽之禍，尤重於忘君事讎也」[17]，通行本《日知錄》無此十九字[18]，原抄本《日知錄》有之，此十九字，也最能彰明夫子之要旨。實則，此條對於明亡之際，忘君事讎，以至引而為被髮左衽巨禍之失節人臣，尤其具有筆誅之用意存在。

(五)傷感蠻夷猾夏

《日知錄》卷九〈素夷狄行乎夷狄〉條云：

「素夷狄行乎夷狄」，然則將居中國而去人倫乎？非也。處夷狄之邦而（不失）吾中國之道，是之謂素夷狄行乎夷狄也。六經所載，帝舜滑夏之咨，殷宗有截之頌，《禮記》明堂之位，《春秋》（朝）會之書，凡聖人所以為內夏外夷之防也，如此其嚴也！《文中子》以《元經》之帝魏，謂「天地有奉，生民有庇，即吾君也」。何其語之偷而悖乎！宋陳同甫謂「黃初以來，陵夷四百餘載，夷狄異類迭起以主中國，而民生常覬一日之安寧於非所當事之人」。以王仲淹之賢，而猶為此言，其無以異乎凡民矣！夫（興）亡有

> 迭代之時，而中華（無）不復之日，若之何以萬古之心胸而區區於旦暮乎！此所（謂）偷也。漢和帝時，侍御史魯恭上疏曰：「夫戎狄者，四方之異氣，蹲夷踞肆，與鳥獸無別，若雜居中國，則錯亂天氣，汙辱善人。」夫以亂辱天人之世，而論者欲將毀吾道以殉之，此所謂悖也。孔子有言：「居處恭，執事敬，與人忠，雖之夷狄，不可棄也。」夫是之謂素夷狄行乎夷狄也。若乃相率而臣事之，奉其令，行其俗，甚者導之以為虐于中國，而藉口於「素夷狄」之文，則子思之罪人也已！[19]

通行本《日知錄》無此條，原抄本有之，考《中庸》曰：「君子素其位而行，不願乎其外，素富貴，行乎富貴，素貧賤，行乎貧賤，素夷狄，行乎夷狄，素患難，行乎患難，君子無入而不自得。」其意所重，乃在「君子無入而不自得」，素夷狄行乎夷狄，僅爲陪襯之詞而已，重點原不在以夷狄之行爲法，故《中庸》所謂「素夷狄行乎夷狄」者，亭林先生以爲，不過教人，

---

16 見朱熹：《四書集注》，（臺北，中華書局，一九七三年）。

17 參胡楚生：〈清初諸儒論「管仲不死子糾」申義〉，載拙著《清代學術史研究》，（臺北，學生書局，一九八八年）頁一二五。

18 此據清黃汝成：《日知錄集釋》卷七，（臺北，世界書局，一九七四年）頁一五八。

19 顧亭林：《原抄本日知錄》，（臺北，文史哲出版社，一九七九年）頁一八六。

雖「處夷狄之邦，而不失吾中國之道」而已，非使華夏民族，處於夷狄之地，即奉行夷狄之道也，至於「奉其令，行其俗」，「相率而臣事之」，「導之以爲虐于中國」，此其禍也，亭林先生親自目睹，親身體受，故其於《春秋》家所謂之「內諸夏而外夷狄」者，感悟亦特爲痛切，故昌言「興亡有迭代之時，而中華無不復之日，若之何以萬古之心胸而區區於旦暮乎」，蓋有感於明室之暫亡，而冀望神州有重光之日也。

㈥痛心文化沉淪

《日知錄》卷十七〈正始〉條云：

> 魏明帝殂，少帝即位，改元正始，凡九年。其十年，則太傅司馬懿殺大將軍曹爽，而魏之大權移矣。三國鼎立，至此垂三十年，一時名士風流，盛於雒下，乃其棄經典而尚老莊，蔑禮法而崇放達，視其主之顛危若路人然，即此諸賢為之倡也。自此以後，競相祖述。如《晉書》言，王敦見衛玠，謂長史謝鯤曰：「不意永嘉之末，復聞正始之音。」沙門支遁，以清談著名於時，莫不崇敬，以為造微之功，足參諸正始。……然而《晉書．儒林傳．序》云：「擯闕里之典經，習正始之餘論，指理法為流俗，目縱誕以清高。」此則虛名雖被於時流，篤論未忘乎學者。是以講明六藝，鄭玄王肅為集漢之終。演說老

莊，王弼何晏為開晉之始。以至國亡於上，教淪於下，胡戎互僭，君臣屢易，非林下諸賢之咎而誰咎哉？

有亡國有亡天下。亡國與亡天下奚辨？曰，易姓改號，謂之亡國。仁義充塞，而至於率獸食人，人將相食，謂之亡天下。魏晉人之清談，何以亡天下？是孟子所謂楊墨之言，至於使天下無父無君而入於禽獸者也。……是故知保天下，然後知保其國。保國者，其君其臣，肉食者謀之。保天下者，匹夫之賤，與有責焉耳矣。[20]

劉義慶《世說新語．任誕》曰：「陳留阮籍，譙國嵇康，河內山濤，三人年皆相比，康年少亞之。預此契者，沛國劉伶，陳留阮咸，河內向秀，琅邪王戎，七人常集于竹林之下，肆意酣暢，故世謂竹林七賢。」[21]蓋魏晉之清談，以七人爲代表，放誕仁義，崇慕老莊，蔑棄禮法，遂至於使司馬氏之亡於異族，五胡十六國，交亂中原，禮義淪胥，道德沉淪，眞所謂亡天下而率獸食人之慘者也，故亭林先生深加排斥，以爲「國亡於上，教淪於下」，「非林下諸賢之咎而誰咎哉」。亦唯亭林先生以道德禮義人倫文化所關繫者爲念，故強調異族侵陵，爲中夏亡天下之巨

20 顧亭林：《原抄本日知錄》，（臺北，文史哲出版社，一九七九年）頁三七八。

21 見余嘉錫：《世說新語箋疏》卷下〈任誕〉第二十三，（臺北，仁愛書局，一九八四年）頁七二七。

禍，故以為匹夫匹婦，皆與有責焉者，《日知錄》卷九〈夫子之言性與天道〉條曰：「五胡亂華，本於清談之流禍，人人知之。孰知今日之清談有甚於前代者，昔之清談談老莊，今之清談談孔孟。」又曰：「以明心見性之空言，代修己治人之實學，股肱惰而萬事荒，爪牙亡而四國亂，神州蕩覆，宗廟丘墟」。《日知錄》卷二十〈內典〉條曰：「夫心所以具衆理而應萬事，正其心者，正欲施之治國平天下，孔門未有專用心於內之說也，用心於內，近世禪學之說耳。」又〈朱子晚年定論〉條曰：「以一人而易天下，其流風至於百有餘年之久者，古有之矣，王夷甫之清談，王介甫之新說。（《宋史》林之奇言，昔人以王何清談之罪，甚于桀紂，本朝靖康禍亂，考其端倪，王氏實負王何之責。）其在於今，則王伯安之良知是也。」合此數條觀之，則亭林先生，言語雖稱魏晉，意中所指，豈無眼前王學末流，狂禪盛行，清談誤國，不務實學，以致清人入關，明室覆亡，文化淪胥之傷痛在耶！

㈦表彰忠義烈節

《日知錄》卷十七〈本朝〉條云：

古人謂所事之國為本朝，魏文欽降吳，表言「世受魏恩，不能扶翼本朝，抱愧俛仰，靡所自厝」。又如吳亡之後，而蔡洪〈與刺史周俊書〉，言「本朝舉賢良」是也。《顏氏家訓》：「先君先夫人，皆未還建業舊山，旅葬江陵東郭。承聖末，啟求揚都，欲遷營厝。蒙詔賜銀百兩，已于揚州小郊，卜地燒磚。值本朝淪沒，流離至此。」之推仕歷齊周及隋，而猶稱梁為本朝。蓋臣子之辭，無可移易。而當時上下，亦不以為嫌者矣。《舊唐書》，劉昫撰，昫為石晉宰相，而其〈職官志〉稱唐曰皇朝，曰皇家，曰國家，〈經籍志〉稱唐曰我朝。

宋胡三省註《資治通鑑》，書成于元至元時。註中凡稱宋皆曰本朝，曰我宋。其釋地理，皆用宋州縣名。惟一百九十七卷蓋牟城下註曰：「今大元遼陽府路。」遼東城下註曰：「大元遼陽府。」二百六十八卷順州下曰：「大元順州領懷柔密雲二縣。」二百八十六卷錦州下曰：「陳元靚曰，大元于錦州置臨海節度，領永樂安昌興城神水四縣，屬大定府路。」二百八十八卷建州下曰：「陳元靚曰，大元建州領建平永霸二縣，屬大定府路。」以宋無此地，不得已而書之也。22

《日知錄》卷十七有〈本朝〉一條，亭林先生云：「古人謂所事之國爲本朝。」章炳麟〈日知錄校記序〉曰：「昔時讀《日知錄》，怪顧君仕明至部郎，而篇中稱明，與前代無異，疑爲後

22 顧亭林：《原抄本日知錄》，（臺北，文史哲出版社，一九七九年）頁四一一。

人改竄。又〈素夷狄行乎夷狄〉一條，有錄無書，亦以爲乾隆抽毀也。後得潘次耕初刻，與傳本無異，則疑顧君眞蹟已然。結轖不怡者久之。去歲聞友人張繼得亡清雝正時寫本，其缺不書者故在，又多出〈胡服〉一條，纚纚千餘言。其書明則本朝，涉明諱者則用之字，信其爲顧君眞本。曩之所疑于是砉然凍解也。顧其書丹黃雜施，不可攝影以示學者。今歲春，余弟子黃侃因爲〈校記〉一通，凡今本所缺者具錄於記，一句一字皆著焉。其功信勤矣。頗怪次耕爲顧君與徐昭法門下高材，造厀受命，宜與恆衆異，乃反剟定師書，令面目不可全睹，何負其師之劇耶！蓋亦懲于史禍，有屈志而爲之者也。今〈校記〉既就，人人可檢讀以窺其眞。顧君千秋之志得以無恨，而侃之功亦庶幾與先哲並著歟！」[23]徐文珊教授所整理之《原抄本日知錄》，其〈敘例〉第十條云：「書中與通行本不同者，多在明清之順逆，內諸夏而外夷狄，對明帝稱謂各條，散見全書各篇，不遑枚舉，舉其要者，如稱明必曰本朝，稱明太祖必曰我太祖，崇禎必曰先帝，明初稱國初等，此皆示作者只知身爲明人，不知有清帝，一字之差，敵我之分，順逆之辨，全在於是。清人必爲竄改，本朝改明朝，我太祖改明太祖，先帝改爲崇禎，而有明遺臣變爲清之降臣矣。餘如內侵之夷狄稱曰胡曰虜，清人則改爲邊爲塞爲敵爲外國，五胡改劉石，中原左衽改中原塗炭，凡此種種，輕重褒貶，毫釐千里，不容假借。」[24]徐文珊教授〈原抄本顧炎武日知錄評介〉亦曰：「著者民族立場，明朗而堅定，最爲清廷所不能容忍。蓋著者所堅持之立場，正清廷不兩立之大敵。顧氏於民族爲漢，於國家爲明。非漢者夷狄，反明者寇盜。其存心只知有漢有明，而不知有滿有清。故書中絕口不言滿，不言清，更不屑道及清帝廟諡與年號。每有所指，必指明日我朝，本朝、國朝，明太祖必曰我太祖，崇禎必曰先帝，一似明祚未終者然。此種不承認主義雖屬消極，然在清室視之，當爲其所大忌，故必改之而後快。於是我朝本朝國朝全改稱明朝，或有明。我太祖改爲明太祖，先帝改崇禎。一字二字之差，而忠奸順逆之別，何止霄壤？亭林地下有知，吾知其必攘臂仗劍而起矣！」[25]然則，通行本《日知錄》中〈本朝〉此條，則正屬亭林先生於華夷大義，爲書中各篇發凡起例作張本者也，已屬難得而珍貴，今《原抄本日知錄》重現人間，取以比校，則亭林先生之心志，豈不益爲彰著者歟！

(八)申論風俗移人

《日知錄》卷二十九〈胡服〉條云：

> 自古承平日久，風氣之來，必有其漸。而變中夏為夷狄，未必非一二好異之徒啟之也。《春秋傳》僖公二十二年：「初，平王之東遷也，辛有適伊川，見被髮而祭於野者，曰，

23 顧亭林：《原抄本日知錄》，（臺北，文史哲出版社，一九七九年）頁九五七。

24 顧亭林：《原抄本日知錄》，（臺北，文史哲出版社，一九七九年）頁二。

25 顧亭林：《原抄本日知錄》，（臺北，文史哲出版社，一九七九年）頁一〇〇一。

不及百年，此其戎乎！其禮先亡矣！秋，秦晉遷陸渾之戎於伊川。」《後漢．五行志》：「靈帝好胡服、胡帳、胡床、胡坐、胡飯、胡箜篌、胡笛、胡舞，京都貴戚，皆競為之。其後董卓多擁胡兵，填塞街衢，虜掠宮掖，發掘園陵。」《晉書．五行志》：「泰始之初，中國相尚用胡床柏槃，及為羌煮柏炙，貴人富室，必畜其器。言享嘉會，皆以為先。太康中，又以氈為絔頭及絡帶袴口，百姓相戲曰：『中國必為胡所破，夫氈毳產於胡，而天下以絔頭帶身袴口，胡既三制之矣，能無敗乎？』至元康中，氐羌互反，永嘉後，劉石遂篡中都。自後四夷迭據華土，是服妖之應也。」

《冊府元龜》：「後漢高祖天福十二年，左衛將軍許敬遷奏：『臣伏見天下鞍轡器械，並取契丹樣裝飾，以為美好。安有中國之人，反效戎虜之俗？請下明詔毀棄，須依漢境舊儀。』敕曰：『近者中華人情浮薄，不依漢禮，卻慕胡風，果致狂戎來侵。諸夏應有契丹樣鞍轡、器械、服裝等，並令逐處禁斷。』」

《太祖實錄》：「初，元世祖起自朔漠，以有天下，悉以胡俗變易中國之制，士庶咸辮髮椎髻，深簷胡帽。衣服則為袴褶窄袖，及辮線腰褶，婦女衣窄袖短衣，下服裙裳，無復中國衣冠之舊。甚者易其姓字為胡名，習胡語，俗化既久，恬不為怪。上久厭之，洪武元年二月壬子詔：『復衣冠，如唐制。士民皆束髮於頂，官則烏紗帽，圓領袍，束帶，黑靴。士庶則服四帶巾。雜色盤領，衣不得用黃玄……其辮髮椎髻，胡服，胡語，胡姓，一切禁止。』斟酌損益，皆斷自聖心。於是百有餘年胡俗，悉復中國之舊矣。」《河間府志》：「陳士彥曰：今河間男子，或有左衽者，而婦人尤多。至於孺子環狐狗之尾以為冠，而身被毛革以為服，謂之達粧。夫被髮野祭，辛有卜其為戎。晉太康中，俗以氈為絔頭及絡帶袴口，彼此互相嘲戲，以為胡兒。未幾，劉石之變遂起。」此書作於萬曆四十三年，不二期而遼東之難作矣！至於今日，「胡俗縵纓，咸為戎俗，高冠重屨，非復華風」，有識之士，得不悼其橫流，追其亂本哉？[26]

中夏民族，自古束髮冠帶，久成習俗，民衆以爲，身體髮膚，受之父母，不敢毀傷，乃孝行之始，至於博袍長袖，服飾右衽，不輕更易，乃禮義之風，然而清兵入關之後，下令薙髮易服，遵從滿人習俗，以其召致百姓反對，順治元年，爲求示好，乃禮葬崇禎帝，又諭兵部，令「天下臣民，照舊束髮，悉聽其便」，及多鐸破南明，順治二年六月，重頒「薙髮令」，令發十日，強制實行，有所謂「留頭不留髮，留髮不留頭」者，人民反抗，由是愈爲激烈，即以江陰一地而言，民心慷慨，典史閻應元陳明遇爲守帥，守八十一日，全城十七萬餘人，壯烈犧牲，無一

26 顧亭林：《原抄本日知錄》，（臺北，文史哲出版社，一九七九年）頁八二四。

降者[27]，至於嘉定一地，民眾憤慨，士紳侯峒曾黃淳耀爲領袖，七月初、七月底、八月初，三次城破，義軍奮戰，清軍三次屠城，義軍民眾，死亡殆盡。[28]其他各地，因薙髮易服而引致民眾愈加憤怒、反抗愈加激烈者，亦爲數極多，《日知錄》中〈胡服〉一條，亭林先生尙論歷代夷狄胡服擾亂中原，往往導致國家災變，因以爲戒，其所措心，實即在於視薙毛髮易服色爲文化沉淪、仁義充塞、「變中夏爲夷狄」、亡天下之慘禍也，故於〈胡服〉一條之中，隱寓其「悼其橫流，追其亂本」之義蘊焉，徐文珊教授〈原抄本顧炎武日知錄評介〉曰：「《春秋》最重夷夏之防，所以明辨敵我，嚴心理國防也。此書本《春秋》之旨，極重華夷之辨，每有論及，必斥爲胡、爲虜、爲賊，或指爲蠻夷戎狄。雖非盡指清人，然作賊心虛，忌聞惡名，於是盡爲竄改，或曰邊、曰塞、曰敵、曰外國……。其尤著者，則〈素夷狄行乎夷狄〉、〈胡服〉二條，不特專章論述，闡明《春秋》之旨，且語重心長，指陳時弊，洋洋灑灑，痛快淋漓。既不能斷章而取義，亦不勝竄僞以亂眞，乃不得不全章刪落，以使羚羊掛角，無跡可求。」[29]然而，〈胡服〉一條，一千三四百字，以其不容於清廷，通行本《日知錄》中，乃遭全條刪除，冀使後世讀者，無跡可以尋覓，天幸《原抄本日知錄》此條尙在，而亭林先生嚴辨夷夏之大義之旨，尙得重見於人間也。

㈨追惟黨爭貽害

《日知錄》卷十七「宋世風俗」條云：

《宋史》言：「士大夫忠義之氣，至於五季，變化殆盡。宋之初興，范質、王溥，猶有餘憾。藝祖首褒韓通，次表衛融，以示意嚮，真、仁之世，田錫、王禹偁、范仲淹、歐陽修、唐介諸賢，以直言讜論倡於朝。於是中外縉紳，知以名節為高，廉恥相尚，盡去五季之陋。故靖康之變，志士投袂，起而勤王，臨難不屈，所在有之。及宋之亡，忠節相望。」嗚呼！觀哀平之可以變而為東京，五代之可以變而為宋。則知天下無不可變之風俗也。〈剝〉上九之言「碩果」也，陽窮於上，則復生於下矣。

人君御物之方，莫大乎抑浮止競。宋自仁宗在位四十餘年，雖所用或非其人，而風俗醇厚，好尚端方。論世之士，謂之君子道長。及神宗朝，荊公秉政，驟獎趨媚之徒，深鋤異己之輩。鄧綰、李定、舒亶、蹇序辰、王子韶諸奸，一時擢用，而士大夫有「十鑽」之目，干進之流，乘機抵隙。馴至紹聖、崇寧，而黨禍大起，國事日非，膏肓之疾，遂不可治。後之人但言其農田、水利、青苗、保甲諸法為百姓害，而不知其移人心、變士

27 參《明史》卷二百七十七《閻應元傳》、《陳明遇傳》，（臺北，鼎文書局，一九七五年）。
28 參《明史》卷二百七十七〈侯峒曾傳〉，卷二百八十二《黃淳耀傳》，（臺北，鼎文書局，一九七五年）。
29 顧亭林：《原抄本日知錄》，（臺北，文史哲出版社，一九七九年）頁一〇〇二。

習為朝廷之害。其害於百姓者，可以一旦而更，而其害於朝廷者，歷數十百年，滔滔之勢，一往而不可反矣！李應中謂：「自王安石用事，陷溺人心，至今不自知覺。人趨利而不知義，則主勢日孤。」此可謂知言者矣。《詩》曰：「毋教猱升木，如塗塗附。」夫使慶曆之士風一變而為崇寧者，豈非荊公教猱之效哉？

〈蘇軾傳〉，熙寧初，安石創行新法，軾上書言：「國家之所以存亡者，在道德之淺深，不在乎強與弱。曆數之所以長短者，在風俗之厚薄，不在乎富與貧。臣願陛下務崇道德而厚風俗，不願陛下急於有功而貪富強……近歲樸拙之人愈少，巧進之士益多，惟陛下哀之救之。」當時論新法者多矣，未有若此之深切者。根本之言，人主所宜獨觀而三復也。

《東軒筆錄》：「王荊公秉政，更新天下之務。而宿望舊人，議論不協，荊公遂選用新進，待以不次。故一時政事，不日皆舉，而兩禁臺閣，內外要權，莫非新進之士也。及出知江寧府，呂惠卿驟得政柄，有射羿之意。而一時之士，見其得君，謂可以傾奪荊公，遂更朋附之，以興大獄。尋荊公再召，鄧綰反攻惠卿，惠卿自知不安，乃條列荊公兄弟之失數事面奏，上封惠卿所言以示荊公。故荊公表有云：『忠不足以取信，故事事欲自明，義不足以勝姦，故人人與之立敵。』蓋謂是也，既而惠卿出知亳州，荊公復相，承黨人之後，平日肘腋盡去，而在者已不可信，可信者又才不足以任事。當日唯與其子雱機謀，而雱又死。知道之難行也，於是慨然復求罷去。」荊公當日處卑官，力辭其所不必辭，既顯，宜辭而不復辭，矯情干譽之私，固有識之者矣。夫子之論觀人也，曰「察其所安」，又曰「色取仁而行違，居之不疑，在邦必聞，在家必聞」，是則欺世盜名之徒，古今一也。人君可不察哉？

陸游〈歲暮感懷詩〉：「在昔祖宗時，風俗極粹美。人材兼南北，議論忘彼此。誰令各植黨，更仆而迭禍，此風猶未已。儻築太平基，請自厚俗始。」30

〈宋世風俗〉一條，亭林先生之意，似在嚴責王安石，以爲「荊公秉政，驟獎趨媚之徒，深鋤異己之輩」，以爲「後之人但言其農田水利青苗保甲諸法爲百姓害，而不知其移人心變士習爲朝廷之害」，然而，論其用心，則在逕指安石之任用小人，以至「干進之流，乘機抵隙」，馴至於「黨禍大起，國事日非」，而「膏肓之疾，遂不可治」也，故於北宋新舊黨人之爭，戕傷國力者，而不免深致其嗟嘆也，是以亭林先生以爲，「人君御物之方，莫大乎抑浮止競」，蓋怵然凜乎黨錮競爭之爲禍也。

30 顧亭林：《原抄本日知錄》，（臺北，文史哲出版社，一九七九年）頁三七九。

夫亭林先生生當晚明時期，而東林黨爭，歷神宗、光宗、熹宗、思宗，迄南明而其事未已，顧憲成高攀龍輩，欲以學術正人心，進而正朝廷天下之是非，然是非豈易明哉！彼等既嚴辨乎君子小人之分，崇高氣節，堅其壁壘，君子小人之辨，遂一操之在己，同於己者，視爲君子，異於己者，視爲小人，遂使天下無完人矣，而己身亦不得爲君子之行，意氣既盛，又牽涉於宮廷瑣事，門戶之別，愈趨複雜，益與閹宦，勢不兩立，爭鬥連年，而國家元氣戕喪，生民之道瀕絕，一旦外患驟至，國亡隨之矣，[31]「誰令各植黨，更仆而迭禍」，亭林先生有見於此，能不感慨良深？是以尚論古人，枚舉宋代朋黨之禍，用以隱刺明末東林閹宦相持相拒之事，以示其傷痛之意，以鑑戒於後世也。

(十)慨歎閹宦亂政

《日知錄》卷六〈閽人寺人〉條云：

> 閽人寺人屬于冢宰，則內廷無亂政之人，九嬪世婦屬于冢宰，則後宮無盛色之事。大宰之于王，不惟佐之治國，而亦誨之齊家者也。自漢以來，惟諸葛孔明為知此義，故其上表後主，謂「宮中府中，俱為一體，而宮中之事，事無大小，悉以咨攸之、禕、允三人」。于是後主欲采擇以充後宮，而終執不聽，宦人黃皓，終允之世，位不過黃門丞，可以為

> 行《周禮》之效矣。後之人君，以為此吾家事，而為之大臣者，亦以為天子之家事，人臣不敢執而問也。其家之不正而何國之能理乎？魏楊阜為少府，上疏欲省宮人，乃召御府吏問後宮人數。吏曰：「禁密，不得宣露。」阜怒杖吏一百，數之曰：「國家不與九卿為密，反與小吏為密乎？」然後知閹寺嬪御之繫于天官，周公所以為後世慮，至深遠也！漢承秦制，有少府之官，中書謁者、黃門、鉤盾、尚方、御府、永巷、內者、宦者八官，令丞、諸僕射、署長、中黃門皆屬焉，然則奄寺之官，猶隸于外庭也。[32]

《周禮》記閽人「掌守王宮之中門之禁」，寺人「掌王之內人及女宮之戒令」，「佐世婦治禮事」，而皆屬之於冢宰治官之職，蓋天官冢宰之立，「使帥其屬，而掌邦治，以佐王均邦國」也，亭林先生於此條之中，以爲家齊而後國治，以爲「太宰之於王，不唯佐之治國，而亦誨之齊家者也」，故「閽人寺人屬冢宰」，則宮中府中，俱爲一體，奄宦之流，無所進其讒佞，而擅其權柄矣，是以「內廷無亂政之人」，此則周制之善者也。及至後世，「人君以爲，此吾家事，而爲之大臣者，亦以爲天子之家事，人臣不敢執而問也」，此條之中，亭林先生雖尙論《周

31 參李焯然：〈論東林黨爭與晚明政治〉，載所著《明史散論》，（臺北，允晨文化公司，一九八七年）頁一六九。

32 顧亭林：《原抄本日知錄》，（臺北，文史哲出版社，一九七九年）頁一二九。

禮》典制，稱頌周公之深慮遠謀，而目光所注，則在明末之史事，蓋明末奄寺之徒，專權擅政，國家危急，至於明室覆亡，論其緣由，固屬多端，然而宦官之專擅政權，東廠之殘害大臣，劉謹魏忠賢之徒，流毒深遠，謂其毫無影響，其誰信之？亭林先生鑑於奄宦誤國，痛心之餘，故於《日知錄》此條之中，暢論其杜絕之道，此與梨洲先生於《明夷待訪錄》中論「奄宦」之禍，以爲「奄宦之如毒藥猛獸，數千年以來，人盡知之矣，乃卒遭其裂肝碎首者，曷故哉？豈無法以制之與？則由於人主之多欲也」，「吾意人主者，自三宮以外，一切當罷，如是，則奄人之給使令者，不過數十人而已矣」[33]，蓋皆屬有感於明室之弊政而發爲針砭之方者也。[34]

十一 深責權臣禍國

《日知錄》卷十七〈奴僕〉條云：

《顏氏家訓》，鄴下有一領軍，貪積已甚，家僮八百，誓滿一千。唐李義府多取人奴婢，及敗，各散歸其家，時人為露布云：「混奴婢而亂放，各識家而競入。」聖祖數涼國公藍玉之罪亦曰：「家奴至於數百。」今日江南士大夫多有此風，一登仕籍，此輩競來門下，謂之投靠，多者亦至千人。而其用事之人，則主人之起居食息以至於出處語默，無一不受其節制。有甘於毀名喪節而不顧者。奴者主之，主者奴之。嗟乎！此六逆之所繇來矣！

《漢書・霍光傳》任宣言：「大將軍時，百官已下，但事馮子都王子方等。」又曰：「初光愛幸監奴馮子都，常與計事。及顯（光妻）寡居，與子都亂。」夫以出入殿門、進止不失尺寸之人，而溺情女子小人，遂至於此。今時士大夫之僕，多有以色而升，以妻而寵。夫上有漁色之主，則下必有烝弒之臣。清斯濯纓，濁斯濯足，自取之也。是以欲清閨門，必自簡童僕始。

嚴分宜之僕永年，號曰鶴坡。張江陵之僕游守禮，號曰楚濱。不但招權納賄，而朝中多贈之詩文，儼然與搢紳為賓主。名號之輕，文章之辱，至斯而甚！異日媚閹建祠，非此為之嚆矢乎？

人奴之多，吳中為甚。其專恣暴橫，亦惟吳中為甚。有王者起，當悉免為良，而徙之以實遠方空虛之地。士大夫之家所用僕役，並令出資雇募，如江北之例。則豪橫一清，而四鄉之民，得以安枕。其為士大夫者，亦不受制於人，可以勉而為善。訟簡風淳，其必自此始矣。[35]

33 見黃宗羲：《明夷待訪錄》，（臺北，世界書局，一九七四年）。

34 參胡楚生：〈黃梨洲論閹宦之禍〉，載拙著：《清代學術史研究》，（臺北，學生書局，一九八八年）頁三四五。

35 顧亭林：《原抄本日知錄》，（臺北，文史哲出版社，一九七九年）頁四〇〇。

《日知錄》此條，論歷代顯貴廣蓄僮僕之事，而朝中貴人，僮僕成群，其不肖者，往往窺伺主人意向，逢迎取媚，登堂入室，久之，「則主人之起居食息以至出處語默，無一不受節制」，至於「奴者主之，主者奴之」，則敗家傷身之禍，爲不遠矣，然而，亭林先生以爲，「上有漁色之主，則下必有烝弒之臣」，是以「欲清閨門，必自簡童僕始」也。考明熹宗天啓年間，宦官魏忠賢當權，又掌東廠，勢傾一時，東林黨人，若楊漣、左光斗、高攀龍、黃尊素等，並遭殘害，天啓天六年，浙江巡撫馮汝楨於西湖建魏忠賢生祠，稱九千歲，各地方官吏，爭相效尤，魏閹生祠，幾遍天下[36]。亭林先生於《日知錄》〈奴僕〉此條之末，既論嚴分宜之僕永年，張江陵之僕游守禮，招權納賄，而朝中多贈之詩文，儼然與搢紳爲賓主，又曰：「異日媚閹建祠，非此爲之嚆矢乎」？則亭林先生有感於閹宦之禍，攘權擅政，敗壞國家者，其用意豈不深遠哉！

三、結語

顧亭林生當明室覆亡、清人入關之際，嘗起兵抗清，明亡之後，亭林先生六謁孝陵，六謁思陵，不仕滿廷，著書立說，以求俟諸異日，經世而致用，所著《日知錄》三十二卷，尤爲亭林先生平生志業所寄之書。

清兵入關之後，屠毒之慘，殺戮之衆，亭林先生，親身而目擊，其感慨於種族之禍、亡國之痛者，往往不盡見之於字裏行間，而時或有寄寓於言語文詞之外者，後世讀其書者，悉心體會，猶能探幽索微，省悟一二。

《日知錄》三十二卷，上篇經術，中篇治道，下篇博聞，皆亭林先生稽古有得，札錄貫串之作，然而，亭林先生，身當明室覆亡，家國之痛，種族之禍，親身而目睹，是以凡所著述，於博學多聞考古集證之中，未嘗不隱然而有感慨關懷寄寓之意，潛藏於文詞言語之外者存焉。

《日知錄》三十二卷之中，計約一千一百餘條，固非條條皆有寄寓，亦非句句皆具別義，然而，遂謂《日知錄》錄中，盡屬博學稽古之作，並無身世感慨之意，潛隱其中，則不可也。

此文之作，僅就《日知錄》中，擇取其十一條，姑爲探微，就其份量而言，不過全書百分之一，僅能略發其凡，以俟他日三隅之反，其中探微之一、之二、之十一，亭林先生自言「吾於遼東之事有感」，自言「有盜于此，將劫一富室」、自言「異日媢閹建祠」，其意最爲顯豁，其他八條，雖意稍潛隱，亦不難比例推知，要之，《日知錄》中有亭林先生寄寓之旨，應無所疑，讀是書者，苟能設身處地，以心印心，設以此身處之亭林先生當時，設以此心感悟亭林先生心意，則於亭林先生當時之用心，或能體會而得其一二，用爲探微索隱之資焉。

36 參《明史》卷三百五〈魏忠賢傳〉，（臺北，鼎文書局，一九七五年）。

附記

《原抄本日知錄》卷二十九〈胡服〉一條（通行本無此條），引《河間府志》，言史上以胡服流行，後遂變亂屢興之事，並云：「此書作於萬曆四十三年，不二期而遼東之難作矣。」考明神宗萬曆四十三年（一六一五年），至明思宗崇禎十五年（一六四二年），而清兵陷松山，洪承疇被執降清，前後相距二十七年（期，疑通作紀，十二年也）。本文探微首條之中，引《日知錄》卷十七〈廉恥〉條爲例，文中有亭林先生所云，「嗚呼！自古以來，邊事之敗，有不始於貪求者哉！吾於遼東之事有感！」則〈廉恥〉與〈胡服〉兩條之中，皆用「遼東」一詞，亦同指洪承疇降清之事，於此尤可得一佐證。

（原刊載於明道大學《國學論壇》一期，二〇〇七年出版）

貳、顧亭林《日知錄》表微

一、引言

顧亭林（一六一三～一六八二）初名絳，江蘇崑山人，國變後，改名炎武，字寧人，學者稱爲亭林先生，生於明萬曆四十一年，卒於清康熙二十一年，享年七十歲。

明思宗崇禎十七年（一六四四）三月，流寇李自成陷北京，思宗自盡於萬壽山，四月，山海關守將吳三桂因愛妾陳圓圓爲李自成部將所掠，憤而開關，引清兵入境，五月，明福王立於南京，改元弘光，崑山縣令楊永言應詔，列薦亭林先生之名於朝，福王任爲兵部司務，亭林因赴南京，次年五月，清兵南下，攻破南京，弘光帝被執而死，亭林先生返至蘇州，與友人歸莊、吳其沆等起義兵於崑山，六月，清兵圍攻崑山，七月，城破，官員民衆，被殺者約四萬人，亭林因省母在外，未及於難。其弟子叟、子武，並遭難，亭林生母何氏，爲清兵所傷，右臂折斷。七月中，清兵下常熟，亭林嗣母王氏聞變，絕食十五日而終，遺命亭林，勿事二姓。時明唐王立於閩中，改元隆武，遙授亭林兵部職方司主事，亭林未到任，仍往來江湖，密謀恢復。

明亡之後，亭林先生六謁孝陵，六謁思陵，變姓名爲蔣山傭，不仕滿廷，又嘗遍觀天下，地理險要，著書立說，以備俟諸異日，經世而致用，以期光復之機。

亭林先生著述宏富，所撰著者，如《音學五書》、《左傳杜解補正》、《金石文字記》、《石經考》、《天下郡國利病書》、《肇域志》等，皆屬博學稽古，卓具心得之作，而《日知錄》三十二卷，尤爲亭林先生平生志業所寄寓之書。

滿清入關之後，屠毒之慘，殺戮之衆，亭林先生親身目擊，然而種族之禍，亡國之痛，形諸文字，復遭時忌，屢興大獄，則其感慨之深，往往不盡見之於字裡行間，而必有委宛幽微寄託於語言文字之外者。

亭林先生〈又與人書二十五〉云：「君子之爲學，以明道也，以救世也。」又云：「別著《日知錄》，上篇經術，中篇治道，下篇博聞，共三十餘卷。有王者起，將以見諸行事，以躋斯世於治古之隆，而未敢爲今人道也。」〈又與友人論門人書〉云：「所著《日知錄》三十餘卷，平生之志與業，皆在其中，惟多寫數本，以貽之同好，庶不爲惡其害己者之所去。而有王者起，得以酌取焉，其亦可以畢區區之願矣。」是則清人網禁之密，手段殘酷，亭林先生，早已預知，故只得多寫數本，以貽同好，冀以保存，同時，又不得不隱晦其言，宛約其語，藉之以避其禍，而復能傳遞心中之意旨者。

《日知錄》於清康熙九年刊行初刻本，僅得八卷，康熙三十四年，亭林先生弟子潘耒刊刻《日知錄》三十二卷行世，去亭林先生逝世，已十三年，道光十六年，黃汝成撰《日知錄集釋》成書，然皆拘於時忌，不免多加竄改，故所刻者，皆非原書之本來面目。民國二十二年（一九三三），張繼（溥泉）先生於北平購得原抄本《日知錄》，持與章太炎、黃季剛二位先生共同校閱，黃張二先生，撰爲《校勘記》，太炎先生爲之序，以爲「今《校記》既就，人人可檢讀以窺其眞，顧君千秋之志得以無恨」，季剛先生爲之序，以爲「今清命已訖，神州多虞，祕籍復章，寧非天意」，然後亭林先生之志節苦心，精神意趣，始得重現人間。民國四十七年（一九五八），溥泉先生夫人崔震華女士，委請徐文珊教授整理原抄本《日知錄》，並在臺北刊印出版。徐教授並撰〈日知錄校記補〉一文，附於是書之後。

二〇〇六年，上海古籍出版社重新排印黃汝成之《日知錄集釋》，由欒保群、呂宗力二位先生點校，由陳祖成教授撰寫〈從《日知錄》到《日知錄集釋》〉，以代前言，並將黃季剛、張溥泉二位先生所撰《日知錄校記》各條，散入《日知錄集釋》之中，以還亭林先生《日知錄》之原貌，也極便讀者閱覽。

以下拙稿，即依據《日知錄集釋》，以探索亭林先生對於明室巨變所寄寓之隱微心意，也冀其能於亭林先生言外之心意，探幽表微，省悟一二也。

二、表　微

㈠表揚節烈精神

顧亭林《日知錄》卷七〈季路問事鬼神〉條云：

「未能事人，焉能事鬼？」「左右就養無方」，故其祭也，「洋洋乎如在其上，如在其左右。」「未知生，焉知死？」「人之生也直」，故其死也，「無求生以害仁，有殺身以成仁。」

又云：

「天地有正氣，雜然賦流形，下則為河岳，上則為日星。」可以謂之知生矣。「孔曰成仁，孟曰取義，而今而後，庶幾無愧。」可以謂之知死矣。1

今案《論語・先進》云：「季路問事鬼神？子曰：『未能事人，焉能事鬼！』曰：『敢問死？』

曰：『未知生，焉知死！』[2]推尋孔子之意，主要以爲，鬼神及死後之事，皆屬於邈不可知，故勉勵子路，應重視人生在世之際，把握當下，努力進德修業。亭林先生解釋孔子「事人」之義，引述《禮記．檀弓》「左右就養無方」[3]，說明爲人子女者，事奉雙親，當在雙親身旁，晨昏定省，就近侍養，卻不必拘泥於一定之方式。又引述《禮記．中庸》「洋洋乎如在其上，如在其左右」[4]，說明「祭如在，祭神如神在」（《論語．八佾》）之意義，用以形容爲人子女者，在祭祀神明時之虔敬心情。進而引述《論語．述而》中之「人之生也直」，說明人生在世之時，當謹守正道而行，又引述《論語．衛靈公》中之「無求生以害仁，有殺身以成仁」，用以說明，人們如果不幸而必須面對死亡之時，也當成就仁德，而絕不應該貪生畏死，而致損害仁道，用以闡釋孔子對於「鬼神」及「生死」之看法。

在前段文字中，亭林先生闡釋孔子所言人們對於「鬼神」與「生死」應有之態度，仍然是就人生在世時一般常情而立論，然而，在下段文字中，亭林先生，卻又引述宋代丞相文天祥〈正氣歌〉之辭，以說明「知生」之義，引述文天祥〈衣帶贊〉之辭，以說明「知死」之義，則是

1 黃汝成：《日知錄集釋》卷七，（上海古籍出版社，二〇〇六年）頁四〇七。
2 邢昺：《論語注疏》，（臺北，藝文印書館，一九九三年）頁九七。
3 孔穎達：《禮記注疏》，（臺北，藝文印書館，一九九三年）頁一〇九。
4 孔穎達：《禮記注疏》，（臺北，藝文印書館，一九九三年）頁八九七。

轉就國家社會處在特殊艱鉅動亂情況下而所作之抒發，蓋亭林先生生於明萬曆四十一年，卒於清康熙二十一年（一六一三～一六八二），適當明末清初之際，明思宗崇禎十七年（一六四四），亭林先生三十二歲時，李自成攻陷北京，思宗自縊，同年，明山海關守將吳三桂，因愛妾陳圓圓爲李自成部將劉宗敏所掠，憤而開關，引清兵入山海關，清兵進入北京後，乘勢南下，翌年（一六四五），史可法督師堅守揚州，城破，壯烈殉國，死節之事，天下相傳，咸共嘆惋，（後世相傳，昔年史母夢文天祥入家室而生史公，故道光間進士嚴保庸有聯輓史公曰：「生有自來文信國；死而後已武鄉侯。」乾隆間進士蔣士銓有聯輓史公曰：「讀前生浩氣之歌，廢書而嘆；結再世孤臣之局，過墓興哀。」蓋皆以史可法之前世爲文天祥。）因此，亭林先生在《日知錄》此條之中，既已闡釋孔子之心意，又復不避辭費，而引述文丞相之言辭，以作士大夫「知生」、「知死」之準則，以爲能具備浩然正氣，方不有愧於生，能成仁取義，方不有愧於死。豈非有感於史閣部之壯烈成仁，有似於文丞相，而不便於明言者歟！要之，文公、史公，精忠殉國，頌文丞相，即所以頌史閣部耳，否則，尚論孔子之言，何必遠自春秋，下引宋代之人所言，以相質證？蓋悼念史閣部事，有所諱避，故不得不出於借古喩今之一途耳。

亭林先生於史公殉國後次年（一六四六），有〈海上〉詩四首，致慨於當時國家局勢，第四首云：「長看白日下蕪城，又見孤雲海上生，感慨河山追失計，艱難戎馬發深情。埋輪拗鏃周千畝，蔓草枯楊漢二京，今日大梁非舊國，夷門愁殺老侯嬴。」則更措意於史閣部守揚州之事，王冀民《顧亭林詩箋釋》，即言亭林先生以「蕪城」指揚州，以「白日」喻史可法，以侯嬴自喻，用誌哀輓之意。[5]蓋「蕪城」一辭，雖取於鮑照〈蕪城賦〉之名，而證之以史閣部殉國之後，清兵屠戮百姓，「揚州十日」，城郭幾成廢墟，亭林先生，時在崑山一帶，耳聞目擊，則詩中「蕪城」一語，實也倍感傷痛矣。

㈡彰顯愛國情懷

顧亭林《日知錄》卷四〈亡國書葬〉條云：

> 紀已亡而書「葬紀叔姬」，存紀也。陳已亡而書「葬陳哀公」，存陳也。此聖人之情而見諸行事者也。[6]

考《春秋》莊公四年（西元前六九〇年）記曰：「紀侯大去其國。」《公羊傳》云：「大去者何？滅也。孰滅之？齊滅之。」[7]又《春秋》莊公三十年（西元前六六四年）記曰：「八月癸亥，葬紀

5 王冀民：《顧亭林詩箋釋》上冊，（北京，中華書局，一九九八年）頁七〇。
6 黃汝成：《日知錄集釋》卷四，（上海古籍出版社，二〇〇六年）頁二一四。
7 徐彥：《公羊注疏》卷六，（臺北，藝文印書館，一九九三年）頁七六。

叔姬。」《穀梁傳》云：「不日卒，而日葬，閔紀之亡也。」[8]是紀叔姬之葬，距離紀國之亡，已經相隔二十七年，而《春秋》仍然書寫「葬紀叔姬」，故亭林先生以爲，「存紀也」，乃是作爲紀國仍然存在之象徵，也表示紀國應該仍然存在，而齊國滅亡紀國，乃屬不義之行爲。

又考《春秋》昭公八年（西元前五三四年）記曰：「冬，十月，壬午，楚師滅陳。」又記曰：「葬陳哀公。」《穀梁傳》云：「不與楚滅，閔之也。」范寧《集解》云：「滅國不葬，今書葬者，以楚夷狄，無道滅人，閔陳之滅，故書葬以存陳。」[9]是陳國已爲楚國所滅，而《春秋》仍然書寫「葬陳哀公」，故亭林先生以爲，「存陳也」，乃是作爲陳國仍然存在之象徵，也表示陳國應該仍然存在，而楚國滅亡陳國，乃屬不義之行爲。

昔者，孔子作《春秋》，筆削二百四十二年之中，用以寄寓褒貶，故曰：「我欲載之空言，不如見之於行事之深切著明。」（《史記・太史公自敘》）故亭林先生於《春秋》所書此兩條事例之後，而云：「此聖人之情而見諸行事者也。」其意即在於此。

亭林先生生於明神宗萬曆四十一年（一六一三），卒於清康熙二十一年（一六八二），享年七十歲。當亭林先生三十二歲之時，適爲明思宗崇禎十七年（一六四四），三月，李自成攻陷北京，思宗自縊，而山海關守將吳三桂開關，引清兵入關，五月，清兵定鼎北京，明福王朱由崧即帝位於南京，改元弘光。次年（一六四五），清兵南下，史可法守揚州，城破，可法殉國。明唐王朱聿鍵即帝位於福州，改元隆武。隆武帝自閩中遙授亭林爲兵部職方司主事。次年（一六四六），明桂王朱由榔即帝位於肇慶，改元永曆。

亭林先生生當國家傾覆危亡之際，心中感慨沉痛之情，常藉詩篇以寄寓其憂思，而清人入關之後，屠戮凶殘，網禁嚴密，故先生詩篇之作，不得不隱晦其辭，曲折其義，以避異族之耳目。

亭林先生之詩集，爲亭林先生生前所編定，按年編次，早年詩作，盡行刪卻，始於崇禎十七年，首篇即爲〈大行哀詩〉，實寓有「國亡而後詩作」之深意。而紀年不用年號，不用甲子，而用《爾雅．釋天》歲陽歲名，以紀年歲。而細按亭林先生詩文，實隱奉明隆武帝之正朔，婺源潘重規先生嘗撰有〈亭林元日詩表微〉及〈亭林詩文用南明唐王隆武紀年考〉、〈亭林先生獨奉唐王詩表微〉三文[10]，依據亭林先生所撰詩文，細爲推敲，詳加比較，然後乃知「亭林用隆武紀年之義，乃得炳然大明」，「凡涉及清代年曆，皆絕而不書」[11]，以表示遵奉明代正朔之義。

清順治三年（一六四六），清兵南下，隆武帝或謂被執，或謂出亡，今本《亭林詩集》卷四，首列〈元旦〉詩一首，題下注云：「已下昭陽單閼。」依《爾雅．釋天》，昭陽單閼爲癸卯歲，

---

8 楊士勛：《穀梁注疏》卷六，（臺北，藝文印書館，一九九三年）頁六四。

9 楊士勛：《穀梁注疏》卷十七，（臺北，藝文印書館，一九九三年）頁一六八。

10 潘重規：《亭林詩考索》，（臺北，東大圖書公司，一九九二年）頁一一一，一二五及一七三。

11 潘重規：《亭林詩考索》，（臺北，東大圖書公司，一九九二年）頁一四二。

即西元一六六三年，當清康熙二年，亭林先生五十一歲，時在山西，詩云：「平明遙指五雲看，十九年來一寸丹，合見文公還晉國，應隨蘇武入長安。驅除欲淬新硎劍，拜舞思彈舊賜冠，更憶堯封千萬里，普天今日望王官。」[12] 五雲，指五色彩雲，爲帝王祥瑞之象，十九年，則晉文公出亡在外，蘇武北海之狩，皆十九年，方始歸國，舊賜冠，隱指隆武帝所授先生兵部職方司郎中之官，望王官，指隆武帝命官之地。而據潘耒所傳鈔之亭林先生原本詩稿，孫詒讓《亭林詩集》校文，孫毓修《亭林詩集》校文，此詩原題皆作「十九年元旦」，可見亭林此詩原稿確有「十九年」三字。是則亭林先生於隆武帝被執或出亡十八、九年之後，仍奉隆武正朔，原其用心，則在「存明也」，乃是作爲明朝仍然存在之象徵，也表示明朝應該仍然存在，而清人入據中原，是屬不義之行爲。亭林先生之苦心用意，令人欽敬不已。

清順治三年（一六四六），明桂王朱由榔即帝位於肇慶，改元永曆。稍早，唐王被執，鄭芝龍降清，其子鄭成功屢諫不聽，乃招募士卒，改奉永曆年號，嘗沿江而上，攻克南京，順治十八年（一六六一），鄭成功率軍攻取時爲荷蘭人所佔據之臺灣，以爲反清復明之基地，桂王封成功爲延平郡王。清康熙元年（一六六二），吳三桂弒明桂王於雲南，稍後，鄭成功卒於臺灣，其子鄭經、孫克塽，相繼嗣位爲延平郡王，仍奉永曆正朔，達二十餘年之久，至康熙二十二年（一六八三），施琅率舟師攻克臺灣，鄭克塽兵敗降清。則鄭成功父子孫三代，遙奉永曆帝正朔，於桂王被弒之後，仍然不改，達二十餘年之久，推彼等之用心，則在「存明也」，乃是作爲明朝仍然存在之象徵，也表示明朝應該仍然存在，而清人入據中原，是屬不義之行爲。延平郡王之苦心用意，豈不與亭林先生所堅持者相同？亭林先生身在中原，延平郡王雖遠在臺灣，凡所作爲，亭林先生應無不知之理，海天雖遙，而桴鼓相應，聲氣相通，迄清康熙二十一年（一六八二），亭林逝世之時，臺灣延平郡王猶在永曆正朔旗號之下，奉行反清復明之圖謀，亭林先生，精靈不爽，當仍在鼓舞告慰之中也。

㈢隱指明代廷杖之弊

顧亭林《日知錄》卷七〈市朝〉條云：

> 「若撻之於市朝」，即《書》所言「若撻於市」。古者朝無撻人之事，市則有之。《周禮・司市》「市刑，小刑憲罰，中刑徇罰，大刑扑罰」，又曰「胥執鞭度而巡其前，掌其坐，作出入之禁令。凡有罪者，撻戮而罰之」是也。《禮記・檀弓》：「遇諸市朝，不反兵而鬬。」兵器非可入朝之物。〈奔喪〉：「哭辟市朝。」奔喪亦但過市，無過朝

12 王冀民：《顧亭林詩箋釋》下冊，（北京，中華書局，一九九八年）頁五七八，對於亭林先生此詩，王書之解，也略與潘先生之說相同。

> 之事也。其謂之市朝者，《史記・孟嘗君傳》「日莫之後，過市朝者掉臂不顧」，《索隱》曰：「言市之行列有如朝位，故曰市朝。」古人能以眾整如此。後代則朝列之參差，有反不如市肆者矣。[13]

在此條之中，亭林先生以古今對比，首先指出，古代無撻人於朝之事，而文中言「市朝」者，皆譬喻之辭，以街市行列之整齊，有如朝廷百官之各列其位。至於後世，則朝廷之上，百官之位，參差不齊，反有不如市肆之齊整者，如此以古喻今，其意蓋別有所指陳者在也。

今考明代帝王，雖起自民間，然而對待臣下，自始即特爲嚴苛，自成祖創爲東廠西廠，置錦衣衛，偵伺大臣，事尤乖逆，自武宗正德以後，愈演愈烈，廷杖大臣之事，所在多有，《明史》卷一三九〈茹太素傳〉記載，洪武八年，「降刑部主事，陳時務，累萬言，多忤觸，帝怒，召太素面詰，杖於朝」，又卷一八九〈夏良勝傳〉記載，「疏入，帝（武宗）與諸倖臣皆大怒，遂下良勝等詔獄，芬及衍瑞等百有七人，罰跪午門外五日，芬等跪既畢，杖三十，良勝等六人，各杖五十」，又卷二五五，〈黃道周傳〉記載，「逮下刑部獄，並杖八十。」而《春明夢餘錄》卷四十五記載，龔鼎孳上疏曰：「詞臣黃道周，蒙恩赦歸，下體蹇殘，至於以杖代履，臣爲之潸然淚下。」而吳瑞登《兩朝憲章錄》卷二記載：「嘉靖（世宗年號）三年十一月，胡世寧以疾在告，聞大禮之議，廷臣有杖死者，乃上疏曰，廷臣有罪，宜悉下司寇問理，若乃廷辱之以箠楚，傳播天下，書之史冊，鞭朴行於朝廷，刑辱上於士夫，非所以昭聖德之美也。」（上述各書，並引見於陳登元《國史舊聞》頁二七三〈廷杖〉條14）由此觀之，「明世酷虐臣下，莫如廷杖，所謂血濺玉階，肉飛金陛，慘痛之狀，可以推見」，而「武宗以前，廷杖尚不脫衣，蓋但以之表示折辱，武宗以後，則除表示折辱以外，兼欲置之死地」（皆陳登元語），僅上所述，明代弊政，已可見其一端。

明代晚年，饑荒流行，災民遍野，李自成、張獻忠之輩，趁勢而起，李闖之興兵，馳檄黃州，有「三年免征，一民不殺」之語，以致民衆受惑，其勢披靡，甚且斥思宗爲「獨夫」，及崇禎之末，帝乃諉之曰「諸臣誤朕」，諉之曰「君非亡國之君，臣乃亡國之臣」，其誰信之。

亭林先生於晚明之事，親身目擊，感憤於心，既傷邦國沉淪，故於《日知錄》此條之中，又不得不痛心而藉古事以申言之也。

四明末流言盛行之害

顧亭林《日知錄》卷三〈流言以對〉條云：

13 黃汝成：《日知錄集釋》卷七，（上海古籍出版社，二〇〇六年）頁四二三。
14 陳登元：《國史舊聞》卷四十九，（臺北，明文書局，一九八一年）頁二七三。

> 「彊禦多懟」，即上章所云彊禦之臣也。其心多所懟疾，而獨窺人主之情，深居禁中而好聞外事，則假流言以中傷之，若二叔之流言以間周公是也。夫不根之言，何地蔑有，以斛律光之舊將，而有「百升明月」之謠；以裴度之元勳，而有「坦腹小兒」之誦，所謂「流言以對」者也。如此則寇賊生乎內，而怨詛興乎下矣。郤宛之難，進胙者莫不謗令尹，所謂「侯作侯祝」者也。孔氏疏〈采苓〉曰：「讒言之起，由君數問小事於小人也。」可不慎哉！[15]

考《詩．大雅．蕩》共八章，每章八句，其中第二章云：「文王曰咨，咨女殷商，曾是彊禦，曾是掊克，曾是在位，曾是在服，天降滔德，女興是力。」第三章云：「文王曰咨，咨女殷商，而秉義類，彊禦多懟，流言以對，寇攘式內，侯作侯祝，靡屆靡究。」[16]此詩借文王之言，以論殷商之無道而覆亡，故第八章最後言，「殷鑒不遠，在夏后之世」，而第二章主要言，殷商所任用之大臣，多暴剛爲惡之人，第三章主要言，剛暴爲惡者，散播流言，中傷善良，無所休止。亭林先生因此說明，假流言以中傷，如周武王崩後，成王年幼，周公攝政，而管叔、蔡叔流言於國，言周公將不利於孺子，用以離間周公，其情形正相彷彿。

　　亭林先生，進而感歎，「不根之言，何地蔑有」？並更舉三例，以作佐證，其一，指斛律光爲南北朝時北齊之人，多有戰功，被封爲咸陽王，不肯干預政事，而領軍深得士卒之心，卻深爲奸佞所忌憚，被讒而死。（事見《北齊書》卷十七〈斛律光傳〉）。其二，指裴度爲唐憲宗時宰相，曾率兵討平淮西叛亂，擒吳元濟，封爲晉國公，因閹宦擅權，作爲童謠云：「非衣小兒坦其腹，天上有口被驅逐。」裴度因而自行引退（事見《唐書》卷一七〇〈裴度傳〉）。其三，指春秋時代楚國大臣郤宛，字子惡，昭王時，爲左尹，行政正直和諧，國人多喜悅，而佞臣費無極於令尹子常前屢進讒言，使祭神後進胙肉於令尹者，莫不毀謗郤宛，子常因而殺之（事見《左傳》昭公二十七年）。由前述三件例證，亭林先生因而加重感歎，「如此則寇賊生乎內，而怨詛興乎下矣」，故於此條之末，更引述孔穎達疏釋《詩經．唐風．采苓》之言，而云：「讒言之起，由君數問小事於小人也。」[17]用以作爲對人君信任左右小人之警惕。

其實，亭林先生此條之義，尚不止此，蓋亭林先生筆下所論，雖屬古代事例，然而，其心中所深隱且欲指陳者，乃是眼前所見之事實，亭林先生生於明神宗萬曆四十一年（一六一三），經熹宗天啓，至思宗崇禎十七年（一六四四），李自成陷北京，思宗自縊，時亭林先生三十二歲，則自天啓、崇禎年間，二十餘年中之國家變故，亭林先生皆親身經歷，親眼目睹，國事衰敝，而君主聽信近佞之臣，放任宦官擅權，以至流言暗行，君主傾耳，馴至忠良毀棄，名將誅戮，亭

---

15 黃汝成：《日知錄集釋》卷三，（上海古籍出版社，二〇〇六年）頁一六三。

16 孔穎達：《毛詩正義》卷十八，（臺北，藝文印書館，一九九三年）頁六四一。

17 孔穎達：《毛詩正義》卷六，（臺北，藝文印書館，一九九三年）頁二二八。

林先生，豈能無所驚悚感慨於其心中？及至流寇四起，清人入關，國事大壞，遼左征戰，殉國諸將雖多，而「啓禎之間，東事之壞，如破竹之不可遏，一時大臣，才魄足以撐拄之者，熊司馬（廷弼）一人而已」（全祖望《鮚埼亭集》外編卷二十八〈書明經略熊公傳後〉），而袁崇煥鎮守寧錦，砲擊努爾哈赤，傷重至死，擊敗清兵，史稱「寧遠大捷」，然而熊袁二人，一人死於魏忠賢之構陷，一人死於清人所施之反間，皆由於流言之讒，而受誅於天子之令，（《明史》卷二五九〈熊廷弼傳〉記載，清人入寇，瀋遼失陷，廷弼受詔爲經略軍務，定三方並進之策，而巡撫王化貞不聽調度，爲清兵所敗，棄廣寧而走，廷弼護民入關，宦官魏忠賢索賄於廷弼，廷弼不應，故忠賢讒之，而大臣鄒元標、魏大中亦力詆之，天子遂殺廷弼。《明史》卷二五九〈袁崇煥傳〉記載，清人設間，謂與崇煥密有成約，令所獲宦官知之，陰縱之使去，其人奔告於明帝，帝信之不疑，遂殺崇煥。蔣良驥所輯《東華錄》於天聰三年（明崇禎二年）記載，崇煥爲錦寧督師，清人虜太監二人，付副將高弘中、鮑承先監收，清人設計，令高鮑二人坐近二監，故作耳語，謂與袁巡撫有密約，事可立就，時楊姓太監僞臥竊聽，又縱放楊姓太監，歸告明帝，帝遂信之，而殺崇煥。）然則晚明君主，自毀長城，騰笑虜營，豈不使萬民痛心惋惜！黃汝成《日知錄集釋》云：「明封疆勳舊多傷於讒，而卒以人之云亡，邦國殄瘁，皆由中朝姦邪之徒，流言以對也。」豈不然哉！

㈤指斥降臣失節

顧亭林《日知錄》卷十九〈文辭欺人〉條云：

古來以文辭欺人者，莫若謝靈運，次則王維。靈運身為元勳之後，襲封國公。宋氏革命，不能與徐廣、陶潛為林泉之侶。既為宋臣，又與廬陵王義真款密。至元嘉之際，累遷侍中。自以名流，應參時政，文帝惟以文義接之，以致觖望。又上書勸伐河北，至屢嬰罪劾，興兵拒捕，乃作詩曰：「韓亡子房奮，帝秦魯連恥，本自江海人，忠義動君子。」及其臨刑，又作詩曰：「龔勝無餘生，李業有終盡。」若謂欲效忠晉者，何先後之矛盾乎！史臣書之以逆，不為苛矣。王維為給事中，安祿山陷兩都，拘於普施寺，迫以偽署。祿山宴其徒於凝碧池，維作詩曰：「萬戶傷心生野煙，百官何日再朝天，秋槐葉落空宮裡，凝碧池頭奏管弦。」賊平，下獄。或以詩聞於行在，其弟刑部侍郎縉請削官，以贖兄罪，肅宗乃特宥之，責授太子中允。襄王僭號，逼李拯為翰林學士。拯既汙偽署，心不自安。時朱玫秉政，百揆無敘。拯嘗退朝，駐馬國門，為詩曰：「紫宸朝罷綴鵷鸞，丹鳳樓前立馬看，惟有終南山色在，晴時依舊滿長安。」吟已涕下。及王行瑜殺朱玫，襄王出奔，拯為亂兵所殺。二人之詩同也，一死一不死。而文墨交遊之士，多護王維，如杜甫謂之「高人王右丞」，天下有高人而仕賊者乎？今有顛沛之餘，投身異姓，至擯斥不容，而後發為忠憤之論，與夫名污偽籍而自托乃心，比於康樂、右丞之輩，吾見其愈下矣。[18]

今考《南史》卷十九〈謝靈運傳〉記載，靈運祖父謝玄，爲東晉車騎將軍，淝水之戰，擊敗前秦苻堅，有名於時，靈運襲封爲康樂公，雅擅文辭，及劉裕代晉，爲宋武帝，靈運爲作〈撰征賦〉，靈運自謂才能，宜參權要，既不見知，常懷憤惋，嘗爲永嘉太守，郡有名山水，乃肆意遨遊，文帝立，令靈運撰《晉書》，乃粗立條流，書亦未就。後至會稽，在郡遊放，不異永嘉，爲有司所糾，司徒使收靈運，靈運興兵叛逸，遂有逆志。爲詩曰：「韓亡子房奮，秦帝魯連恥，本自江海人，忠義感君子。」有司收之，文帝詔令棄市，臨死作詩曰：「龔勝無餘生，李業有終盡，嵇公理既迫，霍生命亦殞。」所稱龔勝、李業，猶前詩子房、魯連之意也。

又考《舊唐書》卷一九〇〈王維傳〉記載，王維字摩詰，太原祁人，開元九年進士，與弟縉俱有俊才，天寶末，爲給事中。安祿山陷長安，玄宗出幸，維扈從不及，爲賊所得。維服藥取痢，僞稱瘖病，祿山拘之於普施寺，迫以僞署。祿山宴其徒於凝碧宮，其樂工皆梨園弟子，教坊工人。維聞之悲惻，潛爲詩曰：「萬戶傷心生野煙，百官何日再朝天？秋槐花落空宮裡，凝碧池頭奏管弦。」賊平，陷賊官以三等定罪。維以〈凝碧詩〉聞于行在，肅宗嘉之，會縉請削己刑部侍郎以贖兄罪，乃特赦之，責授太子中允，後轉尚書右丞。王維以詩名於開元、天寶間，書畫特臻其妙，兄弟俱奉佛，晚年長齋，不衣文綵，妻亡不再娶，三十年孤居一室，屏絕塵累，乾元二年卒。

今案謝靈運、王維二人，自晉唐以下，詩名之盛，亭林先生，無庸不知，而皆以品德操守，爲之權衡，以評論二人之失節，其於靈運，乃曰，「若謂欲效忠於晉者，何先後之矛盾乎！史臣書之以逆，不爲苟矣」，其於王維，乃曰，「文墨交遊之士多護王維，如杜甫謂之爲『高人王右丞』（見杜甫詩〈解悶十二首〉之八），天下有高人而仕賊者乎？」，其於謝、王二人，亦似有過於嚴苛之責，實則，亭林先生於此，宜當別有寄寓者在於其中矣。余則以爲，亭林先生之意，乃在指斥清兵入關，明末文臣，乞降於滿人者，而尤以當時文史冠冕之錢謙益，爲其代表。

《清史稿校註》卷四九一〈文苑傳〉記載，錢謙益，常熟人，明萬曆中進士，授編修，博學士辭章，名隸東林黨。崇禎元年，官至禮部侍郎。流寇陷京師，明臣議立君於江寧，謙益推戴潞王，與馬士英議論不合，已而福王立，懼得罪，上書誦士英功，士英引爲禮部尚書，復力薦閹黨阮大鋮等，大鋮遂爲兵部侍郎。順治三年，清豫親王多鐸定江南，謙益迎降，隨往燕京，爲禮部侍郎管秘書院事，清廷開明史館，命馮銓爲正總裁，謙益爲副總裁，後乞歸。謙益工於

---

18 黃汝成：《日知錄集釋》卷十九，（上海古籍出版社，二〇〇六年）頁一〇九四。

詩，富藏書，名滿東南。謙益既不得志於滿廷，南歸後，後世或傳，謙益受其妻柳如是之激勵，始與海外鄭成功往通，暗爲反清復明事（參陳寅恪先生《柳如是別傳》）。亭林先生於此條之中，又云：「今有顛沛之餘，投身異姓，至擯斥不容，而後發爲忠憤之論，與夫名污僞籍而自托乃心，比於康樂、右丞之輩，吾見其愈下矣。」康樂、右丞，古人已遠，亭林先生，意在眼前，「吾見其愈下矣」，用以指斥謙益，其誰曰不宜？《日知錄》卷十九〈文辭欺人〉條又云：

末世人情彌巧，文而不懈，固有朝賦〈采薇〉之篇，而夕赴偽廷之舉者。苟以其言取之，則車載魯連、斗量王蠋矣。曰是不然，世有知言者出焉，則其人之真偽即以其言辨之，而卒莫能逃也。〈黍離〉之大夫，始而搖搖，中而如噎，既而如醉，無可奈何，而付之蒼天者，真也。汨羅之宗臣，言之重，辭之複，心煩意亂，而其詞不能以次者，真也。栗里之徵士，淡然若忘於世，而感憤之懷有時不能自止而微見其情者，真也。其汲汲於自表暴而為言者，偽也。《易》曰：「將叛者其辭慚，中心疑者其辭枝，失其守者其辭屈。」《詩》曰：「盜言孔甘，亂是用餤。」夫鏡情偽，屏盜言，君子之道，興王之事，莫先乎此。

亭林先生以爲，世道衰微，人情彌巧，握管爲文，往往大言不慚，以文辭欺人，「朝賦〈采薇〉」，指《詩經．小雅．采薇》，〈小序〉云：「〈采薇〉，遣戍役也，文王之時，西有昆夷之患，北有玁狁之難，以天子之命命將率，遣戍役以守衛中國，故歌〈采薇〉以遣之，〈出車〉以勞還，〈杕杜〉以勤歸也。」此詩六章，章八句，首章云：「采薇采薇，薇亦作止，曰歸曰歸，歲亦莫止，靡室靡家，玁狁之故，不遑啓居，玁狁之故。」《毛傳》云：「玁狁，北狄也。」《鄭箋》云：「北狄，今匈奴也。」[19]此詩首章，兩言「玁狁之故」，已見此詩爲將帥士卒守邊衛國之意。「夕赴僞廷」，指投降僞國之意。「魯連」，指魯仲連，戰國時齊人，遊趙，適秦軍圍邯鄲，魏王使將軍新垣衍令趙國尊秦爲帝，魯仲連見新垣衍，謂之云，秦如爲帝，則己將蹈東海而死，而義不帝秦。（見《史記》卷八十三〈魯仲連傳〉）「王蠋」，乃戰國齊人，燕軍伐齊，聞畫邑人王蠋賢，乃令環畫邑三十里燕軍無入，又欲以王蠋爲將，蠋義不北面事燕，自經而死，而田單乃以火牛陣破齊。（見《史記》卷八十二〈田單傳〉）亭林先生既以爲人情擅僞，乃舉出就其人之言辭以辨認其人眞僞之方法，並列舉三眞一僞之事例，以爲佐證。其一，「〈黍離〉之大夫」，指《詩經．王風．黍離》，〈小序〉云：「〈黍離〉，閔宗周也，周大夫行役，至于宗周，過故宗廟宮室，盡爲禾黍，閔周室之顚覆，彷徨不忍去，而作是詩也。」此詩三章，章十句，首章云：「彼黍離離，彼稷之苗，行邁靡靡，中心搖搖，知我者，謂我心憂，不知我者，

---

19 孔穎達：《毛詩正義》卷九，（臺北，藝文印書館，一九九三年）頁三三一。

謂我何求，悠悠蒼天，此何人哉。」[20]詩中憂傷悲痛，確係心繫故國之作，故亭林先生以爲，其文其情爲眞。其二，「汨羅之忠臣」，指三閭大夫屈原所作〈離騷〉、〈九歌〉、〈九章〉、〈卜居〉等篇章，雖然言辭重複，也適足彰顯屈大夫之心煩意亂，故亭林先生以爲，其文其情爲眞。其三，「栗里之徵士」，栗里爲陶潛之故居，在江西彭澤縣，淵明之詩，恬淡忘世，雖亦有感憤之作，是皆衷情流露，故亭林先生以爲，其文其情爲眞。其四，則所爲詩文，急於自售於人者，亭林先生則以僞評之。此外，亭林先生更引《易・繫辭下傳》與《詩・小雅・巧言》之言，其要皆在由語言文辭之中，以觀察剖析世人品德之眞僞也，而其有關於「君子之道，與王之事」者，尤不在小也。

《日知錄》卷十三〈降臣〉條云：

> 《記》言：「孔子射於矍相之圃，賁軍之將，亡國之大夫不入。」《說苑》言：「楚伐陳，陳西門燔，使其降民修之，孔子過之，不軾。」《戰國策》：安陵君言：「先君手受太府之憲，憲之上篇曰：『國雖大赦，降臣亡子不得與焉。』」下及漢、魏，而馬日磾、于禁之流，至於嘔血而終，不敢靦於人世，時之風尚從可知矣。後世不知此義，而文章之士多護李陵，智計之家或稱譙叟。此說一行，則國無守臣，人無植節，反顏事讎，行若狗彘而不之愧也。何怪乎五代之長樂老，序平生以為榮，滅廉恥而不顧者乎！《春

> 秋》僖十七年「齊人殲於遂」，《穀梁傳》曰：「無遂則何以言遂？其猶存遂也。」故王蠋死而田單復齊，弘演亡而桓公救衛，此足以樹人臣之鵠，而降城亡子不齒於人類者矣。[21]

今考馬日磾，東漢馬融之族孫，獻帝時位即太傅，因馬融黨附鄧騭，作〈大將軍西第頌〉，爲正人所不齒，日磾羞之。（見《後漢書》卷六十〈馬融傳〉）于禁爲曹魏大將，與關羽戰，兵敗投降，爲曹丕繪圖所辱，發病死。（見《三國志》卷十七〈于禁傳〉）李陵爲李廣之孫，將兵擊胡，兵敗，降匈奴。（見《漢書》卷五十四〈李廣傳〉）譙周，三國時蜀臣，鄧艾入蜀，譙周勸後主降魏。（見《三國志》卷四十二〈譙周傳〉）馮道，五代人，歷事四姓十君，居相位二十餘年，應喪君亡國，未嘗屑意，自號長樂老。（見《五代史》卷五十四〈馮道傳〉）

《呂氏春秋．忠廉》記載，翟人攻衛，殺衛懿公，盡食其肉，獨留其肝，大臣弘演至，因自殺，納懿公之肝於己腹中，齊桓公聞而義之，因復立衛國於楚丘。王蠋之事，已見前文所述。亭林先生於《日知錄》此條之中，陸續枚舉例證，斥責邪佞，表彰忠義，其意要在強調，「降

20 孔穎達：《毛詩正義》卷四，（臺北，藝文印書館，一九九三年）頁一四六。

21 黃汝成：《日知錄集釋》卷十三，（上海古籍出版社，二〇〇六年）頁八一六。

城亡子不齒於人類者矣」，則亭林先生於《日知錄》卷十九〈文辭欺人〉一條中之義蘊，得此〈降臣〉一條，相互參照，亦愈爲顯明矣。

蔣良驥所輯《東華錄》於乾隆四十一年（一七七六）十二月庚子收有清高宗所頒《清史・貳臣傳》上諭，其中有云：「昨閱江蘇所進應毀書籍，內有朱東觀選輯《明末諸臣奏疏》一卷，及蔡士順所輯同時《尙論錄》數卷，其中如劉宗周、黃道周，指言明季秕政，語多可採，因命軍機大臣，將疏中有犯本朝字句，酌改數字，存其原書。而當時具疏諸臣，內如王永吉、龔鼎孳、吳偉業、張晉彥、房可壯、葉初春等，在明已登仕版，又復身仕本朝，其人既不足齒，則其言不當復存，自應概從刪削。蓋崇奬忠貞，即所以風勵臣節也。因思我朝開剏之初，明末諸臣望風歸附，如洪承疇以經略喪師，俘擒投順；祖大壽以鎭將懼禍，帶城來投；及定鼎時，若馮銓、王鐸、宋權、謝陞、金之俊、党崇雅等，在明俱曾躋顯秩，入本朝仍忝爲閣臣；至若天戈所指，解甲乞降，如左夢庚、田雄等，不可勝數。蓋開剏大一統之規模，自不得不加之錄用，以靖人心而明順逆。今事後平情而論，若而人者，皆以勝國臣僚，乃遭際時艱，不能爲其主臨危授命，輒復畏死倖生，靦顏降附，豈得復謂之完人？即或寸長足錄，其瑕疵自不能掩；若既降復叛之李建泰、金聲桓，及降附後潛肆詆毀之錢謙益輩，尤反側僉邪，更不足比於人類矣。」又云：「若以其身仕兩朝，概爲削而不書，則其過蹟轉得藉以掩蓋，又豈所以示傳信乎？朕思此等大節有虧之人，不能念其建有勳績，諒於生前；亦不因其尙有後人，原於既死。今爲準情酌理。

自應於國史內另立〈貳臣傳〉一門，將諸臣仕明及仕本朝各事蹟，據實直書，使不能纖微隱飾，即所謂雖孝子慈孫百世不能改者。」[22]是則忠臣義士，天地英靈，失節降臣，靦顏事讎，不惟事蹟昭著，記於史冊，長存人心，即敵國君主，嚴辨忠奸，亦自有其公道權衡者在其心中也。

㈥君臣當慎守其國都

顧亭林《日知錄》卷二〈惟彼陶唐有此冀方〉條云：

> 堯、舜、禹皆都河北，故曰「冀方」。至太康始失河北，而五子御其母以從之，於是僑國河南，再傳至相，卒為浞所滅。古之天子失其故都，未有能國者也。周失豐、鎬，而平王以東。晉失洛陽，宋失開封，而元帝、高宗遷於江左，遂以不振。惟殷之五遷，圮於河，而非敵人之窺伺，則勢不同爾。唐自玄宗以後，天子屢嘗出狩，乃未幾而復國者，以不棄長安也。故子儀回鑾之表，代宗垂泣；宗澤還京之奏，忠義歸心。嗚呼！幸而澆之縱欲，不為民心所附，少康乃得以一旅之眾而誅之。爾後之人主不幸失其都邑，而為興復之計者，其念之哉！

22 蔣良驥輯：《東華錄》。

又云：

夏之都本在安邑，太康畋於洛表，而羿距於河，則冀方之地入於羿矣，惟河之東與南為夏所有。至后相失國，依於二斟。於是使澆用師殺斟灌，以伐斟鄩，而相遂滅。乃處澆於過，以制東方，處豷於戈，以控南國。其時靡奔有鬲，在河之東，少康奔有虞，在河之南。而自河以內，無不安於亂賊者矣。合魏絳、伍員二人之言，可以觀當日之形勢。而少康之所以布德兆謀者，亦難乎其為力矣。

又云：

古之天子常居冀州，後人因之，遂以冀州為中國之號。《楚辭・九歌》：「覽冀州兮有餘。」《淮南子》：「女媧氏殺黑龍以濟冀州。」《路史》云：「中國總謂之冀州。」《穀梁傳》曰：「鄭，同姓之國也，在乎冀州。」23

考冀州爲古代九州之一，大約包括今河北山西全省，以及遼寧省遼河以西，河南省黃河以北，皆屬其地，亭林先生以爲，「古之天子常居冀州，後人因之，遂以冀州爲中國之號」，同時，

「堯、舜、禹皆都河北，故曰冀方」。

又考自大禹繼大舜立爲帝，國號曰夏，十年，禹崩，禹子啓賢，諸侯皆往歸之，故啓繼立爲帝。啓崩，子太康立，躭於逸樂，東夷國君后羿，因夏民以收夏政，逐走太康。后羿執政後，溺於田獵，不修民事，而委政於寒浞，爲寒浞所弒。太康傳位於弟仲康，仲康傳位子相，寒浞殺相，相子少康，奔往有仍氏，再往有鬲氏，有田一成（方三十里），有衆一旅（五百人），起兵討殺寒浞，史稱「少康中興」。

《尚書．五子之歌》記載，太康游樂無度之時，太康之弟五人，奉其母后，在洛水岸邊等候太康，五人埋怨太康，各述大禹告戒之辭，作歌以諫太康，其中第三首歌曾曰：「惟彼陶唐，有此冀方，今失厥道，亂其紀綱，乃底滅亡。」[24]指出唐堯曾在冀州建都爲帝，如今喪失帝堯治國之原則，紊亂政綱，將自取滅亡。而《左傳》襄公四年，記魏絳諫勸晉悼公之辭，以及《左傳》哀公元年，記伍員諫勸吳王夫差之辭，皆引述少康復國之事跡，作爲例證，故亭林先生，以爲「合魏絳、伍員二人之言，可以觀當日之形勢」，同時，對於少康之能雪恥復國，以少勝多，也加以讚歎云：「而少康之所以在德兆謀者，亦難乎其爲力矣。」指爲難能而可貴。

23 黃汝成：《日知錄集釋》卷二，（上海古籍出版社，二〇〇六年）頁七七。

24 孔穎達：《尚書正義》卷七，（臺北，藝文印書館，一九九三年）頁九九。

亭林先生因論太康失國，而引出此條之重心，「古之天子失其故都，未有能國者也」，並舉出歷史上三項例證，用以說明其理。首先，舉出周幽王因寵愛褒姒，引起犬戎入寇，幽王被弒之後，平王繼立，將都城自豐鎬（周文王都於豐邑，周武王都於鎬京，皆在今西安一帶）遷往洛邑（今之洛陽），是為東周。其次，舉出晉惠帝末年，關中饑饉，晉懷帝永嘉五年（三一一年），漢王劉聰兵陷首都洛陽，虜懷帝而去，晉元帝渡江，即位於建康（今南京），是為東晉。其三，舉出宋徽宗欽宗時，國勢積弱，金人攻陷首都汴京（今開封），虜徽宗欽宗二帝北去，高宗渡江，定都於臨安，是為南宋。而東周、東晉、南宋，皆未能返回舊都，重振國勢。亭林先生並且指出，歷史上，僅有商湯建國之後，傳之子孫，因內部爭奪帝位，以及黃河洪水為患，曾經五次遷都，迄至盤庚在位，遷都於「殷」（今河南安陽），乃不再遷都，因此，殷商遷都，與外患之侵迫無關。

唐代玄宗之時，因安祿山史思明叛亂，玄宗奔蜀，太子即位於靈武，是為肅宗，肅宗崩後，太子即位，是為代宗，安史之亂，綿延唐代玄宗、肅宗、代宗，經歷七年，方始戡平。代宗時，吐蕃聯合回紇入寇，天子避往陝州，郭子儀單騎前往回紇營前，曉以大義，回紇軍輸誠訂盟，回擊吐蕃，吐蕃敗走，郭子儀上表，請代宗廻駕長安，再造邦家，代宗覽表，垂泣曰：「子儀用心，眞社稷臣也，可即還京師。」（《舊唐書》卷一二〇〈郭子儀傳〉）。北宋末年，金人南下，擄徽宗欽宗二帝北上，宋高宗即位南京，宗澤時為開封府尹東都留守，號召兵馬，大敗金人，數度上書，奏請高宗返回汴京，以慰民心。（《宋史》卷三六〇〈宗澤傳〉）。亭林先生由是指出，同爲號召人心，唐代雖經安史之亂，元氣大喪，但自玄宗天寶年間，以迄唐代末葉，仍能擁有中原，國土完整，而宋代自高宗南渡江左，以至恭帝滅於元人，則僅能據有半壁河山，亭林先生之意以爲，此則由於唐室「不棄長安」，仍能維繫君臣民衆團結之心於不墜耳。

其實，《日知錄》此條之中，亭林先生雖然舉出不少古代例證，說明「古之天子失其故都，未有能國者也」，然而，其自己心中所關注所指陳之重點，仍然是其當時自己所處身之現實環境，亭林先生生於明神宗萬曆四十一年（一六一三），明思宗十七年（一六四四），李自成攻陷北京，明思宗自縊殉國，時亭林先生三十二歲，是年，吳三桂開山海關，引清兵入關，進入北京，逐走李自成，然後揮軍南下，晚明諸王，先後繼立。

先是群臣擁立福王於南京，年號弘光（一六四五），史可法督師揚州，城破，可法殉國，清兵渡江，攻陷南京，福王遇害。

稍後，君臣擁立魯王於紹興，稱監國。而黃道周、鄭芝龍等擁立唐王於福州，年號隆武（一六四五），次年，清兵下浙江，魯王逃往舟山，清兵又入福建，鄭芝龍降清，黃道周殉國，唐王被俘，絕食而死。

次年（一六四七），瞿式耜等擁立桂王於廣東肇慶，年號永曆，清兵入廣東，桂王輾轉流離至廣西、緬甸，一六六二年，桂王爲吳三桂所弑。

唐王被俘後，鄭芝龍降清，其子鄭成功苦諫不聽，成功乃招募軍隊，改奉永曆年號，轉戰各地，一六五九年，與張煌言合兵，帥水師深入長江，並攻克南京，後又因失守，退回廈門。一六六一年（清順治十八年），轉攻時爲荷蘭人佔據之臺灣。次年，荷蘭人投降，鄭成功、鄭經、鄭克塽父子孫三代，奉永曆帝正朔，達二十餘年之久。

明思宗殉國之後，以迄晚明諸王，先後繼立之事，亭林先生親身目睹，感傷於懷，並嘗一度起兵，參與抗清，事雖不濟，其感慨良深，故於《日知錄》此條之中，既爲晉宋等朝，失其故都，南渡不返而慨歎，也爲晚明天子殉國，諸王之遠離故都，而深致其悲憤也，故於《日知錄》此條之中，重爲感慨，「爾後之人主，不幸失其都邑，而爲興復之計者，其念之哉！」其寄託之義，豈不深乎！

(七)國家興亡之根源

顧亭林《日知錄》卷二〈殷紂之所以亡〉條云：

自古國家承平日久，法制廢弛，而上之令不能行於下，未有不亡者也。紂以不仁而亡，天下人人知之，吾謂不盡然。紂之為君，沈湎於酒，而逞一時之威，至於剖孕斮脛，蓋齊文宣之比耳。商之衰也久矣，一變而〈盤庚〉之書則卿大夫不從君令，再變而〈微子〉之書則小民不畏國法，至於「攘竊神祇之犧牷牲用，以容將食，無災」，可謂民玩其上，而威刑不立者矣。即以中主守之，猶不能保，而況以紂之狂酗昏虐，又祖伊奔告而不省乎？文宣之惡，未必減於紂而齊以強，高緯之惡未必甚於文宣而齊以亡者，文宣承神武之餘，紀綱粗立，而又有楊愔輩為之佐，主昏於上而政清於下也。至高緯而國法蕩然矣，故宇文得而取之。然則論紂之亡，武之興，而謂以至仁伐至不仁者，偏辭也，未得為窮源之論也。[25]

今考自古國家滅亡，原因繁多，而國君之不能以仁心行政，子愛下民，應爲主因，在此條之中，亭林先生以論商紂王爲主，而以論南北朝時之北齊君王爲佐，兩相對照，以彰明國家興衰之根源。

殷商自成湯立國，至於紂王，相傳已二十餘代，歷時已六百多年，而紂王寵愛妲己，作爲酒池肉林，荒淫無度，朝政敗壞，《尙書・盤庚》記載，商代之英主盤庚，因避水患，而將首都遷往殷（今河南安陽），而「盤庚遷于殷，民不適有居，率籲衆慼出矢言」[26]，臣民卻相率陳言，不願搬遷，顯示殷商王朝，已逐漸衰敝，上下臣民，已有離散之心，國力也已疲弱，及至紂王，天下已亂，《尙書，微子》記載，紂王庶兄微子奔告於紂，「小民方興，相爲敵讎」[27]，民不聊

25 黃汝成：《日知錄集釋》卷二，（上海古籍出版社，二〇〇六年）頁八二。
26 孔穎達：《尚書正義》卷九，（臺北，藝文印書館，一九九三年）頁一二六。

生，多已聚亂而起，並視紂王以爲讎敵，國勢已危，並且，「殷民乃攘竊神祇之犧牷牲用，以容將食無災」[28]，指出民衆不尊敬天神，盜竊祭品食用，政府也未能繩之以法，威信盡失。《尚書・泰誓上》記載，紂王「焚炙忠良，刳剔孕婦」[29]，〈泰誓下〉記載，紂王「斮朝涉之脛，剖賢人之心」[30]，作惡多端，暴虐無道，《尚書・西伯戡黎》記載，西伯（後之周文王）擊敗黎國軍隊，兵力漸強，直接威脅紂王統治之際，紂王之大臣祖伊，爲此而恐懼憂心，「奔告于王」，然而，祖伊警惕之言，卻換來紂王之輕視，反而以爲自己托佑於天，說出「我生不有命在天？」[31]誇張無知之言。因此，亭林先生以爲，如紂王一般作惡多端，狂妄無知，處在當時情況中，即使是中等才能之君主，已經不能保有政權，何況，以紂王治國之才能低下，恣意胡作非爲，又焉能不自取滅亡！

歷史上晉室東渡之後，南北分離，稱爲南北朝，南朝自東晉以後，歷經宋、齊、梁、陳各國，相繼峙立，北朝則有五胡十六國之分據各地，北朝之中，北齊由高歡所創立，號稱神武帝，歡卒，傳至長子高澄，稱爲文襄帝，澄弟高洋繼立，稱爲文宣帝，數傳之後，傳至後主高緯，幼主高恆，爲北周宇文氏所滅。

亭林先生在此條之中，以商紂王與北齊之文宣帝作一對比，以爲「文宣之惡，未必滅於紂而齊以強，高緯之惡，未必甚於文宣而齊以亡」，主要由於「文宣承神武（高歡）之餘，紀綱粗立，而又有楊愔輩爲之佐，主昏於上而政清於下也」，至於末代，則「至高緯而國法蕩然矣，故宇文得而取之」，因此，亭林先生比較殷商與北齊之興亡，不強調國君之優劣，而歸咎於國家法令制度之能否推行無誤也。

其實，《日知錄》此條所論之事，雖屬「殷紂之所以亡」，而亭林先生心中所欲比喻抒發者，實乃在晚明衰敝之事，考明代自驅逐元人，光復立國以來（一三六八～一六四四），以太祖及成祖兩朝，最爲強盛，但自英宗之時，有「土木堡之變」（一四四九），英宗爲瓦剌俘虜北去，國勢已逐漸衰弱，及至神宗萬曆（一五七三）以後，國事更見混亂，外有北虜（韃靼）南寇（倭寇）之患，內有士林黨爭之亂，加以朝政衰敝，君王信任宦官，劉瑾、魏忠賢，權傾一時，設爲東西兩廠，誅殺異己，至於熹宗（天啟）思宗（崇禎）以下，衰敝更甚，誅殺良將（如熊廷弼、袁崇煥），致疑大臣（李慈銘《越縵堂日記補》丙集上，言崇禎十七年之間，而易宰相至五十人之多），典制廢棄，朝政錯亂，號令不行，而饑民遍野，流寇四起，至於張獻忠、李自成橫行天下，北京淪陷，思宗自縊，清人入關，明室衰亡。凡此種種，亭林先生，親身目睹，感慨於心，故藉「殷紂之所以亡」，

27 孔穎達：《尚書正義》卷十，（臺北，藝文印書館，一九九三年）頁一四五。
28 孔穎達：《尚書正義》卷十，（臺北，藝文印書館，一九九三年）頁一四六。
29 孔穎達：《尚書正義》卷十一，（臺北，藝文印書館，一九九三年）頁一五一。
30 孔穎達：《尚書正義》卷十一，（臺北，藝文印書館，一九九三年）頁一五六。
31 孔穎達：《尚書正義》卷十一，（臺北，藝文印書館，一九九三年）頁一四四。

以論明室之所以亡，而云「自古國家承平日久，法制廢弛，而上之令不能行於下，未有不亡者也」，其傷痛之情，也已深矣，黃汝成撰《日知錄集釋》，於此條云：「亭林痛明季之典章廢壞，故發憤言之。」[32]可謂得其實矣。

(八)暗指明朝衰滅原因

顧亭林《日知錄》卷九〈藩鎮〉條云：

> 國朝之患，大略與宋同。岳飛說張所曰：「國家都汴，恃河北以為固。苟馮據要衝，峙列重鎮，一城受圍，則諸城或撓或救，金人不敢窺河南，而京師根本之地，固矣。」文天祥言：「本朝懲五季之亂，削除藩鎮，一時雖足以矯尾大之弊，然國以寖弱，故敵至一州則一州破，至一縣則一縣殘。今宜分境內為四鎮，使其地大力眾，足以抗敵，約日齊奮，有進無退。彼備多力分，疲於奔命，而吾民之豪傑者又伺間出於其中，則敵不難卻也。」嗚呼！世言唐亡於藩鎮，而中葉以降，其不遂并於吐蕃、回紇，滅於黃巢者，未必非藩鎮之力。宋至靖康而始立於四道，金至興元而始建九公，不已晚乎！
>
> 尹源《唐說》曰：「世言唐所以亡，由諸侯之強，此未極於理。夫弱唐者，諸侯也。唐既弱矣，而久不亡者，諸侯維之也。……德宗世，朱泚、李希烈始遂其僭，而終敗亡，

田悅叛於前，武俊順於後也。憲宗討蜀平夏，誅蔡夷鄆，兵連四方而亂不生，卒成中興之功者，田氏稟命，王承宗歸國也。武宗將討劉稹之叛，先正三鎮，絕其連衡之計，而王誅以成。如是二百年，姦臣逆子專國命者有之，夷將相者有之，而不敢窺神器，非力不足，畏諸侯之勢也。」

又云：

不獨此也，契丹入大梁而不能有者，亦以藩鎮之勢重也。王應麟曰：「郡縣削弱，則夷狄之禍烈矣。」

《宋史》：「劉平為鄜延路副總管。上言：『五代之末，中國多事，惟制西戎為得之。中國未嘗遣一騎一卒遠屯塞上，但任土豪為眾所服者，封以州邑，征賦所入，足以贍兵養士，由是無邊鄙之虞。太祖定天下，懲唐末藩鎮之盛，削其兵柄，收其賦入，自節度以下，第坐給俸祿，或方面有警，則總師出討。事已，則兵歸宿衛，將還本鎮。……』」

32 黃汝成：《日知錄集釋》卷二，（上海古籍出版社，二〇〇六年）頁八二。

又云：

《路史・封建後論》曰：「天下之枉，未足以害理，而矯枉之枉常深；天下之弊，未足以害事，而救弊之弊常大。……此予所以每咎徵、普，以為唐室、我朝之不封建，皆鄭公、韓王之不知以帝王之道責難其主，而為是尋常苟且之治也。」

又云：

藩鎮既罷，而州縣之任處之又不得其方。真宗咸平三年，濮州盜夜入城，略知州王守信、監軍王昭度。於是知黃州王禹偁上言：「《易》曰『王公設險，以守其國』。自五季亂離，各據城壘，豆分瓜剖七十餘年。太祖。太宗削平僭偽，天下一家。當時議者乃令江淮諸郡，毀城隍，收兵甲，撤武備。書生領州，大郡給二十人，小郡十五人，以充常從。號曰長吏，實同旅人，名為郡城，蕩若平地。雖則尊京師而抑郡縣，為強幹弱枝之計，亦匪得其中道也。蓋太祖削諸侯跋扈之勢，太宗杜僭偽覬望之心，不得不爾。……」嗚呼！人徒見藝祖罷節度，為宋百年之利，而不知奪州縣之兵與財，其害至於數百年而未已也。陸士衡所謂「一夫縱橫，而城池自夷」，豈非崇禎末年之事乎！33

唐代自高宗永徽之後，設節度使，令之統兵，至玄宗開元中，設朔方、隴右、河東、河西諸鎮，每以數州爲一鎮，州刺史亦爲所屬，方鎮之勢，至是日強，而變亂漸起，迄至天寶年中，安祿山、史思明稱兵犯闕，玄宗出奔西蜀，肅宗即位靈寶，雖得郭子儀、李光弼等致力，敉平叛亂，勉強得以興復，而藩鎮坐大，遂成尾大不掉之勢，方鎮驕縱，天子力不能制，牽延至於唐末，僭僞競起，遂成殘唐五代之局，後梁、後唐、後晉、後漢、後周，更迭僭號，唐祚乃移。至於後周世宗，親征淮南，得疾而亡，殿前都檢點趙匡胤，陳橋兵變，黃袍加身，得即帝位，是爲宋太祖。太祖稱帝，鑑於唐代藩鎮爲亂，乃以「杯酒釋兵權」之策，罷黜諸將軍權，送歸田里，因採強幹弱枝之策，軍權集於中央，如此，終於有宋一朝，武力集於京師，而天下削弱，雖鮮藩鎮之禍，而契丹、遼、金，外患不絕，迄至元人南下，宋代遂滅於外夷，故凡事興作，其有一利，必有一弊，終宋之世，雖鮮少內亂，然而外夷一至，州郡軍力薄弱，京師救援不及，天下遂成殘破之局，而不可收拾，「故敵至一州則一州破，至一縣則一縣殘」（文丞相語），「夫弱唐者，諸侯也。唐既弱矣，而久不亡者，諸侯維之也」（尹源語），「契丹入大梁而不能有者，亦以藩鎮之勢重也」（亭林先生語），「天下之弊，未足以害事，而救弊之弊常大」（羅泌《路史》

33 黃汝成：《日知錄集釋》卷九，（上海古籍出版社，二〇〇六年）頁五五九。

語），故羅泌作〈封建後論〉，亦咎責魏徵之未能爲唐太宗妥善而謀，趙普未能爲宋太祖製訂長治久安之策也。

蒙元入主中原，不及百年，而朱元璋驅逐元人，光復華夏，國號曰明，定都南京，然蒙元雖已退回大漠，而武力仍甚強大，時復侵擾北方邊境，明太祖爲預謀設防，洪武年間，大封諸子十七人爲王，其中計有藩王九人，封於北方邊鄙之處，授以兵權，以防蒙古爲患。太祖死後，太孫允炆即位，是爲惠帝，改元建文。鑑於北方諸王勢力過大，乃採納兵部尙書齊泰與翰林學士黃子澄之建議，決定削藩，乃於一年之間，先後廢除周王、代王、齊王、岷王，而燕王朱棣，遂據北平以叛，號稱「靖難」、以「清君側」，三年之後，建文失蹤，燕王即位，改元永樂，是爲成祖，永樂七年，移都北京，仍繼續進行削藩之政策，以鞏固中央之權勢，而藩王屛障州郡邊境之意，亦由是而衰矣。乃至晚明思宗崇禎年間，政治衰敗，內則饑民遍野，流賊四起，外則後金寇邊，屢興侵擾，朝廷不得不調集京畿重兵，以守關塞。一旦李自成流竄犯闕，進襲京師，雖天子號召勤王，而天下兵馬，亦鮮能至者，馴至天子自盡，而山海關守將吳三桂一旦開關延敵，清兵長驅直入，遂下江南，而明朝遂乃滅亡，追竟原委，則中央集權，強幹弱枝，大軍不在州郡，以防外夷，實有以致之也。

亭林先生於《日知錄》此條之首，乃云，「國朝之患，大略與宋同」。於此條之末，而云，「嗚呼！人徒見藝祖罷節度，爲宋百年之利，而不知奪州縣之兵與財，其害至於數百年而未已也。陸士衡所謂『一夫縱橫，而城池自夷』，豈非崇禎末年之事乎！」亭林先生於此條之中，既傷唐代宋代之亡於異族，又傷明朝之亡於夷狄，忍痛而論述其衰滅之緣由，其感慨亦已深矣。

㈨為政當以「與民爭利」為戒

顧亭林《日知錄》卷十二〈財用〉條云：

古人制幣，以權百貨之輕重。錢者，幣之一也。將以導利而布之上下，非以為人主之私藏也。《食貨志》言：「民有餘則輕之，故人君斂之以輕；民不足則重之，故人君散之以重。凡輕重斂散之以時，則準平。使萬室之邑必有萬鍾之臧，臧繦千萬，千室之邑必有千鍾之臧，臧繦百萬。」

齊武帝永明五年九月丙午詔：「以粟帛輕賤，工商失業，良由圜法久廢，上幣稍寡。可令京師及四方出錢億萬，糴米穀絲綿之屬，其和價以優黔首。」唐憲宗時，白居易策言：「今天下之錢日以減耗，或積於內府，或滯於私家。若復日月徵收，歲時輸納，臣恐穀帛之價轉賤，農桑之業益傷，十年以後，其弊必更甚於今日。」而元和「八年，四月，敕以錢重貨輕，出內庫錢五十萬貫，令兩市收買布帛，每端匹視舊估加十之一」。十二月正月，又敕「出內庫錢五十萬貫，令京兆府揀擇要便處開場，依市價交易。」今日之銀，猶夫前代之錢也。乃歲歲徵數百萬貯之京庫，而不知所以流通之術，於是銀之在下者至於竭涸，而無以繼上之求，然後民窮而盜起矣。單穆公有言：「絕民用以實王府，猶塞川原而為潢汙也。」自古以來，有民窮財盡而人主獨擁多藏於上者乎？此無他，不知錢幣之本為上下通共之財，而以為一家之物也。《詩》曰：「不弔昊天，不宜空我師。」有子曰：「百姓不足，君孰與足？」古人其知之矣。

財聚於上，是謂國之不祥。不幸而有此，與其聚於人主，無寧聚於大臣。昔殷之中年，「有亂政同位，具乃貝玉」，「總於貨寶」，貪濁之風，亦已甚矣；有一盤庚出焉，遂變而成中興之治。及紂之身，「用乂讎斂」，鹿臺之錢，鉅橋之粟，聚於人主，而前徒倒戈，自燔之禍至矣。故堯之禪舜，猶曰：「四海困窮，天祿永終。」而周公之繫《易》曰：「渙，王居無咎。」管子曰：「與天下同利者，天下持之。擅天下之利者，天下謀之。」嗚呼！崇禎末年之事，可為永鑑也。已後之有天下者，其念之哉！

唐自行兩稅法以後，天下百姓輸賦於州府，一曰上供，二曰送使，三曰留州。及宋太祖乾德三年，詔諸州支度經費外，凡金帛悉送闕下，無得占留。自此一錢以上皆歸之朝廷，而簿領纖悉特甚於唐時矣。然宋之所以愈弱而不可振者，實在此。昔人謂古者藏富於民，自漢以後，財已不在民矣，而猶在郡國，不至盡輦京師，是亦漢人之良法也。後之人君知此意者鮮矣。

自唐開成初，歸融為戶部侍郎兼御史中丞，奏言：「天下一家，何非君土？中外之財，皆陛下府庫。」而宋元祐中，蘇轍為戶部侍郎，則言：「善為國者，藏之於民，其次藏之州郡。……」是以仁宗時富弼知青州，朝廷欲輦青州之財入京師，弼上疏諫。金世宗欲運郡縣之錢入京師，徒單克寧以為如此，則民間之錢益少，亦諫而止之。以余所見，本朝之事，盡外庫之銀以解戶部，蓋起於近日，而非祖宗之制也。……至天啟中，用操江范濟世之奏，一切外儲，盡令解京，而搜括之令自此始矣。……又聞南京內庫，祖宗時所藏金銀珍寶，皆為魏忠賢矯旨取進。先帝諭中所云「將我祖宗庫貯，傳國奇珍異寶，盜竊幾至一空」者，不知其歸之何所。自此搜括不已，至次加派，加派不已，至於捐助，以訖於亡。繇此言之，則搜括之令，開於范濟世，成於魏忠賢，而外庫之虛，民力之匱，所繇來矣。以英明之主繼之，而猶不免乎與亂同事，然則知上下之為一身，中外之為一體者，非聖王莫之能也。《傳》曰：「長國家而務財用者，必自小人矣。」豈不信夫！開科取士，則天下之人日愚一日，立限徵糧，則天下之財日窘一日。吾未見無人與財而能國者也。然則如之何？必有作人之法而後科目可得而設也，必有生財之方而後賦稅可得而收也。[34]

34 黃汝成：《日知錄集釋》卷十二，（上海古籍出版社，二〇〇六年）頁六九一。

夫國以民爲本，民以食爲天，天下財富，由民而設，爲民所用，君主制爲錢幣，以利流通，「本爲上下通共之財」，非「以爲一家之物也」，自古聖賢，以爲人君居上，當藏富於民，方能蔚爲國用，蓋百姓足，君孰與不足，若百姓不足，君孰能足？〈大學〉云，「財聚則民散，財散則民聚」，盤庚中興，商紂敗燔，可爲明證，故以堯舜之聖，諄諄相告，猶以「四海困窮，天祿永終」，以相警戒，以爲困苦百姓，則天不賜福，而將永絕其祚命。

不圖明季晚年，用佞臣范濟世之策，下搜括之令，「一切外儲，盡令解京」，加以宦官魏忠賢矯傳旨意，以至使大明「祖宗庫貯，傳國奇珍異寶，盜竊幾至一空」，而百姓苦矣，君主亡矣，國脈斬矣，《明史》卷二六一〈楊鶴傳〉云：「先是遼左用兵，逃軍憚不敢歸伍，至是關中頻歲祲，有司不恤下。」又云：「群盜逢起，饑軍應之，此流氛之始也。」葉夢珠《閱世編》卷七云：「崇禎三年，庚午，年荒米貴，民多菜色。」《明史》卷二七八〈詹兆恆傳〉云：「（崇禎十四年）燕齊二千里間，寇盜縱橫，楚豫二地，青燐白骨，新征舊逋，斷無所出。」徐岳《聞見錄》頁八十二云：「崇禎壬午癸未之間，天下皆兇，河南山東尤甚，在在以人肉爲糧，雖至親好友，不敢輕入人室，守分之家，老小男女，相讓而食，強梁者，搏人而食，甚至有父殺其子而食者。」紀昀《灤陽消夏錄》卷二云：「崇禎之末，河南山東大旱，草根木皮皆盡，以人爲糧，官吏亦不能禁。」錢尔《甲申傳信錄》卷五云：「（李）闖以一人而橫行天下，非其英勇蓋世，才智絕人，良由君不一德，臣不一心，上無速亡之行，下有趨亂之念，加以年荒歲儉，則民食不敷，帑藏空虛，則軍餉不繼，以此攻城，何城不克，以此糾衆，何衆不聚，於是犯關犯陝，及秦及楚，其勢有如破竹矣。」（前述史乘，皆轉引自陳登元《國史舊聞》第三分冊頁三〇九）《明史》卷七十九〈食貨志〉亦云：「至（熹宗）天啓中，用操江巡撫范濟世策，下敕督歲進，收括靡有遺矣。南京內庫頗藏金銀珍寶，魏忠賢矯旨取進，盜竊一空。內外匱竭，遂至於亡。」然則明代之亡，原因雖多，而財用政策不當，以至帝王之家，貪婪財富，與民爭利，大事搜刮，欲聚天下之財，以爲一家之物，乃斂之復不能守之，而復爲宦官巨惡魏忠賢矯旨竊取，府庫爲之一空，兵既無餉，民又無糧，迨至饑民遍野，哀鴻滿地，流寇一呼，饑民響應，其勢遂至坐大，加以邊關將領拱手，揖敵而入，其勢益爲不可收拾矣，亭林先生於《日知錄》此條之中，嘗云：「財聚於上，是謂國之不祥。」又云：「民窮而盜賊起矣。」又云：「吾未見無人與財而能國者。」又云：「嗚呼！崇禎末年之事，可爲永鑑也。已後之有天下者，其念之哉！」亭林先生，身處晚明，巨變之來，親身目睹，亡國之禍，即在眼前，亡國之痛，即在心中，無怪乎亭林先生，於此條之中，評論之深切著明，而感慨亦特爲沉痛也。

㈩激勵國人重光華夏

顧亭林《日知錄》卷四〈楚吳書君書大夫〉條云：

> 《春秋》之於夷狄，斤斤焉不欲以其名與之也。楚之見於《經》也，始於莊之十年，曰「荊」而已。二十三年，於其來聘而「人」之。二十八年，復稱「荊」而不與其「人」也。僖之元年，始稱「楚人」。四年，盟於召陵，始有大夫。二十一年，會於孟，始書楚子。然使宜申來獻捷者，楚子也，而不書君。圍宋者子玉，救衛者子玉，戰城濮者子玉也，而不書帥。聖人之意，，使之不得遽同於中夏也。吳之見於《經》也，始於成之七年，曰「吳」而已。襄之五年，會於戚，於其來聽諸侯之好而「人」之也。十年、十四年，復稱「吳」，殊會而不與其「人」也。二十五年，門於巢卒，始書吳子。二十九年，使札來聘，始有大夫。然滅州來，戰長岸，敗雞父，滅巢，滅徐，伐越，入郢，敗檇李，伐陳，會柤，會鄫，伐我，伐齊，救陳，戰艾陵，會橐皋，並稱「吳」，而不與其「人」。會黃池，書「晉侯及吳子」而殊其會。終《春秋》之文，無書帥者，使之終不得同於中夏也。是知書君、書大夫，《春秋》之不得已也，政交於中國矣。以後世之事言之，如五胡十六國之輩，夷之而已，至魏、齊、周，則不得不成之為國而列之於史。金、元亦然，此夫子所以錄楚、吳也。然於備書之中而寓抑之之意，聖人之心無時而不在中國也，嗚呼！[35]

考《春秋》莊公十年曰：「秋，九月，荊敗蔡師于莘。」二十三年曰：「荊人來聘。」二十八年曰：「秋，荊伐鄭。」又僖公元年曰：「楚人伐鄭。」四年曰：「楚屈完來盟于師，盟于召陵。」二十一年曰：「秋，宋公、楚子、陳侯、蔡侯、鄭伯、許男、曹伯，會于盂。」又曰：「楚人使宜申來獻捷。」皆未書楚君爵稱。又二十七年曰：「冬，楚人、陳侯、蔡侯、鄭伯、許男，圍宋。」二十八年曰：「楚人救衛。」又曰：「夏，四月，己巳，晉侯、齊師、宋師、秦師，及楚人戰于城濮，楚師敗績。」[36]自二十七年「圍宋」，二十八年「救衛」，「戰于城濮」，楚師皆由子玉統領，而《春秋》皆未書其帥名。亭林先生以爲，推聖人之意，楚在春秋，仍爲夷狄，雖僭稱爲王，而《春秋》攘夷，故不稱其君帥之爵名，用以貶之，「使之不得遽同於中夏也」。

又考《春秋》成公七年曰：「吳伐郯。」又曰：「吳入州來。」襄公五年曰：「公會晉侯、宋公、陳侯、衛侯、鄭伯、曹伯、莒子、邾子、滕子、薛伯、齊世子光、吳人、鄫人，于戚。」十年曰：「春，公會晉侯、宋公、衛侯、曹伯、莒子、邾子、滕子、薛伯、杞伯、小邾子、齊世子光，會吳于柤。」十四年曰：「春，王正月，季孫宿老會晉士匄、齊人、宋人、衛人、鄭公孫蠆、曹人、莒人、邾人、滕人、薛人、杞人、小邾人，會吳于向。」十年、十四年皆僅稱

35 黃汝成：《日知錄集釋》卷四，（上海古籍出版社，二〇〇六年）頁二一一。

36 孔穎達：《春秋左傳正義》，（臺北，藝文印書館，一九九三）。下引《春秋》並同。

「吳」。二十五年曰：「十有二月，吳子遏伐楚，門于巢，卒。」二十九年曰：「吳子使札來聘。」（季札為吳君之弟）亭林先生於此文之下，敘述吳國之史事，如昭公十三年之「吳滅州來」，十七年之「楚人及吳戰于長岸」，二十三年之「吳敗頓、胡、沈、蔡、陳、許之師于雞父」，二十四年之「吳滅巢」，三十年之「吳滅徐」，三十二年之「吳伐越」，定公四年之「吳入楚」，十四年之「於越敗吳于檇李」，哀公六年之「吳伐陳」及「叔還會吳于柤」，七年之「公會吳于鄫」，八年之「吳伐我」，十年之「公會吳伐齊」，及「吳救陳」，十一年之「公會吳伐齊」與「及吳戰于艾陵」，十二年之「公會吳于橐皋」，以上凡十七事，《春秋》並稱之為「吳」，而不許其爲「人」，蓋以吳在春秋，猶爲夷狄，雖僭稱爲王，而《春秋》攘夷，故不稱其君之爵名，用以貶之。唯有《春秋》哀公十三年曰：「公會晉侯及吳子于黃池。」《公羊傳》曰：「吳何以稱子？吳主會也。吳主會，則曷爲先言晉侯？不與夷狄之主中國也。」[37]《穀梁傳》曰：「黃池之會，吳子進乎哉！遂子矣。」[38]春秋末期，吳國強盛，其君夫差乃會魯哀公與晉定公於黃池，《春秋》以其爲邊徼夷狄，入盟中原，（黃池在今河南省封丘縣南）情況特殊，而加記「吳子」之爵稱，故亭林先生以爲，「終《春秋》之文，無書（吳國）帥者，使之終不得同於中夏也」。

亭林先生於枚舉春秋楚國與吳國兩例之餘，乃云，「是知書君、書大夫，《春秋》之不得已也，政交於中國矣」，政交於中國，指夷狄之邦，勢力進入華夏，政事影響中國，不能視而不見，聽而不聞，故聖人作《春秋》，不得已而書之於《經》，以記其事，然而，聖人於此，亦自有其權衡在心，蓋「《春秋》之於夷狄，斤斤焉不欲以其名與之也」，名與器，不可以假人，而況其實乎！

亭林先生於此條之末，復以後世之事言之，如五胡十六國之記述，則後世史官，或以「霸史」、「僞史」名之而已，然至《魏書》、《北齊書》、《周書》，則不得不視之爲國，而列於「正史」，以至《遼史》、《金史》、《元史》，亦不得不列於「正史」，此事亦如孔子《春秋》，不得不列錄楚國、吳國等夷狄之邦也，「然於備書之中而寓抑之之意，聖人之心無時而不在中國也」，噫！亭林先生「嗚呼」之歎，豈不爲明末之事而發乎？其言「聖人之心」，蓋亦意在激勵國人，雖身陷夷狄異族侵凌之際，有文化沉淪之憂，亦當效法聖人之用心，「無時而不在中國」，無時而不在華夏之重光也。

（十一）考論制勝夷狄之方策

顧亭林《日知錄》卷二十九〈夷狄〉條云：

37 徐彥：《公羊注疏》卷二十八，（臺北，藝文印書館，一九九三）頁三五三。

38 楊士勛：《穀梁注疏》卷二十，（臺北，藝文印書館，一九九三）頁二〇四。

歷九州之風俗，考前代之史書，中國之不如夷狄者有之矣。《遼史》言：「契丹部族生生之資，仰給畜牧，績毛飲湩，以為衣食。各安舊風，狃習勞事，不見紛華異物而遷。故家給人足，戎備整完，卒之虎視四方，強朝弱附。」《金史》：世宗嘗謂宰臣曰：「朕嘗見女直風俗，迄今不忘。今之燕飲音樂，皆習漢風，非朕心所好。東宮不知女直風俗，第以朕故，猶尚存之，恐異日一變此風，非長久之計。」他日與臣下論及古今，又曰：「女直舊風，雖不知書，然其祭天地，敬親戚，尊耆老，接賓客，信朋友，禮意款曲，皆出自然。其善與古書所載無異，汝輩不可忘也。」乃禁女直人不得改稱漢姓，學南人衣裝，犯者抵罪。又曰：「女直舊風，凡酒食會聚，以騎射為樂，今則奕碁、雙陸，宜悉禁止，令習騎射。」……《邵氏聞見〈後〉錄》言：「回紇風俗樸厚，君臣之等不甚異，及眾志專一，勁健無敵。自有功於唐，賜遺豐腴，登里可汗始自尊大，築宮室以居，婦人有粉黛文繡之飾。中國為之虛耗，而虜俗亦壞。」……此固人情之所必至，而戎狄之敗特速於中華者，他日未嘗學問也。後之君子誠監於斯，則知所以勝之之道矣。《史記》言：「匈奴獄久者不過十日，一國之囚不數人。」《鹽鐵論》言：「匈奴之俗，略於文而敏於事。」宋鄧肅對高宗言：「外夷之巧在文書簡，簡故速。中國之患在文書繁，繁故遲。」《遼史》言：「朝廷之上，事簡職專，此遼之所以興也。」然則戎狄之能勝於中國者，惟其簡易而已，若舍其所長，而效人之短，吾見其立弊也。

《金史・食貨志》言：「金起東海，其俗純實，可與返古。初入中夏，民多流亡，土多曠閑，遺黎惴惴，何求不獲？……及其中葉，鄙遼儉樸，襲宋繁縟之文，懲宋寬柔，加遼操切之政。是棄二國之所長，而並用其所短也。繁縟勝必至於傷財，操切勝必至於害民。訖金之世，國用易匱，民心易離，豈不繇是與？作法不慎厥初，變法以救其弊，只益甚焉耳。」其論金時之弊至為明切。今之為金者有甚於此。

魏太武始制反逆、殺人、姦盜之法，號令明白，政事清簡，無繁訊連逮之煩，百姓安之。宋余靖言：「燕薊之地，陷入契丹且百年，而民亡南顧心者，以契丹之法簡易，鹽麴俱賤，科役不煩故也。」是則省刑薄斂之效，無論於華夷也。[39]

今案夷狄文化不如中夏，但夷狄亦自有所長，否則，何能長期騷擾邊鄙，幾度入據中原？亭林先生於此條之中，考之風俗歷史，蒐羅遼、金、契丹、匈奴、回紇相關之文獻記載，舉出夷狄所長，在於風俗，習慣、政制、軍事，莫不以簡易、樸實、敏捷爲原則，凡此，皆屬中國之不如夷狄者，故彼等能屢屢入塞，而亟病中國，然而，夷狄之侵陵中原，入據中土，而中國每每能重光華夏者，雖則由於中國之奮發自勵，而夷狄之放蕩自逸，自棄所長，實亦爲其主要之原

39 黃汝成：《日知錄集釋》卷二十九，（上海古籍出版社，二〇〇六年）頁一六五二。

因。蓋夷狄每據中原，羨於中土文物財帛之富，躭於飲食文飾之盛，習於享樂，漸染華化，而忘其勤勞勁健之舊風，要之，其華化愈深者，其鏃滅亦愈益迅速，考之史事，夷狄之入據中原者，如五胡亂華，晉室東遷，北方中土，自前趙至於北燕，（三〇四～四三六）不過一百三十年；如金人入侵，宋室南渡，自金人攻陷汴京，至於蒙古滅金，（一一二六～一二三四）不過百年；如元人南下，統一中國，至明太祖驅逐蒙古，（一二七九～一三六七）則不足百年。亭林先生於此條之中，引述《金史・食貨志》之言，既以論金人華化之後，國用易匱，民心易離之緣由，乃云：「其論金時之弊至爲明切。今之爲金者有甚於此。」其前句所謂「論金」，乃指遼金之金而言，後句所謂「爲金」，乃指明末入關之滿清，爲金人之所爲者而言，「有甚於此」，則指清人入關，華化之速也。夫亭林先生嘗云：「夫（興）亡有迭代之時，而中華（無）不復之日，若之何以萬古之心胸而區區於旦暮乎！」（見《日知錄集釋》卷六〈素夷狄行乎夷狄〉條）其意若云，勿因一時之成敗，而懷憂喪志也。亭林先生於此條之中，又云，「而戎狄之敗，特速於中華者，他日未嘗學問也。後之君子誠監於斯，則知所以勝之之道矣」，此則亭林先生指示國人制夷勝夷之道，而於滿清覆滅，華夏重光，懷抱無限之信念焉。

㈢隱示著述流傳不易

顧亭林《日知錄》卷十九〈古文未正之隱〉條云：

陸機〈辨亡論〉，其稱晉軍，上篇謂之「王師」，下篇謂之「強寇」。文信國〈指南錄序〉中「北」字皆「虜」字也。後人不知其意，不能改之。謝皋羽〈西臺慟哭記〉，本當云「文信公」，而謬云「顏魯公」，本當云「季宋」，而云「季漢」。此皆有待於後人之改正者也。胡身之注《通鑑》，至二百八十卷石敬瑭以山後十六州賂契丹之事，而云「自是之後，遼滅晉，金破宋」，其下闕文一行，謂「蒙古滅金取宋，一統天下」，而諱之不書，此有待於後人之補完者也。漢人言「《春秋》所貶損大人當世君臣、有威權勢力者，其事皆見於書」，故定、哀之間多微辭矣，況於易姓改物，制有中華者乎？《孟子》曰：「不知其人可乎，是以論其世也。」習其讀而不知，無為貴君子矣。

鄭所南《心史・書文丞相事》言：「公自序本末，未有稱賊曰大國、曰丞相，又自稱天祥，皆非公本語。舊本皆直斥彼虜名。」然則今之集本，或皆傳書者所改。《金史・紇石烈牙吾塔傳》「北中亦遣唐慶等往來議和」，〈完顏合達傳〉「北中大臣以輿地圖指示之」，〈完顏賽不傳〉「按春自北中逃回」。「北中」二字不成文，蓋「虜中」也，修史者仍金人之辭未改。40

40 黃汝成：《日知錄集釋》卷十九，（上海古籍出版社，二〇〇六年）頁一一一四。

今考陸機，晉吳郡人，字士衡，與弟陸雲，字士龍，並有才名，其祖陸遜，其父陸抗，並為吳國名將，吳國亡後，陸機嘗撰〈辨亡論〉上下篇，論吳國衰亡之原因，文中言及晉軍之事，上篇有云，「曆命應而微，王師躡運而發」，指吳衰晉盛之事，下篇有云，「逮步闡之亂，憑寶城以延強寇」，指吳將步闡據西陵叛吳投晉，引晉軍南下事。（〈辨亡論〉見《昭明文選》卷五十三）又謝翺，字臯羽，宋末長漢人，元兵南下，文丞相開府延平，檄州郡勤王，翺散財募鄉兵，入閩赴難，聞丞相死，悲不自勝，乃適嚴陵，登釣臺，設主，奠祭，號泣，作〈西臺慟哭記〉。又《資治通鑑》卷二百八十記：「石敬瑭遣間使求救於契丹，令桑維翰草表稱臣於契丹主，且請以父禮事之，約事捷之日，割盧龍一道及雁門關以北諸州與之，劉知遠諫曰：『稱臣可矣，以父事之太過。厚以金帛賂之，自足致其兵，不必許以土田，恐異日大為中國之患，悔之無及。』敬瑭不從。」胡三省注云：「他日卒如劉知遠之言，為契丹入中國張本。」又云：「自是之後，遼滅晉，金破宋，（原缺十六字）今之疆理，西越益、寧，南盡交、廣，至於海外，皆石敬瑭捐割關隘以啓之也。」[41]今案亭林先生於陸機〈辨亡論〉、文丞相〈指南錄序〉、謝翺〈西臺慟哭記〉三篇中之文字，以為「凡此皆有待於後人之改正者」，然先生言「改正」，亦非止於訛文誤字之校勘更正，實係欲後世讀者闡發數文中隱伏之意旨，以還見古人之心志也。至於胡三省注《通鑑》，於注文中原缺之字，亭林先生已推胡氏之意，謂其所缺，乃「蒙古滅金取宋，一統天下」等字，乃身之先生不忍筆之於書，出之於口者，而「有待後人之補充」其事，故亭林先生亦不得已而忍痛補出，實則別有用心，欲國人之知恥而自勵也。

《漢書・藝文志》於〈六藝略〉春秋家云：「古之王者，世有史官，君舉必書，所以愼言行，昭法式也。左史記言，右史記事，事爲《春秋》，言爲《尙書》，帝王靡不同之。周室既微，載籍殘缺。仲尼思存前聖之業，乃稱曰：『夏禮吾能言之，杞不足徵也；殷禮吾能言之，宋不足徵也，文獻不足故也，足則吾能徵之也。』以魯周公之國，禮文備物，史官有法。故與左丘明觀其史記，據行事，仍人道，因興以立功，就敗以成罰，假日月以定歷數，藉朝聘以正禮樂。有所褒諱貶損，不可書見，口授弟子。弟子退而異言，丘明恐弟子各安其意，以失其眞。故論本事而作傳，明夫子不以空言說經也。《春秋》所貶損大人當世君臣，有威權勢力，其事實皆形於傳。是以隱其書而不宣，所以免時難也。」[42] 今考孔子修《春秋》，欲假古史之事，以寄寓褒貶，以爲天下儀表，而於當世君臣大夫，威權勢力，不得不委婉其詞，託之隱微，以免觸忤於時忌，故於春秋十二公，至於定公、哀公，因其衰亂特著，其貶之尤甚，而言之益爲隱晦也。亭林先生，身處巨變，淸人入關，文網嚴苛，屠戮極慘，亭林先生，兩度因人構陷，身繫囹圄，故其發爲文字，不得不隱約其辭，多所微言，以避災禍，《日知錄》此條之中，歷

41 司馬光：《資治通鑑》卷二百八十，（臺北，洪氏出版社，一九八〇年）頁九一四六。
42 班固：《漢書》卷三十〈藝文志〉，（臺北，鼎文書局，一九九一年）頁一七一五。

舉陸士衡、謝皋羽、文信國、胡三省之言，而歸之於《春秋》多微辭者，蓋不啻亭林先生之夫子自道，以表寸心，其引孟子「知人論世」之言，正以表顯一己之心事耳，實亦暗示亭林先生自己所言，亦有相同者在也。不僅此條之義，即《日知錄》中其他各條，亦尚有可以此意求之者，俾可以深曉亭林先生之用心也。

鄭思肖，字所南，宋連江人，宋亡，不仕，隱居著書，所著書名《心史》，然世無傳本，明崇禎年間，爲人自吳中承天寺井中覓得，以鐵函封固，書中多闡揚種族大義之語，世人稱之爲《鐵函心史》，亭林先生謂鄭書舊本「皆直斥彼虜之名」，「今之集本，或皆傳書者所改」，然則亭林先生撰著《日知錄》，當亦預知其書勢將爲惡其害己者所刪削改易，流傳不易，故藉所南先生之《心史》以自喻而告曉後世之讀者也。《金史》爲元人脫克脫所奉敕纂修，宋人稱金人爲「虜」，金人易稱之爲「北」，「北中」不成文理，故亭林先生以爲乃元人修《金史》時依金人之舊辭而未知改換者也。

亭林先生《詩集》卷五，有〈井中心史歌〉一首，詩前〈小引〉云：「崇禎十一年冬，蘇州府城中承天寺，以久旱浚井，得一函，其外曰《大宋鐵函經》，錮之再重，中有書一卷，名曰〈心史〉，稱大宋孤臣鄭思肖百拜封。思肖號所南，宋之遺民，有聞於志業者。其藏書之日，爲（宋恭帝）德祐九年，而宋已亡矣，（德祐二年，宋亡），而猶日夜望陳丞相（宜中）張少保（世傑）統兵外來以復土宇，至於痛哭流涕，而禱之天地，盟之大神，謂氣化轉移，必有一日。于是郡中之人見者，無不稽首驚詫，而巡撫都院張公國維刻之以傳，又爲所南立祠堂，藏其函祠中。未幾而遭國難，一如德祐末年之事。嗚呼悲矣！其書傳至北方者少，而變故之後，又多諱而不出，不見此書者三十餘年，而今復睹之富平朱氏。」又云：「値禁罔之逾密，而見賢思齊，獨立不懼，故作此歌以發揮其事云爾。」其詩云：「有宋遺臣鄭思肖，痛苦元人移九廟，獨力難將漢鼎扶，孤忠欲向湘纍弔。著書一卷稱〈心史〉，萬古此心心此理，千尋幽井置鐵函，百拜丹心今未死。厄運應知無百年，得逢聖祖再開天，黃河已清人不待，沈沈水府留光彩。忽見奇書出世間，又驚牧騎滿江山。天知世道將反覆，故出此書示臣鵠。三十餘年再見之，同心同調復同時。陸公（秀夫）已向厓門死，信國（文天祥）捐軀赴燕市。昔日吟詩弔古人，幽篁落木愁山鬼。嗚呼！蒲（壽庚）黃（萬石）之輩何其多，所南見此當如何！」[43]足徵亭林先生處此奇變，其心中之痛，爲何如也！

三、結語

《日知錄》三十二卷，上篇經術，中篇治道，下篇博聞，皆爲亭林先生稽古有得，札錄貫

43 王冀民：《顧亭林詩箋釋》卷五，（北京，中華書局，一九九八年）頁九一三。

串之作，然而，亭林先生身處明室覆亡，異族統治之時，網禁嚴密，偵伺苛虐，其家國之痛，種族之禍，親身而目睹，感受特深，是以凡所著述，於博學多聞考古集證之中，未嘗不隱然而有感慨關懷寄寓之心意，潛藏於文詞語言之外者存焉。

黃季剛、張溥泉二位先生所撰《日知錄校記》、徐文珊先生所撰〈日知錄校記補〉兩文既出，《日知錄》言內之意，約略已可復其原貌，至於《日知錄》中亭林先生言外之意，則尚待世人細加探究，發其隱微，曩者，余嘗草成〈顧亭林《日知錄》探微〉一文，刊於明道大學《國學論叢》卷一之中，今又草成茲稿，則於亭林先生內心隱微之意，或可以稍多予以彰明者歟！是則衷心企盼者也。

參、顧亭林《日知錄》中「通經致用」之實踐

一、引言

顧亭林（一六一三～一六八二）初名絳，江蘇崑山人，國變後，改名炎武，字寧人，學者稱為亭林先生，生於明萬曆四十一年，卒於清康熙二十一年，享年七十歲。

明思宗崇禎十七年（一六四四）三月，流寇李自成陷北京，思宗自盡於萬壽山，四月，山海關守將吳三桂因愛妾陳圓圓為李自成部將所掠，憤而開關，引清兵入境，五月，明福王立於南京，改元弘光，崑山縣令楊永言應詔，列薦亭林先生之名於朝，福王任為兵部司務，亭林因赴南京，次年五月，清兵南下，攻破南京，弘光帝被執而死，亭林先生返至蘇州，與友人歸莊、吳其沆等起義兵於崑山，六月，清兵圍攻崑山，七月，城破，官員民眾，被殺者約四萬人，楊永吉遁走，吳其沆殉難，歸莊僥倖逃脫，亭林因省母在外，未及於難。其弟子叟、子武，並遭難，亭林生母何氏，為清兵所傷，右臂折斷。七月中，清兵下常熟，亭林嗣母王氏聞變，絕食十五日

而終，遺命亭林，勿事二姓。時明唐王立於閩中，改元隆武，遙授亭林兵部職方司主事，亭林未到任，仍往來江湖各地，密謀恢復。

明亡之後，亭林先生六謁孝陵，六謁思陵，變姓名爲蔣山傭，不仕滿廷，又嘗遍觀天下，地理險要，著書立說，以備俟諸異日，經世而致用，以期光復之機。

亭林先生著述宏富，所撰著者，如《音學五書》、《左傳杜解補正》、《金石文字記》、《石經考》、《天下郡國利病書》、《肇域志》等，皆屬先生博學稽古，卓具心得之作，而《日知錄》三十二卷，尤爲亭林先生平生志業所寄寓之書。

《日知錄》目錄下亭林先生自識云：「愚自少讀書，有所得輒記之，其有不合，時復改定。或古人先我而有者，則遂削之。積三十餘年，乃成一編，取子夏之言，名曰《日知錄》，以正後之君子。」亭林先生〈與人書二十五〉云：「君子之爲學，以明道也，以救世也。」又云：「別著《日知錄》，上篇經術，中篇治道，下篇博聞，共三十餘卷。有王者起，將以見諸行事，以躋斯世於治古之隆，而未敢爲今人道也。」是則亭林先生撰寫《日知錄》之用心，旨在彰明至道，拯救國難，俾能使國族昌盛，華夏重光，亭林先生〈與楊雪臣〉云：「向者《日知錄》之刻，謬承許可，比來學業稍進，亦多刊改。意在撥亂滌污，法古用夏，啓多聞于來學，待一治于後王。」又〈與友人論門人書〉云：「所著《日知錄》三十餘卷，平生之志與業，皆在其中，惟多寫數本，以貽之同好，庶不爲惡其害己者之所去。而有王者起，得以酌取焉，其亦可以畢區區之願矣。」亭林先生身當明末巨變，光復之志，無日去懷，故《日知錄》中，自謂有平生之志業，寄寓其中，即不能及身而見諸實現，也期盼有後世王者，酌取其義，加以踐行，是亦不啻亭林先生親身目睹其實現於眼前也。

亭林先生〈病起與薊門當事書〉云：「今日者拯斯人於塗炭，爲萬世開太平，此吾輩之任也。」又〈與人書三〉云：「孔子之刪述六經，即伊尹、太公救民於水火之心。」又云：「故凡文之不關於六經之旨，當世之務者，一切不爲。」又〈與人書八〉云：「引古籌今，亦吾儒經世之用。」是則亭林先生撰《日知錄》，亦有志於效法孔子刪述六經之意，救民於水火之中，以光復中華，以竟其經世之宏願也，故其《日知錄》中，「引古籌今」，足以爲「經世之用」者，必不在少。

經學發展，至於漢代，有今古文之分別，「前漢今文學能兼義理訓詁之長，武（帝）、宣（帝）之間，經學大昌，家數未分，純正不雜，故其學極精而有用。以〈禹貢〉治河，以〈洪範〉察變，以《春秋》決獄，以三百五篇當諫書，治一經得一經之益也」（見皮錫瑞《經學歷史》第三章〈經學昌明時代〉），則《日知錄》中，經學本有此致用之精神在內。蓋亭林先生，身當異族入侵，國族淪亡之際，闡述經義，有感而發，亦自然有假藉經義以寄寓致用之精神存在也。

以下，即據《日知錄》中卷一至卷七，所謂「上篇經術」者，以闡述亭林先生通經致用、經綸世務方面之要義焉。

二、「通經致用」之實踐

(一)人貴修己自省

顧亭林《日知錄》卷一〈不遠復〉條云：

> 〈復〉之初九，動之初也。自此以前，喜樂哀樂之未發也，至一陽之生而動矣，故曰「復」，其見天地之心乎！顏子體此，故「有不善未嘗不知，知之未嘗復行」，此慎獨之學也。回之為人也，「擇乎中庸」，夫亦擇之於斯而已，是以「不遷怒，不貳過」。其在凡人，則〈復〉之「初九」，日夜之所息，平旦之氣，其好惡與人相近也者幾希。苟其知之，則擴而充之矣，故曰「復小而辨於物」。[1]

考《易‧復卦》云：「䷗，復，亨，出入无疾，朋來无咎，反復其道，七日來復，利有攸往。」《彖傳》云：「復，亨，剛反，動而以順行。是以出入无疾，朋來无咎。反復其道，七日來復，天行也。利有攸往，剛長也，復其見天地之心乎！」《象傳》云：「雷在地中，復。」[2]今案〈復卦〉，下震上坤，震為雷，坤為地，雷動於地下，一陽動於五陰之下，象徵陰凝已極，陽氣開始回復，故得亨通无咎，經歷七日，可返於道，程頤《易傳》云：「一陽復於下，乃天地生物之心也，先儒皆以靜爲見天地之心，蓋不知動之端，乃天地之心也，非知道者，孰能識之？」[3]亭林先生釋〈復卦〉初九「不遠復」一爻之義，正與程頤所見相同。亭林先生又言，自《復卦》初九以前，爲「喜怒哀之未發也」，《禮記．中庸》云：「喜怒哀樂之未發，謂之中，發而皆中節，謂之和。」[4]指人皆有喜怒哀樂之情，當此情尚未顯發，則是人之本性，尚在無所偏倚狀況之中，故謂之爲「中」，如其發出，而皆能切乎人情之正，無所乖戾之相，則謂之爲「和」。當一陽未動之際，則可當之爲「中」之時，當一陽初動之際，則可當之爲「和」之時，也正如天地生生不已之「復善之心」，故顏回能深深體會此理，用之以自修其身，故能「有不善未嘗不知，知之未嘗復行」（見《易．繫辭下傳》）故亭林先生視顏回能踐行〈中庸〉所謂「愼獨」之學。加以顏回能「擇乎中庸」之道（程子云：「不偏之謂中，不易之謂庸。中者天下之正道，庸者天下之定理。」）所以才能實踐「不遷怒，不貳過」（《論語．雍也》）之修養。

1 黃汝成：《日知錄集釋》卷一，（上海古籍出版社，二〇〇六年）頁二〇。
2 孔穎達：《周易正義》卷三，（臺北，藝文印書館，一九九三年）頁六四。
3 程頤：《易傳》卷二，（臺北，河洛圖書出版社，一九七四年）頁二一一。
4 孔穎達：《禮記正義》卷五十二，（臺北，藝文印書館，一九九三年）頁八七九。

顏回被後世稱之爲復聖，又得到孔子以爲師，故能聞一知十，自省自知，復於善道，而在凡人，亭林先生以爲，則應於日夜生活作息之際，把握其清明在躬之時，（《孟子・告子上》云：「雖存乎人者，豈無仁義之心哉？其所以放其良心者，亦猶斧斤之於木也，旦旦而伐之，可以爲美乎？其日夜之所息，平旦之氣，其好惡與人相近也者幾希，則其旦晝之所爲，有梏亡之矣。」朱熹《孟子集注》云：「平旦之氣，謂未與物接之時，清明之氣也。」）依據人人自有本具惻隱、羞惡、辭讓、是非之心，加以擴充，加以存養，（《孟子・公孫丑上》云：「無惻隱之心，非人也；無羞惡之心，非人也；無辭讓之心，非人也；無是非之心，非人也。惻隱之心，仁之端也；羞惡之心，義之端也；辭讓之心，禮之端也；是非之心，智之端也。人之有是四端也，猶其有四體也。」）如此，方能自省己過，加以改正，以恢復人們本具之善性，《易・繫辭下傳》云：「復，小而辨於物。」孔穎達《周易正義》云：「言〈復卦〉於初細微小之時，即能辨於物之吉凶，不遠速復也。」[5]要之，修己改過，德業日進，爲君子立身之根本要務，故亭林先生於此，也再三加以致意。

㈡君子修德宜剛速並進

顧亭林《日知錄》卷一〈損其疾使遄有喜〉條云：

損不善而從善者，莫尚乎剛，莫貴乎速。「初九」曰「已事遄往」，「六四」曰「使遄有喜」。「四」之所以能遄者，賴「初」之剛也。「周公思兼三王以施四事，其有不合者，仰而思之，夜以繼日，幸而得之，坐以待旦」，「子路有聞，未之能行，惟恐有聞」，其遄也至矣。文王之勤日昃，大禹之惜寸陰，皆是道也。君子進德修業，欲及時也。故為政者玩歲而愒日，則治不成；為學者日邁而月征，則身將老矣。[6]

考《易．損卦》云：「䷨，損，有孚，元吉，无咎，可貞，利有攸往。」《彖傳》云：「損，損下益上，其道上行。」《大象傳》云：「山下有澤，損，君子以懲忿窒欲。」[7]今案〈損卦〉卦體，兌下艮上，兌爲澤，艮爲山，澤水在山之下，易使山壁削落而減損，水澤也易於流失而減少，君子觀於此卦，而有懲忿窒欲之舉動，則因忿怒與私欲，皆於修德有害，故宜加以減損控制，免使有害於己。《易．損卦》又云：「初九，已事遄往，无咎，酌損之。」程頤《易傳》云：「損剛益柔，損下益上也。初以陽剛應於四，四以陰柔居上位，賴初之益者也。下之益上，當損己而不自以爲功，所益於上者，事既已則速去之，不居其功，乃无咎也。」初九以剛爻居

5 孔穎達：《周易正義》卷三，（臺北，藝文印書館，一九九三年）頁六四。
6 黃世成：《日知錄集釋》卷一，（上海古籍出版社，二〇〇六年）頁二三。
7 孔穎達：《周易正義》卷四，（臺北，藝文印書館，一九九三年）頁九四。

陽位，是剛有餘，六四以柔爻居陰位，是剛不足，初九以有餘之剛，補六四剛之不足，救急之時，貴於迅速，故爻辭言「遄往」，遄者急速之義。

《易・損卦》又云：「六四，損其疾，使遄有喜，无咎。」程頤《易傳》云：「疾謂疾病，不善也，損於不善，惟使之遄速，則有喜而无咎。人之損過，惟患不速，速則不至於深過，爲可喜也。」[8]六四無剛，故稱之爲疾，得初九迅速來益，使六四不致陷於過柔之疾，故爲可喜之象。由〈損卦〉之義，亭林先生引出君子處世，欲進德修業，「損不善而從善者」，必需具備剛決與迅速兩項條件，因爲，凡事果斷剛毅，才能當機立斷，遇事敏捷快速，才能把握時機，因而敦品勵學，建功立業。

亭林先生又引述《孟子・離婁下》之言，敘說周公能夠兼具夏商周三代聖王之美德，又能實踐禹湯文武四位君王之優良政績，並且深思其故，即時仿效力行，所以才能就偉大之事業。同時，也引述《論語・公冶長》所記子路重於力行之情形，主要說明賢人君子，皆能夠自省自反，剛決勇毅，努力求善，敏捷實行。不僅周公子路如此，即使如大禹與文王一樣之聖人，其愛惜光陰，把握時間，力求進德，也莫不如此。因此，亭林先生也忠告世人，需善用光陰，充實自己，否則，韶光易逝，年華易老，時一過往，爲政治學，一無所成，則悔之晚矣。

《日知錄》卷一〈損其疾使遄有喜〉條又云：

召公之戒成王曰：「宅新邑，肆惟王其疾敬德。」疾之為言，遄之謂也。故曰：「雞鳴而起，孳孳為善。」

亭林先生在此條之末，又復引述《尚書・召誥》中記述召公營建新都洛邑，然後告勉成王，既已決定移居新邑，宜當儘速敬行佳德之辭，以及《孟子・盡心上》所記孟子勉勵弟子，應每日雞鳴即起，並效法大舜，努力行善，敏捷從事，自然對於社會人群，卓著貢獻。

要之，亭林先生在此條之中，提出「剛」「速」二字，作為人們自行修省，改過遷善，以及貢獻心智，嘉惠社會之重要指標，用以勗勉人們自立自強，勇猛精進。

㈢君子宜成才大用

顧亭林《日知錄》卷一〈童觀〉條云：

其在政教，則不能「是訓是行，以近天子之光」，而所司者籩豆之事；其在學術，則不能「知類通達」，以幾大學之道，而所習者佔畢之文。「樂師辨乎聲詩，故北面而弦。

8 程頤：《易傳》卷三，（臺北，河洛圖書出版社，一九七四年）頁三六一。

宗祝辨乎宗廟之禮，故後尸。商祝辨乎喪禮，故後主人。」小人則無咎也。有「大人之事，有小人之事。」「雖小道，必有可觀者焉，致遠恐泥。」故君子為之則吝也。[9]

考《易・觀卦》云：「䷓，觀，盥而不薦，有孚顒若。」《彖傳》云：「大觀在上，順而巽，中正以觀天下。」[10]此言君王觀察祭典，盥手示敬，雖不親手薦祭，而心有肅穆敬仰之情，《大象傳》云：「風行地上，觀，先王以省方、觀民、設教。」乃言〈觀卦〉坤下巽上，坤爲地，巽爲風，天子觀風行地上之象，體悟其理，因而巡省四方，觀察民風土俗，設爲政教之方，以興利除害。《易・觀卦》又云：「初六，童觀，小人无咎，君子吝。」朱熹《周易本義》云：「卦以觀示爲義，據九五爲主也，爻以觀瞻爲義，皆觀乎九五也。初六，陰柔在下，不能遠見，童觀之象，小人之道，君子之羞也。」[11]初六一爻，上距九五過遠，雖欲仰觀俯察，不免見識淺陋，而無法高瞻遠矚，因此，其於小人固無咎災，其於君子則有吝惜之感。

針對《易・觀卦》「初六」一爻之象，亭林先生發揮其義，以爲當此之際，其在「政教」方面，則不能有如《尚書・洪範》所言「凡厥庶民，極之敷言，是訓是行，以近天子之光」[12]，天子不能激勵百姓，行於正道，以宏揚愛民治國之理想，反而去關注一些有如竹籩木豆禮器等瑣屑之事務。而在「學術」方面，則不能有如《禮記・學記》所謂「知類通達」[13]，因〈學記〉言古代教育青年，有「一年，視離經辨志，三年，視敬業樂群，五年，視博習親師，七年，視論學取友，謂之小成。九年，知類通達，強立而不反，謂之大成」之考核工作，只有達到「知類通達，強立而不反」，在學問上能夠觸類旁通，遇到事情能夠獨立判斷，而不受人迷惑，才能算是到達「大成」之階段，才能算是接近「大學」之境界，反之，如果只是吟誦課業，照本宣料，自然不是理想之地步。

亭林先生又引述《禮記・樂記》「樂師辨乎聲詩，故北面而弦。宗祝辨乎宗廟之禮，故後尸。商祝辨乎喪禮，故後主人」[14]之言，以見樂師、宗祝、商祝等人，皆各有所司，各有專職，然而，「德成而上，藝成而下」（〈樂記〉語），宗祝等所任者小，故亭林先生引述此文，以說明〈觀卦〉初六，「小人无咎」之意義。亭林先生又引述《孟子・滕文公上》「有大人之事，有小人之事」[15]，以及《論語・子張》「雖小道，必有可觀者焉，致遠恐泥，是以君子不爲也」[16]之

9 黃汝成：《日知錄集釋》卷一，（上海古籍出版社，二〇〇六年）頁一九。
10 孔穎達：《周易正義》卷三，（臺北，藝文印書館，一九九三年）頁五九。
11 朱熹：《周易本義》卷一，（臺北，大安出版社，二〇一三年）頁九八。
12 孔穎達：《尚書正義》卷十二，（臺北，藝文印書館，一九九三年）頁一六七。
13 孔穎達：《禮記正義》卷六十，（臺北，藝文印書館，一九九三年）頁九八三。
14 孔穎達：《禮記正義》卷十九，（臺北，藝文印書館，一九九三年）頁六六二。
15 孫奭：《孟子注疏》卷五，（臺北，藝文印書館，一九九三年）頁八八。
16 邢昺：《論語注疏》卷十九，（臺北，藝文印書館，一九九三年）頁一七一。

言，以闡釋〈觀卦〉初六爻「君子吝」之意義。

要之，亭林先生以爲，人之材性，各有不同，小才大用，固然不可，大才小用，也屬不幸，蓋小材大用，誠足以禍國殃民，而大才小用，則更非國家之福，故勉人以「大觀在上，順而巽，中正以觀天下」爲法，充實本身之學識，培養自己之氣質，才能提升自己之見解與視野。

㈣夫妻一倫當慎始慎終

顧亭林《日知錄》卷一〈君子以永終知敝〉條云：

> 讀〈新臺〉、〈桑中〉、〈鶉奔〉之詩，而知衛有狄滅之禍。讀〈宛丘〉、〈東門〉、〈月出〉之詩，而察陳有徵舒之亂。書「齊侯送姜氏於讙」，而卜桓公所以薨。書「夫人姜氏入」，書「大夫宗婦覿，用幣」，而兆子般、閔公之所以弒。昏姻之義，男女之節，君子可不慮其所終哉！[17]

考《易・歸妹》云：「䷵，歸妹，征凶，无攸利。」《彖傳》云：「歸妹，天地之大義也，天地不交，而萬物不興，歸妹，人之終始也。」《大象傳》云：「澤上有雷，歸妹，君子以永終知敝。」[18]今案〈歸妹〉之卦，兌下震上，震爲長男，兌爲少女，以少陰而承長陽，說以動，乃嫁妹之象，又震爲雷，兌爲澤，雷動於上，澤隨之而動於下，爲陰從於陽之象，而君子效之，知夫婦當有永終之義，而不可廢止。

亭林先生既取〈歸妹〉卦〈大象〉之義，又引述《詩經》與《左傳》之事，加以佐證，考之《詩經》，〈邶風・新臺〉篇之〈小序〉云：「〈新臺〉，刺衛宣也，納伋之妻，作新臺于河上而要之，國人惡之，而作是詩也。」[19]衛宣公爲其子伋娶齊女而美，因自納之，故國人惡其醜而作此詩加以諷刺。又〈鄘風・桑中〉篇之〈小序〉云：「〈桑中〉，刺奔也，衛之公室淫亂，男女相奔，至于世族在位，相竊妻妾，期於幽遠，政散民流，而不可止。」[20]衛國貴族淫亂，故國人作此詩加以諷刺。又〈鄘風・鶉之奔奔〉篇之〈小序〉云：「〈鶉之奔奔〉，刺衛姜也，衛人以爲宣姜，鶉鵲之不若也。」[21]衛宣公夫人宣姜淫亂，故國人作此詩加以諷刺。又河內一帶，本屬殷商舊都，武王克殷之後，分其地爲邶鄘衛三國，故三國之詩，相與同風，而〈小序〉皆指爲衛詩也。

---

17 黃汝成：《日知錄集釋》卷一，（上海古籍出版社，二〇〇六年）頁三四。

18 孔穎達：《周易正義》卷五，（臺北，藝文印書館，一九九三年）頁一一八。

19 孔穎達：《毛詩正義》卷二，（臺北，藝文印書館，一九九三年）頁一〇五。

20 孔穎達：《毛詩正義》卷三，（臺北，藝文印書館，一九九三年）頁一一三。

21 孔穎達：《毛詩正義》卷三，（臺北，藝文印書館，一九九三年）頁一一四。

亭林先生於引述〈新臺〉等三詩之後，乃云：「讀〈新臺〉、〈桑中〉、〈鶉奔〉之詩，而知衛有狄滅之禍。」考《左傳》桓公十六年記衛宣公爲世子急子（即世子伋），娶於齊，因齊女美，宣公遂自娶之，是爲宣姜，生子壽、子朔，宣公命急子使於齊，而命盜殺之。宣公卒後，子朔立，是爲惠公。惠公卒，子赤立爲懿公。《左傳》閔公二年，記狄人伐衛，衛懿公好鶴，鶴有乘軒者，將戰，國人受甲者皆曰：「使鶴，鶴實有祿位，余焉能戰？」[22]衛懿公與狄人戰於熒澤，衛師敗績，狄人殺懿公，遂滅衛。亭林先生之所以感慨者，在於狄人雖滅衛國，而追惟其亡國之原因，則早種因於衛宣公之荒淫自恣，也早見其端緒於百姓所詠〈新臺〉、〈桑中〉、〈鶉之奔奔〉等三詩之中矣。

亭林先生又引述《詩經・陳風》中之詩篇，對《周易・歸妹》卦〈大象〉之義，作出佐證，〈陳風・宛丘〉篇之〈小序〉云：「〈宛丘〉，刺幽公也，淫荒昏亂，游蕩無度焉。」[23]據此，則〈宛丘〉之詩，乃陳國民衆諷刺其君荒淫無度之作。又〈陳風・東門之枌〉篇之〈小序〉云：「〈東門之枌〉，疾亂也，幽公淫荒，風化之所行，男女棄其舊業，亟會於道路，歌舞於市井爾。」[24]是〈東門之枌〉之詩，由陳幽公之荒淫，引致其民衆歌舞相會，失其舊業，故詩人爲詩，加以諷刺。又〈陳風・月出〉篇之〈小序〉云：「〈月出〉，刺好色也，在位不好德而說美色焉。」[25]是〈月出〉之詩，也屬民衆諷刺在位者愛好美色之作。

亭林先生於引述〈宛丘〉等三詩之後，乃云：「讀〈宛丘〉、〈東門〉、〈月出〉之詩，而察陳有徵舒之亂。」考《左傳》宣公九年記載，陳靈公與孔寧、儀行父三人，皆通於夏姬，而內服夏姬之褻衣，相戲於朝。宣公十年記載，陳靈公與孔寧、儀行父三人，飲酒於夏姬之家，靈公謂儀行父曰：「徵舒（夏姬之子）似汝。」儀行父對曰：「亦似君。」[26]以為淫樂，夏徵舒病之，俟靈公出，射而殺之，孔寧及儀行父奔往楚國。宣公十一年，楚伐陳，殺夏徵舒。故亭林先生有此感慨，以為陳國之所以有夏徵舒之亂，召楚國之伐，其原因，則在陳國君臣上下，淫風流行，而不可禁止，此在陳國百姓所歌詠之〈宛丘〉、〈東門〉、〈月出〉等三詩之中，則早已見出其端倪矣。

亭林先生既引《詩經》以說《周易・歸妹》卦〈大象〉之義，又引述《春秋》所書之事，以作佐證。《春秋》桓公三年記曰：「九月，齊侯送姜氏于讙。」魯國公子翬，前往齊國，為魯桓公迎娶齊侯之妹，齊侯卻親自送其妹姜氏至於魯國讙邑。《左傳》記此事云：「齊侯送姜氏，非禮也，凡公女嫁於敵國，姊妹則上卿送之，以禮於先君。」[27]《公羊傳》云：「何以書？

22 孔穎達：《左傳正義》卷十一，（臺北，藝文印書館，一九九三年）頁一八九。
23 孔穎達：《毛詩正義》卷七，（臺北，藝文印書館，一九九三年）頁二四九。
24 孔穎達：《毛詩正義》卷七，（臺北，藝文印書館，一九九三年）頁二五〇。
25 孔穎達：《毛詩正義》卷七，（臺北，藝文印書館，一九九三年）頁二五五。
26 孔穎達：《左傳正義》卷二十二，（臺北，藝文印書館，一九九三年）頁三八〇。
27 孔穎達：《左傳正義》卷九，（臺北，藝文印書館，一九九三年）頁一〇三。

譏。何譏爾？諸侯越竟送女，非禮也。」[28]是以齊襄公親送其妹文姜嫁於魯君，出至境外，爲不合於禮之事。《左傳》桓公十八年記載，魯桓公與夫人文姜前往齊國，而文姜與齊襄公私通，桓公責備文姜，文姜訴於襄公，襄公使公子彭生殺魯松公。是以亭林先生有感慨於此事，而以君王淫亂爲戒也。

《春秋》莊公二十四年記曰：「夏，公如齊逆女。秋，公至自齊。八月丁丑，夫人姜氏入。戊寅，大夫宗親覿，用幣。」記載莊公二十四年，魯莊公親往齊國，迎娶夫人哀姜，八月丁丑，姜氏進入魯國，戊寅，莊公使大夫與同姓宗親之夫人與哀姜相見，以布帛作爲禮物，《左傳》則記云：「公使宗婦覿用幣，非禮也。御孫曰：男贄，大者玉帛，小者禽鳥，以章物也。女贄，不過榛栗棗脩，以告虔也。今男女同贄，是無別也，男女之別，國之大節也，而由夫人亂之，無乃不可乎？」[29]莊公使大夫宗婦以布帛爲相見之禮，已屬非禮之事，而且，哀姜乃齊襄公之女，魯莊公爲魯桓公之子，齊襄公實殺魯桓公，而魯莊公乃娶齊襄公之女，則尤非合乎倫常之事。《左傳》莊公三十二年記載，莊公即位之初，見大夫黨氏之女孟任，許以爲夫人，生子般，哀姜無子，其娣叔姜，生子開。莊公之弟慶父，與哀姜私通，莊公卒，子般得立爲君，慶父使人殺子般，而立子開，是爲閔公。哀姜與慶父又謀殺閔公。是以亭林先生有感於魯君相繼被弒，而以爲其徵兆，已見於哀姜之入魯，大夫宗婦覿見不以禮之時矣。

亭林先生爲申論《周易・歸妹》卦〈大象傳〉「君子以永終知敝」之義，而多引《詩經》

與《春秋》之事，加以佐證，要之，夫婦一倫，爲人道之始，爲教化之原，夫妻昏姻，不慎之於始，其流弊將有不可勝言者，故自古而聖人重而戒之，故亭林先生於《日知錄》此條之末，乃重申「昏姻之義，男女之節，君子可不慮其所終哉！」以三致其意焉。

(五)學術影響世道人心

顧亭林《日知錄》卷一〈翰音登於天〉條云：

> 羽翰之音雖登於天，而非實際。其如莊周〈齊物〉之言，騶衍怪迂之辯，其高過於〈大學〉而無實者乎？以視車服傳於弟子，弦歌遍於魯中，若鶴鳴而子和者，孰誕孰信，夫人而識之矣。永嘉之亡，太清之亂，豈非談空空者有以致之哉！「翰音登於天」，〈中孚〉之反也。[30]

考《周易．中孚》云：「䷼，中孚，豚魚吉，利涉大川，利貞。」朱熹《周易本義》云：「孚，

28 徐彥：《公羊傳注疏》卷三，（臺北，藝文印書館，一九九三年）頁二六。
29 孔穎達：《左傳正義》卷十，（臺北，藝文印書館，一九九三年）頁一七二。
30 黃汝成：《日知錄集釋》卷一，（上海古籍出版社，二〇〇六年）頁三六。

信也，爲卦二陰在內，四陽在外，而二五之陽，皆得其中，以一卦言之，爲中虛，以二體言之，爲中實，皆孚信之象也。」[31]孔穎達《周易正義》云：「信發於中，謂之中孚，魚者蟲之幽隱，豚者獸之微賤，內有誠信，則雖微隱之物，信皆及矣。既有誠信，光被萬物，以斯涉難，何往不通，故曰利涉大川，信而不正，凶邪之道，故利在貞也。」[32]是〈中孚〉一卦，雖由內心孚信，所施廣大，也宜堅守貞正，方能獲取吉祥。

〈中孚卦〉又云：「上九，翰音登于天，貞凶。」王弼《周易注》云：「翰，高飛也。飛音者，音飛而實不從之謂也。居卦之上，處信之終，信終則衰，忠篤內喪，華美外揚，故曰翰音登于天也。」[33]朱熹《周易本義》云：「雞曰翰音，乃巽之象，居巽之極，爲登于天，雞非登天之物，而欲登天，信非所信，而不知變，亦猶是也。」[34]雞鳴之時，先振動兩翅，然後引嗓而鳴，啼聲本不能登之於天，而欲求其聲遠傳而得響應，是不能自知其短也。故亭林先生於〈中孚卦〉此爻，而云：「羽翰之音，雖登於天，而非實際，其如莊周〈齊物〉之言，騶衍怪迂之辯，其高過於〈大學〉而無實者乎？」考《莊子・齊物論》中，創爲「齊物我」、「齊死生」、「齊是非」之說，「其言洸洋自恣以適己」，「皆空語無事實」（見《史記・老子韓非列傳》），其言語雖然高妙，卻不免遠於人情，故在晉代，王羲之撰〈蘭亭集序〉，已經針對莊子此說，以爲「固知一死生爲虛誕，齊彭殤爲妄作」。又《史記・孟子荀卿列傳》記載齊人騶衍之說，「乃深觀陰陽消息而作怪迂之變，〈終始〉、〈大聖〉之篇十餘萬言。其語閎大不經，必先驗小物，推而大之，至於無垠」[35]，又名中國曰赤縣神州，內有九州，於天下乃八十一分居其一分，作為大九州之說。故亭林先生以為，此類虛玄之說，驟然視之，似高過於〈大學〉，而一究其實，則往往不切於人生日用之間，故亭林先生，因舉孔子教授弟子，弦誦歌詠之聲，遍於魯中，有如「鶴鳴而子和」，乃指〈中孚〉卦「九二，鳴鶴在陰，其子和之」，鶴雖鳴於幽隱之處，而自有己類，相應相和，彼此意願皆能相通也。

魏晉玄學，盛於魏正始年間，以王弼、何晏導其始，歷竹林、元康，及至東晉懷帝永嘉年間，殷浩、韓康伯、袁宏、張湛等，大倡玄理，而永嘉五年（三一一年），漢王劉聰攻陷洛陽，虜懷帝而去。南北朝時，梁武帝篤信佛理，太清三年（五四九年），侯景反，陷臺城，武帝自焚而亡。故亭林先生於《日知錄》此條之中，不禁感嘆而曰：「永嘉之亡，太清之亂，豈非談空空、覈玄玄者有以致之哉！」蓋以為一代之思想，影響一代之人心，人心左右社會，及其風氣既成，力挽為難，故亭林先生也曰：「翰音登於天，〈中孚〉之反也。」以其無孚信之實於中，與〈中

31 朱熹：《周易本義》卷二，（臺北，大安出版社，二〇一三年）頁二二〇。
32 孔穎達：《周易正義》卷六，（臺北，藝文印書館，一九九三年）頁一三三。
33 孔穎達：《周易正義》卷六，（臺北，藝文印書館，一九九三年）頁一三三。
34 朱熹：《周易本義》卷二，（臺北，大安出版社，二〇一三年）頁二二〇。
35 司馬遷：《史記》卷七十四，（臺北，鼎文書局，一九九三年）頁二三四三。

孚〉一卦之精神已自不侔矣。

亭林先生《日知錄》卷十三〈正始〉條云：「魏明帝殂，少帝即位，改元正始，凡九年。其十年，則太傅司馬懿殺大將軍曹爽，而魏之大權移矣。三國鼎立，至此垂三十年，一時名士風流，盛於洛下。乃其棄經典而尚老、莊，蔑禮法而崇放達，視其主之顛危若路人然，即此諸賢爲之倡也。自此之後，競相祖述。」又云：「是以講明六藝，鄭（玄）王（肅）爲集漢之終；演說老、莊，王（弼）何（晏）爲開晉之始。以至國亡於上，教淪於下，羌胡互僭，君臣屢易，非林下諸賢之咎而誰咎哉！」[36]又卷七〈夫子之言性與天道〉條云：「五胡亂華，本於清談之流禍，人人知之。」又云：「昔王衍妙善玄言，自比子貢，及爲石勒所殺，將死，顧而言曰：『嗚呼，吾曹雖不如古人，向若不祖尚浮虛，戮力以匡天下，猶可不至今日。』今之君子，得不有愧乎其言？」[37]可與亭林先生論〈中孚卦〉上九「翰音登於天」一條中所言者，相互印證，以見亭林先生所論，學術風氣，對於世道人心影響深遠之意也。

(六)將士當效忠國家

顧亭林《日知錄》卷一〈武人爲於大君〉條云：

「武人為於大君」，非武人為大君也，如《書》「予欲宣力四方，汝為」之「為」。「六三」，才弱志剛，雖欲有為而不克濟，以之履虎，有咥人之凶也。惟武人之效力其君，其濟則君之靈也，不濟則以死繼之，是當勉為之而不可避耳。故有「斷脰決腹，一瞑而萬世不視，不知所益，以憂社稷者，莫敖大心是也。」「過涉之凶」，其何咎者。[38]

今案《易．履卦》云：「䷉，履虎尾，不咥人，亨。」《彖傳》云：「履，柔履剛也。」《大象傳》云：「上天下澤，履，君子以辯上下定民志。」[39] 考〈履卦〉兌下乾上，兌爲澤，乾爲天，因而天高在上，澤卑在下，兩者爲尊爲卑，不可踰越，故有安於執禮之象，禮者履也，踐行禮節，以和順爲貴，故雖履於至危之處，亦不致受到損傷。《易．履卦》又云：「六三，眇能視，跛能履，履虎尾，咥人凶。武人爲於大君。」六三柔爻，而居於剛位，如目眇者雖欲視，卻不足有清晰之視，跛者雖欲行，而不足有明快之行，處此情況，則有如足履於虎尾之上，不免有驚動老虎，爲虎所噬之危險。也如勇武之人，投身軍旅，報效國家，爲王前驅，雖然可貴，但如不幸而蠻橫以行，暴虎馮河，妄圖非份，欲爲大君，則是處於「履虎尾」之險境，不可不惕

36 黃汝成：《日知錄集釋》卷十三，（上海古籍出版社，二〇〇六年）頁七五五。
37 黃汝成：《日知錄集釋》卷七，（上海古籍出版社，二〇〇六年）頁三九九。
38 黃汝城：《日知錄》卷一，（上海古籍出版社，二〇〇六年）頁一六。
39 孔穎達：《周易正義》卷一，（臺北，藝文印書館，一九九三年）頁四〇。

而知之，程頤《易傳》云：「武人爲於大君，如武暴之人而居人上，肆其躁率而已，非能順履而遠到也。」[40]朱熹《周易本義》云：「如秦政項籍，豈能久也。」[41]其意皆在警惕武人，切勿犯上作亂，以免召禍上身，所以，亭林先生以爲，「六三」一爻，「才弱志剛，雖欲有爲而不克濟，以之履虎，有咥人之凶也」。

亭林先生將〈履卦〉「武人爲於大君」，解釋爲有如《尚書・益稷》中帝舜所謂「予欲宣力四方，汝爲」之「爲」[42]，王引之《經義述聞》云：「爲，讀如相爲之爲，爲，助也，言助君宣力於四方也。」[43]主要以爲，作爲糾糾武夫，執干戈以保衛疆土，當是天賦之職責，所以，「惟武人之效力於其君，其濟則君之靈也，不濟則以死繼之，是當勉爲之而不可避耳」，忠君愛國，報效國家，終生以之，而不應有任何非份之想，所以亭林先生言，「武人爲於大君」，「非武人爲大君也」。

《戰國策》十四記「威王問於莫敖子華」，是否有不爲爵勸，不爲祿勉，以憂社稷之大臣？莫敖（楚國官名）子華回答，以爵祿之有所不同，而深憂社稷之大臣，約有五種，其中一種，即「斷脰決腹，壹瞑而萬世不視，不知所益，以憂社稷，莫敖大心是也」，[44]可以大臣大心爲代表。因此，亭林先生，加以引述，以作爲武將大臣效忠國家社稷之表率，否則，大臣武將，不知此義，而欲心懷不軌，則將如《易・大過卦》「上六」爻辭所言，「過涉滅頂，凶」[45]之警惕，不自量力，而求改變陽剛過盛之局面，（《易・大過》䷛，巽下兌上，中間四爻陽剛過強，上下兩爻陰柔過虛）則將有覆沒之災，及於其身。

要之，亭林先生於此條之中，發揮《周易・履卦》「武人為於大君」之義，呼籲武人將士，宜應謹守本份，恪遵職責，保疆衛土，為國干城，而切勿有其他非份之想，以免害人誤己，身敗名裂。

㈦行政官員必求公私合度

顧亭林《日知錄》卷三〈言私其豵〉條云：

「雨我公田，遂及我私」，先公而後私也。「言私其豵，獻豜於公」，先私而後公也。自天下為家，各親其親，各子其子，而人之有私，固情之所不能免矣，故先王弗為之禁，

40 程頤：《易傳》，（臺北，河洛圖書出版社，一九七四年）頁九五。
41 朱熹：《周易本義》卷一，（臺北，大安出版社，二〇一三年）頁六八。
42 孔穎達：《尚書正義》卷五，（臺北，藝文印書館，一九九三年）頁六七。又古文《尚書》中〈益稷〉一篇，今文《尚書》併入〈皐陶謨〉之中。
43 王引之：《經義述聞》卷二，（臺北，廣文書局，一九六三年）頁七八。
44 《戰國策》卷十四，（臺北，里仁書局，一九八二年）頁五一三。
45 孔穎達：《周易正義》卷三，（臺北，藝文印書館，一九九三年）頁七一。

> 非惟弗禁，且從而恤之。建國親侯，胙土命氏，畫井分田，合天下之私以成天下之公，此所以為王政也。至於當官之訓，則曰以公滅私，然而祿足以代其耕，田足以供其祭，使之無將母之嗟，室人之謫，又所以恤其私也。此義不明久矣，世之君子必曰「有公而無私」，此後代之美言，非先王之至訓矣。[46]

凡人皆有七情六欲，利己之心，多不能免，因此，儒家所謂「親親而仁民，仁民而愛物」，所謂「愛有等差」，反而更加符合人情之常，因此，《禮記．禮運》篇所謂「大道之行也，天下爲公」，「故人不獨親其親，不獨子其子」[47]，亭林先生以爲，此種「有公而無私」之情形，只是後代之美言，只是世人之理想而已。反之，〈禮運〉篇中所描述之「小康」境界，「天下爲家，各親其親，各子其子」[48]，也許還更切近人世之普遍心態。

因此，如《詩經．小雅．大田》篇中所謂之「雨我公田，遂及我私」[49]，只是農民在古代井田制度下「先公後私」之灌溉行爲，如《詩經．豳風．七月》篇中「言私其豵，獻豜於公」[50]，也係農民在古代狩獵時「先私後公」之制約舉措（所得獵物，己取其小，獻呈其大）。但是，「人之有私，固情之所不能免矣，故先王弗爲之禁」，反「從而勉之」，以滿足萬民百姓之「小私」，以集合成爲天下之「大公」，此方屬儒家行政之目標，既符合公理，也符合廣大庶民之人情與心態。

至於一般士人之在公爲官者，亭林先生則以爲，應當「以公滅私」，才是服務公職之道，但是，以公滅私，奉公守法，政府卻必需給予「祿足以代其耕，田足以供其祭」之保障，使在公者生活不虞匱乏，免於凍餒其父母，饑餓其妻子兒女，能夠仰事俯蓄而無愧，才能培養其廉恥之心，才能使其進於禮義之途，才能使其無後顧之憂，安心專心，為國家服務。

(八)君王宜以誠信待下

顧亭林《日知錄》卷一〈有孚於小人〉條云：

君子之於小人也，有「知人則哲」之明，有「去邪勿疑」之斷，堅如金石，信如四時，使憸壬之類皆知上志之不可移，豈有不革面而從君者乎？所謂「有孚於小人」者如此。[51]

46 黃汝成：《日知錄集釋》卷三，（上海古籍出版社，二〇〇六年）頁一四八。
47 孔穎達：《禮記正義》卷九，（臺北，藝文印書館，一九九九年）頁四一二。
48 孔穎達：《禮記正義》卷九，（臺北，藝文印書館，一九九三年）頁四一二。
49 孔穎達：《毛詩正義》卷十四，（臺北，藝文印書館，一九九三年）頁四七二。
50 孔穎達：《毛詩正義》卷八，（臺北，藝文印書館，一九九三年）頁二七六。
51 黃汝成：《日知錄集釋》卷一，（上海古籍出版社，二〇〇六年）頁二三。

考《易·解卦》云：「䷧，解，利西南，无所往，其來復，吉。有攸往，夙吉。」《彖傳》云：「解，險以動，動而免乎險，解。」《大象傳》云：「雷雨作，解，君子以赦過宥罪。」[52]今案〈解卦〉下坎上震，坎爲水，震爲雷，雷雨並作，象徵酷暑解除，爲解難而濟厄之義，故君子處此之際，宜無險難則勿往，有險難則應儘速前往而加以排除，化解隱憂，〈解卦〉云：「六五，君子維有解，吉，有孚于小人。」義指君王（五為君位）應以誠信待人，方能贏取臣民之信任，以致效忠國事。亭林先生闡釋此卦之義，加以抒發，以爲君主對待群臣，既能有「知人則哲」（《尚書·臯陶謨》）之明察，則能近於聖哲，又能有「去邪勿疑」（《尚書·大禹謨》）之果斷，則能不心存猶豫，意志剛強，恪守承諾，如此，方能以誠信感化小人，統率百官，方能使國家召致禎祥，從而邁向富強。

(九)君王宜謙虛抑退

顧亭林《日知錄》卷一（鳥焚其巢）條云：

> 人主之德，莫大乎下人。楚莊王之圍鄭也，而曰：「其君能下人，必能信用其民矣。」故以禹之征苗，而伯益贊之，猶以「滿招損，謙受益」為戒。班師者，謙也。用師者，滿也。「上九」處卦之上，所謂「有鳥高飛，亦傳於天」者矣。居心以矜，而不聞諫爭

> 之論，蓄必逮夫身者也。魯昭公之伐季孫意如也，請待於沂上以察罪，弗許；請囚於費，弗許；請以五乘亡，弗許。於是叔孫氏之甲興，而陽州次乾侯唁矣。「鸜鵒鸜鵒，往歌來哭」，其此爻之占乎？[53]

考《周易．旅卦》云：「䷷，旅，小亨，旅貞吉。」《大象傳》云：「山上有火，旅，君子以明愼用刑，而不留獄。」[54]今案〈旅卦〉，艮下離上，艮爲山，離爲火，山止而不遷，火行而不居，故有去其所止而不處之象，故成旅行之義。君子觀此卦之象，有如斷獄，當效火之明察，山之穩重，故能審愼斷獄，而無所遷延。〈旅卦〉又云：「上九，鳥焚其巢，旅人先笑後號咷，喪牛于易，凶。」王弼《周易注》云：「居高危而以爲宅，巢之謂也。客而得上位，故先笑也。以旅而處于上極，衆之所嫉也。以不親之身，而當嫉害之地，必凶之道也，故曰後號咷。牛，耕穡之資，以旅處上，衆所同嫉，故喪牛于易。」[55]（亭林先生於《日知錄》此條有原注云：「吳幼清曰：『此爻變爲〈小過〉，有飛鳥之象。』」考〈小過卦〉，䷽，由〈旅卦〉上九陽爻變爲

52 孔穎達：《周易正義》卷四，（臺北，藝文印書館，一九九三年）頁九三。
53 黃汝成：《日知錄集釋》卷一，（上海古籍出版社，二〇〇六年）頁三四。
54 孔穎達：《周易正義》卷六，（臺北，藝文印書館，一九九三年）頁一二七。
55 孔穎達：《周易正義》卷六，（臺北，藝文印書館，一九九三年）頁一二八。

陰爻而成，〈小過卦〉之〈彖傳〉云：「有飛鳥之象焉。」）故〈旅卦〉「上九」一爻，處〈旅卦〉之上，嫌於過剛，居上卦離火之極，爲驕而不順之象，故有取凶之義。

亭林先生於《日知錄》此條之中，闡釋〈旅卦〉上九爻辭「鳥焚其巢」之義旨，首先指出，「人主之德，莫大乎下人」，然後引述《左傳》宣公十二年所記，楚莊王率師包圍鄭國首都，至十七日之久，鄭人出戰車於街巷之中，守城者皆痛哭流涕，示將死戰，再經三月，楚師方才攻入鄭都，鄭襄公肉袒牽羊請和，莊王左右欲不許，楚莊王云：「其君能下人，必能信用其民矣，庸可幾乎！」[56]乃退三十里，而許其和。亭林先生因此，又引述《尚書・大禹謨》中所記，大禹征伐苗民之亂，累時三十日，苗民仍未平服，伯益見於大禹，告之曰：「惟德動天，無遠弗屆，滿招損，謙受益，時乃天道。」[57]大禹聞此，拜謝嘉言，班師回朝，廣施文教，歷經七十日，苗民於是不征自來，抵於和平。亭林先生因此而言，「班師者，謙也，用師者，滿也」，用以鼓勵人君，宜行謙下之德，躬自抑退，方能以服天下之人心。

亭林先生又引〈旅卦〉「上九」一爻，加以論述，以爲「上九」處〈旅卦〉之上，處上卦〈離〉之極，有似於《詩經・小雅・菀柳》篇中所謂「有鳥高飛，亦傅于天」，飛鳥展翅，直上九霄之姿態，進而申論，爲人主而居高位者，如其不能虛心聽聞臣下諫諍之言，或者雖能聽聞卻不加採納，則勢將有災禍及於其身。

《春秋》昭公二十五年記曰：「有鸜鵒來巢。」《左傳》記魯大夫師己之言云：「異哉！

吾聞文成之世，童謠有之曰：『鸜之鵒之，公出辱之，鸜鵒之羽，公在外野，往饋之馬。鸜鵒跦跦，公在乾侯，徵褰與襦。鸜鵒之巢，遠哉遙遙，稠父喪勞，宋父以驕。鸜鵒鸜鵒，往歌來哭。』童謠有是，今鸜鵒來巢，其將及乎！」[58]師己指出，魯文公魯成公之時，有童謠流行，以為鸜鵒為魯國罕見之鳥，卻來築巢，為國君受辱，出奔乾侯之徵兆，因而憂心預言之實現。其時魯國三桓（孟孫、叔孫、季孫皆出於桓公）專政，而昭公不能忍，九月，因伐季氏，一戰而勝。季孫意如登臺而請待於沂水之邊以察罪，昭公弗許，請自囚於費邑，昭公又弗許，請以五輛車乘逃亡，昭公亦弗許。而叔孫、孟孫率軍攻昭公，昭公出亡，往至齊國陽州，又至野井，齊景公使人唁慰魯昭公。二十八年，昭公至晉國，止於乾侯，三十二年十二月，昭公卒於乾侯。要之，魯國雖三桓專政，而魯昭公未能審時度勢，輕率用兵，又未能持盈保泰，謙以馭下，遂為三桓所逐，流亡國外，卒死異域，誠可惋惜，亭林先生於昭公之事，而云：「『鸜鵒鸜鵒，往歌來哭。』」其此爻之占乎！」蓋有感於昭公處境，有如〈旅卦〉「上九」一爻「鳥焚其巢」之既高且危也。

---

56 孔穎達：《左傳正義》卷二十三，（臺北，藝文印書館，一九九三年）頁三八八。

57 孔穎達：《尚書正義》卷四，（臺北，藝文印書館，一九九三年）頁五八。案〈大禹謨〉乃偽古文《尚書》之篇章。

58 孔穎達：《周易正義》卷五十一，（臺北，藝文印書館，一九九三年）頁八九二。

(十)人君貴能反省改過

顧亭林《日知錄》卷一〈成有渝無咎〉條云：

> 昔穆王欲肆其心，周行天下，將皆必有車轍馬迹焉。祭公謀父作〈祈招〉之詩，以止王心，王是以獲歿於祇宮。《傳》曰：「人誰無過，過而能改，善莫大焉。」聖人慮人之有過不能改之於初，且將遂其非而不反也，教之此「成有渝無咎」，雖其漸染之深，放肆之久，而惕然自省，猶可以不至於敗亡。以視夫「迷復之凶」，不可同年而論矣。故曰：「惟狂克念作聖。」[59]

今案《左傳》昭公十二年記大臣子革對楚靈王之問，言及：「昔穆王欲肆其心，周行天下，將皆必有車轍馬迹焉。祭公謀父作〈祈招〉之詩以止王心，王是以獲沒於祇宮。」[60]周穆王喜遊歷，放縱心意，而車轍馬迹布於天下，當時周卿士祭公謀父作〈祈招〉之詩，用以諫勸穆王，穆王因而感動，收斂其心，並得以善終於祇宮（穆王元年所築，在今陝西南鄭）。〈祈招〉詩云：「祈招之愔愔，式招德音，思我王度，式如玉，式如金，形民之力，而無醉飽之心。」（此為逸詩，不見於今本《詩經》）。亭林先生之所以引述《左傳》此文，主要以為，周穆王能接受諫諍，知過能改，故能行事減少過咎，而得善終正寢，而未招弒逆之禍。故亭林先生以周穆王之爲君，「過而能改，善莫大焉」，而加以稱許。

又案《易・豫卦》云：「䷏，豫，利建侯，行師。」[61] 此卦坤下震上，一陽與五陰相應，雷震於上，大地振奮，陰陽和樂，故利於開創王業，興兵討逆。〈豫卦〉又云：「上六，冥豫，成有渝，无咎。」程頤《易傳》云：「在豫之終，有變之義，人之失，苟能自變，皆可以无咎，故冥雖已成，能變則善也。聖人發此義，所以勸遷善也。」[62] 故上六一爻，指人能改正過錯，則可無咎，而免於禍害。亭林先生因而指出，聖人慮人之有過不能改之於初，且將遂其非而不反，故因而教之以「成有渝無咎」，言昏冥雖成，雖其漸染之深，放肆之久，而能惕然自省，一念向善，從此改過，則也能無所咎災，仍可以不至於敗事喪身，此與《易・復卦》上六「迷復，凶，有災眚」[63]，指人君不能反省復善，仍迷惑於途中，截然不同，故亭林先生，在此條之末，

59 黃汝成：《日知錄集釋》卷一，（上海古籍出版社，二〇〇六年）頁一八。
60 孔穎達：《左傳正義》卷四十五，（臺北，藝文印書館，一九九三年）頁七九四。
61 孔穎達：《周易正義》卷二，（臺北，藝文印書館，一九九三年）頁四八。
62 程頤：《易傳》卷一，（臺北，河洛圖書出版社，一九七四年）頁一四五。
63 孔穎達：《周易正義》卷三，（臺北，藝文印書館，一九九三年）頁六六。

再引《尚書・多方》「惟聖罔念作狂，惟狂克念作聖」64之言，以明狂人與聖人之間，孰去孰從，完全在於人們心中一念之間之反省選擇而已。

(十一)君主宜慎於齊家

顧亭林《日知錄》卷一〈既雨既處〉條云：

> 陰陽之義莫著於夫婦，故爻辭以此言之。〈小畜〉之時，求如任、姒之賢，二南之化，不可得矣。陰畜陽，婦制夫，其畜而不和，猶可言也，「三」之「反目」，隋文帝之於獨孤后也；既和而惟其所為，不可言也，「上」之「既雨」，猶高宗之於武后也。65

亭林先生以爲，「《易》以道陰陽」（《莊子・天下》），而世間陰陽之義，最爲彰著明顯者，當屬夫婦之道，所以，《周易》一經，也以陰陽二爻之變化，象徵宇宙中一切相反相承之事物。《詩・大雅・思齊》云：「思齊大任，文王之母。」又云：「大姒嗣徽音，則百斯男。」《毛傳》云：「大姒，文王之妃也。」66是大任爲文王之母，大姒爲文王之妻，皆係周代之賢淑婦人。而《詩經》國風中〈周南〉、〈召南〉之內，也搜集許多有關夫婦教化之詩篇，如〈詩大序〉云：「周南、召南，正始之道，王化之基。」67〈小序〉亦云：「〈桃夭〉，后妃之所致也，不妬忘，則男女以正，昏姻以時，國無鰥民也。」[68]又云：「〈鵲巢〉，夫人之德也，國君積行累功，以致爵位，夫人起家而居有之，德如鳲鳩，乃可以配焉。」[69]是皆稱頌夫婦能各正其德之詩篇。然而似此理想陰陽之合，夫婦之配，僅在道德教化興盛之時，方得以見及，至於如《周易．小畜》卦中所描述之境地，則不容易出現此種君子淑女賢德之情況。

《周易．小畜》云：「䷈，小畜，亨，密雲不雨，自我西郊。」《象傳》云：「小畜，柔得位而上下應之，曰小畜。」《象傳》云：「風行天上，小畜，君子以懿文德。」[70]今案〈小畜〉卦，乾下巽上，乾爲天，巽爲風，象徵風行天上，自西方而來，聚而爲雲，卻因陰冷之度不夠，不及爲雨，故於萬物，僅得小有所聚之象。〈小畜〉六爻，五陽一陰，五剛一柔，柔爻居四，四爲陰位，故稱「柔得位」。畜，有畜止、畜積之義，一陰止畜五陽，以小畜大，故卦名小畜。《象傳》曰「君子以懿文德」，乃鼓勵君子，處在小有積畜之時，當自修文德，以畜積

---

64 孔穎達，《尚書正義》卷十七，（臺北，藝文印書館，一九九三年）頁二五七。
65 黃汝成：《日知錄集釋》卷一，（上海古籍出版社，二〇〇六年）頁一六。
66 孔穎達：《毛詩正義》卷十六，（臺北，藝文印書館，一九九三年）頁五六一。
67 孔穎達：《毛詩正義》卷一，（臺北，藝文印書館，一九九三年）頁一九。
68 孔穎達：《毛詩正義》卷一，（臺北，藝文印書館，一九九三年）頁三六。
69 孔穎達：《毛詩正義》卷一，（臺北，藝文印書館，一九九三年）頁四五。
70 孔穎達：《周易正義》卷二，（臺北，藝文印書館，一九九三年）頁三八。

力量，再圖作爲。

亭林先生以爲，〈小畜〉之卦，既是五陽一陰，爲「陰畜陽，婦制夫」之象，「其畜而不和」，爲自然之象，尙有可言，故〈小畜〉卦云：「九三，輿說輻，夫妻反目。」三爲陽爻，卻處在四陰之下，陽剛失去主宰，有如車輛奔馳，而車身卻與車輪脫離，象徵夫婦反目成仇，故亭林先生，以「隋文帝之於獨孤后」作爲比喻，因隋文帝稟賦多疑，皇后獨孤氏生性嫉刻，二人相處，勢如冰炭也。

〈小畜〉卦云：「上九，既雨既處，尙德載，婦貞厲，月幾望，君子征凶。」〈小畜〉卦自「密雲不雨」，經過六爻之變化，至「上九」一爻，陰爻已經積畜力量，到達與陽爻均平安和之地位，已經形成陰陽和洽，雨水降落，朱熹《周易本義》釋此爻云：「畜積而成，陰陽和矣，故爲既雨既處之象，蓋尊尙陰德，至於積滿而然也。陰加於陽，故雖正亦厲，然陰既盛而抗陽，則君子亦不可以有行矣。其占如此，爲戒深矣。」[71] 是以亭林先生以爲，〈小畜〉一卦，至於「上九」一爻，雖可勉強達到均和地步，但如陰爻不自克制，而「惟其所爲」，肆意擴充力量，如月亮之漸趨過盈過滿，（望，指陰曆月半）則君子陽爻，勢將遭遇凶咎，故亭林先生，以「猶高宗之於武后」（黃汝成《日知錄集釋》引楊氏云：「猶，當作唐。」）作爲比喻，說明陰爻之妄圖非份之想，必將引致凶災，如武則天之既侍唐太宗，又侍其子唐高宗，穢亂人倫，終至武后變亂稱帝。

楊萬里《誠齋易傳》於〈小畜〉卦「九三」一爻云：「九三，夫道也，六四，妻道也，喪其夫之剛，而昵於妻之愛，其始相昵，其終必受制，蓋身之不正，則不能正其家也，非家罪也。漢成帝嬖趙后，而制於趙后，始於腐柱之僭；唐高宗嬖武后，而制於武后，始於聚麀之污。」又於「上九」一爻云：「婦盛抗夫，月盛敵日，陰盛則疑於陽，臣盛則侵於君，故曰，婦貞厲，言雖正亦危矣。」[72]可以佐證《日知錄》此條之義。

亭林先生於《易．小畜》此條，既闡釋其「九三」、「上九」兩爻之義，又復將其引述至於人倫日用之中，主要以爲，人君欲治其國，必當自齊家伊始，否則，一家之不能齊，尚何能望其治理國家天下！

(十三)人君當激勵特立之士

顧亭林《日知錄》卷三〈不醉反恥〉條云：

「彼醉不臧，不醉反恥」，所謂一國皆狂，反以不狂者為狂也。以箕子之忠，而不敢對

71 朱熹：《周易本義》卷一，（臺北，大安出版社，二〇一三年）頁六五。

72 楊萬里：《誠齋易傳》卷三，（臺北，中華書局，一九七〇年）頁五五。

> 紂之失日。況中材以下，有不尤而效之者乎？「卿士師師非度」，此商之所以亡。「蘭芷變而不芳兮，荃蕙化而為茅」，此楚之所以六千里而為讎人役也。是以聖王重特立之人，而遠苟同之士。保邦於未危，必自此始。73

今考《詩．小雅．賓之初筵》74，爲警戒賓客於典禮中飲酒無度之詩，全詩五章，每章十四句；其首章有言，「賓之初筵，左右秩秩」，指賓客即席，井然有序，次章有言，「籥舞笙鼓，樂既和奏」，指鼓樂和奏，秉籥而舞，三章有言，「賓之初筵，溫溫其恭」，指賓客入席，其貌恭敬，四章有言，「賓既醉止，載號載呶」，指賓客既醉，呼號喧嘩，五章有言，「彼醉不臧，不醉反恥」，指衆人多醉，不醉者反自以爲恥。亭林先生引述此詩，用以比喻，社會價值觀念失恒，人們顛倒黑白，錯置是非，乃似「一國皆狂，反以不狂者爲狂」，所以，以箕子之忠心，乃竟不敢以事實對答紂王之問，（《韓非子．說林上》云：「紂爲長夜之飲，懼以失日，問其左右，盡不知也，乃使人問箕子，箕子謂其徒曰：『爲天下主而一國皆失日，天下其危矣。一國皆不知而我獨知之，吾其危矣。』辭以醉而不知。」失日，謂忘其日辰甲子。）至於普通士人，隨波逐流，更不必論矣。

亭林先生，縱觀史冊，見微知著，讀《尚書．微子》所述「我用沉酗于酒，用亂敗厥德于下，殷罔不小大，好草竊姦宄，卿士師師非度，凡有辜罪，乃罔恆獲，小民方興，相爲敵讎」75，在朝卿士，相互效法，不守律則，沉醉於酒，即知殷商所以滅亡之原因。讀屈原《離騷》所述「蘭芷變而不芳兮，荃蕙化而為茅，何昔日之芳草兮，今直為此蕭艾也」[76]，香花變化其性，君子易為小人，乃知六千里方圓之楚國大地，必將淪為敵國所役使。千夫之諾諾，不如一士之諤諤，「是以聖王重特立之人，而遠苟同之士，保邦於未危，必自此始」，無怪乎亭林先生於此深致其慨歎也！

㈢人君當知民心向背之理

顧亭林《日知錄》卷一〈包无魚〉條云：

> 國猶水也，民猶魚也。幽王之詩曰：「魚在於沼，亦匪克樂。潛雖伏矣，亦孔之昭。憂心慘慘，念國之為虐。」秦始皇八年，河魚大上。《五行志》以為，魚，陰類，民之象

73 黃汝成：《日知錄集釋》卷三，（上海古籍出版社，二〇〇六年）頁一六〇。
74 孔穎達：《毛詩正義》卷十四，（臺北，藝文印書館，一九九三年）頁四八九。
75 孔穎達：《尚書正義》卷十，（臺北，藝文印書館，一九九三年）頁一四五。
76 洪興祖：《楚辭補注》卷一，（臺北，中華書局，一九七三年）頁三一。

也。逆流而上，言民不從君（令），為逆行也。」自人君有求多於物之心，於是魚亂於下，鳥亂於上，而人情之所向，必有起而收之者矣。[77]

國家如同大水，民衆如同遊魚，魚不能離水而生活，也如同民衆不能離開國家而生活，《詩・小雅・正月》云：「魚在于沼，亦匪克樂，潛雖伏矣，亦孔之炤，憂心慘慘，念國之爲虐。」考〈正月〉詩凡十三章，此爲其中之第十一章，〈小序〉云：「〈正月〉，大夫刺幽王也。」《毛傳》云：「沼，池也。」鄭玄《箋》云：「池，魚之所樂，而非能樂，其潛伏於淵，又不足以逃，甚炤炤易見，以喻時賢者在朝廷，道不行，無所樂，退而窮處，又無所止也。」[78]魚在水中深處，亦能知道水之清濁溫涼，也如民在四野，然也心知國事之興衰，政務之善否，處境之憂樂，而擔心禍將及於己身。

《漢書・五行志》云：「史記秦始皇八年，河魚大上，劉向以爲近魚孽也。」又云：「魚，陰類，民之象，逆流而上者，民將不從君令而爲逆行也。」又云：「京房《易傳》曰：衆逆同志，厥妖河魚逆流上。」[79]其記述災異現象，目的也在使得當政者知所警惕，從而產生「告往知來」（《漢書・五行志》語）之作用。亭林先生由此而加以抒論，認爲國家以人民爲根本，人民以衣食豐足爲要求，然而，天下之財貨有限，爲人君者，如果貪得無厭，聚積貨財，則人民必將因此匱乏而不足，生活必將因此而困苦，民心之向背，勢將由此而產生歧異，「而人情之所向，必有起而收之者」，情況至此，人民不願困居於此，群起而適彼樂土，則是執政者爲淵驅魚，是必有悔吝之一日到來，《易．姤卦》云：「䷫，姤，女壯，勿用取女。」〈姤卦〉一陰生於五陽之下，陰漸長，則陽漸消，〈姤卦〉又云：「九二，包有魚，无咎，不利賓。」又云：「九四，包无魚，起凶。」〈小象傳〉云：「无魚之凶，遠民也。」四爻與初爻本爲正應，而初爻已與二爻相遇，九四一爻，失其所遇，故如包之无魚，不免凶險，王弼《周易注》云：「无民而動，失應而作，是以凶也。」[80]程頤《易傳》云：「下之離，由己致之，遠民者，己遠之也，爲上者，有以使之離也。」[81]民心離散，民衆流離，遠適他鄉，實皆由於「人君有求多於物之心」，因而導之，爲人君者，如果能夠知曉，百姓足，君孰與不足，百姓不足，君孰與足之理，知財聚則民散，財散則民聚之理，則庶幾可免於「包无魚」之咎悔。

明代末葉，黃宗羲（一六一〇～一六九五）嘗撰《明夷待訪錄》十三篇（是書撰成於一六六三年），其書最精要者，爲首篇〈原君〉，該篇論古來設君之意義，其中有云：「古者以天下爲主，君

---

77 黃汝成：《日知錄集釋》卷一，（上海古籍出版社）頁二七。
78 孔穎達：《毛詩正義》卷十二，（臺北，藝文印書館，一九九三年）頁三九七。
79 班固：《漢書》卷二十七中之下，（臺北，鼎文書局，一九九一年）頁一四三〇。
80 孔穎達：《周易正義》卷五，（臺北，藝文印書館，一九九三年）頁一〇四。
81 程頤：《易傳》卷三，（臺北，河洛圖書出版社，一九七四年）頁三九七。

為客，凡君之所畢世而經營者，為天下也。今也以君為主，天下為客，凡天下之無地而得安寧者，為君也。是以其未得之也，屠毒天下之肝腦，離散天下之子女，以博我一人之產業，曾不慘然，曰：我固為子孫創業也。其既得之也，敲剝天下之骨髓，離散天下之子女，以奉我一人之淫樂，視為當然，曰：此我產業之花息也。然則為天下之大害者，君而已矣。」[82]考亭林先生嘗有〈與黃太冲書〉一通，有云：「頃過薊門，見貴門人陳、萬兩君，具諗起居無恙。因出大著《待訪錄》讀之再三，於是知天下之未嘗無人，百王之敝可以復起，而三代之盛可以徐還也。」又云：「炎武以管見為《日知錄》一書，竊自幸其中所論，同於先生者十之六七，但鄙著恆自改竄，未刻，其已刻八卷及〈錢糧論〉二篇，乃數年前筆也，先附呈大教。」[83]亭林先生此書，作於一六七七年，亭林先生六十五歲之時，（亭林先生較梨洲先生小四歲）亭林先生又撰有〈郡縣論〉九篇，其第一篇有云：「古之聖人，以公心待天下之人，胙之土而分之國，今日君人者，盡四海之內為我郡縣猶不足也，人人而疑之，事事而制之。」其第五篇有云：「天下之人，各懷其家，各私其子，其常情也。為天子為百姓之心，必不如其自為，此在三代以上已然矣，聖人者因而用之，用天下之私，以成一人之公而天下治。」[84]觀於此數篇文字所論，則知黃顧二公，所見有相同者，而皆可取與《日知錄》中〈包无魚〉一條相互發明其意義。

(十四)國君應造福民衆

顧亭林《日知錄》卷一〈上九弗損益之〉條云：

> 有天下而欲厚民之生，正民之德，豈必自損以益人哉？「不違農時，穀不可勝食也；數罟不入洿池，魚鼈不可勝食也；斧斤以時入山林，材木不可勝用也」，所謂「弗損，益之」者也。「皇建其有極，斂時五福，用敷錫厥庶民」，《詩》曰：「奏格無言，時靡有爭。」「是故君子不賞而民勸，不怒而民威於鈇鉞」，所謂「弗損，益之」者也。以天下為一家，中國為一人，其道在是矣。[85]

考《易．損卦》云：「䷨，損，有孚，元吉，无咎，可貞，利有攸往。」《彖傳》云：「損，損下益上，其道上行，損而有孚，元吉，无咎，可貞，利有攸往。」《大象傳》云：「山下有澤，損，君子以懲忿窒欲。」[86]今案〈損卦〉卦體，兌下艮上，兌爲澤，艮爲山，澤水在山之下，

---

82 黃梨洲：《明夷待訪錄》，（臺北，世界書局，一九七四年）頁一。

83 顧亭林：《顧亭林詩文集》，（臺北，漢京文化事業公司，一九八四年）頁二三八。

84 顧亭林：《顧亭林詩文集》，（臺北，漢京文化事業公司，一九八四年）頁一二。

85 黃世成：《日知錄集釋》卷一，（上海古籍出版社，二〇〇六年）頁二四。

86 孔穎達：《周易正義》卷四，（臺北，藝文印書館，一九九三年）頁九四。

易使山壁削落而減損，水澤易於流失，故全卦皆以損減為義，〈損卦〉又云：「上九，弗損，益之，无咎，貞吉，利有攸往，得臣无家。」朱熹《周易本義》云：「上九當損下益上之時，居卦之上，受益之極，而欲自損以益人也，然居上而益下，有所謂惠而不費者，不待損己，然後可以益人也。」[87]程頤《易傳》云：「在上能不損其下而益之，天下孰不服從。從服之眾，无有內外也，故曰得臣无家，得臣，謂得人心歸服，无家，謂无有遠近內外之限也。」[88]要之，〈損卦〉發展，至於「上九」，蓋指為君者不損民利，而能施惠於百姓，造福於民眾，民眾感激於心，自然無所咎害。

亭林先生既引述《孟子・梁惠王上》之言，以為農林魚業，生產有定時，取用有定數，既不宜揠苗助長，一網打盡，也不可旦旦而伐，務盡其利，此即惠而不費之方，「弗損」而「益之」之義。又引述《尚書・洪範》之辭，以為人君當建立中正合理之原則，用以造福民眾，普佑百姓，（蔡沈《書經集傳》云：「極者福之本，福者極之效，極之所建，福之所集也，人君集福於上，非厚其身而已，用敷其福，以與庶民，使人人觀感而化，所謂敷錫也。」）並引述《禮記・中庸》所謂「《詩》曰：『奏假無言，時靡有爭。』是故君子不賞而民勸，不怒而民威於鈇鉞」之言，（《詩・商頌・烈祖》作「鬷假無言」，王先謙《詩三家義集疏》云：「齊『鬷』作『奏』。」是〈中庸〉所引乃《齊詩》，故與《毛詩》不同。）以為神祇降臨之時，雖無言語聲音，仍能使人肅然起敬而無所爭論，是以君子感化百姓，不必施以獎賞而民眾皆能奮勉以赴，不必作色發怒而民衆皆能敬慎從事，有如鈇鉞在旁一般，此亦在上位者「弗損」，而在下之百姓多能受其「惠益」之理。因此，亭林先生在此文之末，再加強調，「以天下爲一家，中國爲一人，其道在是矣」，故爲人君而欲安邦國，定天下，其途轍即在於此也。

(十五)為政當藏富於民

顧亭林《日知錄》卷二〈懋遷有無化居〉條云：

> 「懋遷有無，化居」，化者，貨也。運而不積則謂之化，留而不散則謂之貨。唐虞之世，曰化而已。至殷人始以貨名。〈仲虺〉有「不殖貨利」之言，「三風」有「殉於貨色」之儆，而〈盤庚〉之誥則曰「不肩好貨」，於是移「化」之字為化生化成之「化」，而厚斂之君，發財之主，多不化之物矣。

又云：

---

87 朱熹：《周易本義》卷一，（臺北，大安出版社，二〇一三年）頁一六〇。

88 程頤：《易傳》卷五，（臺北，河洛圖書出版社，一九七四年）頁三六九。

> 舜作〈南風〉之歌，所謂勸之以「九歌」者也。讀之然後知「解吾民之慍」者，必在乎「阜吾民之財」。而自阜其財，乃以來天下之慍。[89]

考《尚書・益稷》云：「懋遷有無，化居，烝民之粒，萬邦作乂。」[90]記大禹對帝舜之問，陳述治理洪水，與后稷教民播種百穀之事，而言遷運貨物，針對天下各地物資有餘及不足之處，加以運輸補充，力求均平貧富，方能使天下萬民，得以生活安定，不虞匱乏，亭林先生，以爲「化者，貨也」，以爲「古化、貨二字多通用」（見《日知錄》原注），「唐虞之世，曰化而已。至殷人始以貨名」，唐虞時代，只用「化」字，殷商以後，方用「貨」字，二字並行，行之既久，化貨二字，意義漸有分別，世人遂以「運而不積則謂之化，留而不散則謂之貨」，加以區分，殷商之書，如〈仲虺之誥〉篇中，尚有「不殖貨利」[91]，告戒君王勿聚財貨之言，〈伊訓〉篇中，記述殷王制定「官刑」，懲罰百官，有違犯「三風」（巫風、淫風、亂風）之罪，尚有「殉于貨色」[92]，懲治貪求財貨女色之條文，〈盤庚〉篇中，盤庚尚諄諄告戒大臣，「朕不肩好貨」[93]，絕不任用貪圖財貨之輩爲大臣。「貨」字應用既多，而「化」字意義，遂逐漸轉爲「化生」、「化成」、「變化」之意，且後世「厚斂之君，發財之主」，日見增多，但遇好貨，則「留而不散」，也早已遺忘「運而不積」之教訓，而「化」字之功用，更日益衰微。

《禮記・樂記》云：「昔者舜作五弦之琴以歌〈南風〉。」鄭玄注云：「〈南風〉，長養之風也，以言父母之長養己，其辭未聞。」孔穎達《禮記正義》云：「案《聖證論》引《尸子》及《家語》難鄭云：『昔者舜彈五弦之琴，其辭曰：「南風之薰兮，可以解吾民之慍兮，南風之時兮，可以阜吾民之財兮。」鄭云其辭未聞，失其義也。』今案馬昭云：『《家語》，王肅所增加，非鄭所見，又《尸子》雜說，不可取證正經，故言未聞也。」[94]又《左傳》文公七年記晉郤缺云：「《夏書》曰：『戒之用休，董之用威，勸之以〈九歌〉，勿使壞。』九功之德，皆可歌也，謂之〈九歌〉。六府、三事，謂之九功。水、火、金、木、土、穀，謂之六府，正德、利用、厚生，謂之三事。」[95]是以九功之德，皆關係於人民生活日用必需之事，爲政者如能使民衆富裕無缺，則〈南風〉「阜吾民之財兮」之聲作矣，反之，民衆無以爲生，則〈南風〉「吾民之慍」難以解矣。

89 黃汝成：《日知錄集釋》卷二，（上海古籍出版社，二〇〇六年）頁六七。
90 孔穎達：《尚書正義》卷五，（臺北，藝文印書館，一九九三年）頁六六。
91 孔穎達：《尚書正義》卷八，（臺北，藝文印書館，一九九三年）頁一一〇。
92 孔穎達：《尚書正義》卷八，（臺北，藝文印書館，一九九三年）頁一一三。
93 孔穎達：《尚書正義》卷九，（臺北，藝文印書館，一九九三年）頁一三四。
94 孔穎達：《禮記正義》卷三十八，（臺北，藝文印書館，一九九三年）頁六七七。
95 孔穎達：《左傳正義》卷十九，（臺北，藝文印書館，一九九三年）頁三一九。

管仲云：「衣食足而知榮辱。」（《管子．牧民》）孔子云：「百姓足，君孰與不足？百姓不足，君孰與足？」（《論語．顏淵》），《大學》云：「財聚則民散，財散則民聚。」爲政者當藏富於民，又何必「自阜其財」，招來天下人民之慍怒怨懟？亭林先生此條之用心，則胥在於此也。

㈩六為政當導民為善

顧亭林《日知錄》卷二〈惠迪吉從逆凶〉條云：

> 善惡報應之說，聖人嘗言之矣。大禹言「惠迪吉，從逆凶，惟景響」，湯言「天道福善禍淫」，伊尹言「惟上帝不常，作善降之百祥，作不善降之百殃」，又言「惟吉凶不僭在人，惟天降災祥在德」，孔子言「積善之家必有餘慶，積不善之家必有餘殃」。豈真有上帝司其禍福，如道家所謂天神察人善惡，釋氏所謂地獄果報者哉！善與不善，一氣之相感，如水之流濕，火之就燥，不期然而然，無不感也，無不應也。此孟子所謂「志壹則動氣」，而《詩》所云「天之牖民，如壎如篪，如璋如圭，如取如攜」者也。其有不齊，則如夏之寒，冬之燠，得於一日之偶逢，而非四時之正氣也。故曰「誠者天之道」也。若曰有鬼神司之，屑屑焉如人間官長之為，則報應之至近者，反推而之遠矣。[96]

亭林先生在此條之中，主要希望人們，了解事物間自然之相應現象，為善去惡，也如水之流向濕下之地，火之熯向乾燥之物，而不必故作神秘，侈言天神伺察，地獄報應，以恐懼人民，捨近求遠。故亭林先生，歷引古代先聖先賢之言，用以教人，解人之惑，如《尚書・大禹謨》中記大禹所言「惠迪吉，從逆凶，惟景響」[97]，乃是教人了解，為善得吉，為惡得凶，善惡之報，如影隨形，如響隨聲，乃自然現象。《尚書・湯誥》中記述商湯所言「天道福善禍淫」[98]，以及《尚書・伊訓》中記述伊尹所言「惟上帝不常，作善降之百祥，作不善降之百殃」[99]，皆是教導民眾了解，人能為善，天將賜予幸福，人若為惡，天將降予災禍，其實皆屬自然現象，因此，《尚書・咸有一德》所記伊尹之言，「惟吉凶不僭，在人，惟天降災祥，在人」[100]，《周易・坤卦・文言傳》所記孔子之言，「積善之家，必有餘慶，積不善之家，必有餘殃」[101]，則是明確教導民眾，為善為惡，得福得福，皆在自己心中一念之趨向而已，主宰操之在己，並非真有上帝在天，專門司察人間禍福，如道教佛教舉以示人者存在，（《老子》七十四章有云：「常有司

96 黃汝成：《日知錄集釋》卷二，（上海古籍出版社，二〇〇六年）頁六六。
97 孔穎達：《尚書正義》卷四，（臺北，藝文印書館，一九九三年）頁五三。
98 孔穎達：《尚書正義》卷八，（臺北，藝文印書館，一九九三年）頁一一二。
99 孔穎達：《尚書正義》卷八，（臺北，藝文印書館，一九九三年）頁一一五。
100 孔穎達：《尚書正義》卷八，（臺北，藝文印書館，一九九三年）頁一二〇。
101 孔穎達：《周易正義》卷一，（臺北，藝文印書館，一九九三年）頁二〇。

殺者殺。」司殺者，指天神主宰人間善惡生死。佛家有十八層地獄之說。）也如《孟子．公孫丑》所謂「志壹則動氣」[102]，指人心志所至，則情意也隨之而至，是心志爲主，情意爲副，又如《詩經．大雅．板》所謂之「天之牖民，如壎如篪，如璋如圭，如取如攜」[103]，指上天自然引導人民向善，正如樂器壎篪之音，相互調和，也如玉器璋圭之形，相互配合，（半圭為璋，合二璋則成圭）又如人之取物，物必從攜，皆屬物理事情之自然現象，正常理則，而非有任何神怪所爲，因此，亭林先生特加強調，「若日有鬼神司之，屑屑焉如人間官長之爲，則報應之至近者，反推而之遠矣」，所以，〈中庸〉以爲，「道不遠人，人之爲道而遠人，不可以爲道」，「誠者天之道」[104]，爲人民之長上者，導民向善，自當眞實不欺，不宜故作神秘，欲假神道而設教也。

㈦君王宜知盛衰之理

顧亭林《日知錄》卷一〈姤〉條云：

> 天下之生久矣，一治一亂。盛治之極而亂萌焉，此一陰遇五陽之卦也。孔子之門，四科十哲，身通六藝者七十有二人。於是刪《詩》、《書》，定《禮》、《樂》，贊《周易》，修《春秋》，盛矣；而《老》、《莊》之書即出於其時。後漢立辟雍，養三老，臨白虎，論五經，太學生至三萬人，而三君、八俊、八顧、八及、八廚為之稱首，馬、鄭、服、

何之注，經術為之大明；而佛、道之教即興於其世。是知邪說之作，與世升降，聖人之所不能除也。故曰：「繫於金柅，柔道牽也。」嗚呼，豈獨君子小人之辨而已乎！[105]

考《易・姤卦》云：「䷫，姤，女壯，勿用取女。」《彖傳》云：「姤，遇也，柔遇剛也。」《大象傳》云：「天下有風，姤，后以施命誥四方。」[106] 今案不期而會曰遇，〈姤卦〉之象，巽下乾上，巽爲風，乾爲天，故爲天下有風，風行天下之象，此卦一陰生於五陽之下，以喻天下之事，盛極之時，而衰亂之象，即萌生於此際，此自然之理也。

亭林先生，先以孔子爲例，孔子教學，門下分爲四科，其傑出弟子，德行：顏淵、閔子騫、冉伯牛、仲弓。政事：冉有、季路。言語：宰我、子貢。文學：子游、子夏。世人稱此爲四科十哲。而孔子弟子，達三千人之多，其身通六藝者，也有七十二人。孔子晚年，見道不行，故刪訂六經，垂爲世範，而在孔子當時，即嘗問禮於老子，故孔子之學，極盛之時，而《老子》、

---

102 孫奭：《孟子注疏》卷三，（臺北，藝文印書館，一九九三年）頁五四。

103 孔穎達：《毛詩正義》卷十七，（臺北，藝文印書館，一九九三年）頁六三二。

104 孔穎達：《禮記正義》卷五十二，（臺北，藝文印書館，一九九三年）頁八八三。

105 黃汝成：《日知錄集釋》卷一，（上海古籍出版社，二〇〇六年）頁二六。

106 孔穎達：《周易正義》卷五，（臺北，藝文印書館，一九九三年）頁一〇四。

《莊子》之書，即出於其時，司馬遷《史記》，於〈老莊申韓列傳〉之中，也稱孔門後學與老聃弟子，「道不同不相爲謀」。

亭林先生又舉後漢經學爲例，據《後漢書．儒林傳》記載，自光武中興，愛好經術，未及下車，先訪儒雅，自是四方學士，雲會京師，於是朝廷立五經博士，各以家法教授弟子，並興起太學，建立辟雍，養三老五更，明帝即位，親自講經，章帝即位，大會諸儒於白虎觀，考詳同異，至質帝本初年間，儒生遊學京師者，至三萬餘人。據《後漢書．黨錮傳》記載，後漢桓帝靈帝之時，主荒政繆，國命委於閹寺，士子羞與爲伍，以至處士橫議，品覈公卿，共相標榜，爲之稱號，因而有三君、八俊、八顧、八及、八廚之名。指竇武、劉淑、陳蕃爲「三君」，言爲一世所宗。李膺、荀翌、杜密、王暢、劉祐、魏朗、趙典、朱富爲「八俊」，言乃人之英傑。郭林宗、宗慈、巴肅、夏馥、范滂、尹勳、蔡衍、羊陟爲「八顧」，言以德行引人。張儉、岑晊、劉表、陳翔、孔昱、苑康、檀敷、翟超爲「八及」，言能導人追及。度尙、張邈、王考、劉儒、胡母班、秦周、蕃嚮、王章爲「八廚」，言能以財救人。而馬融、鄭玄、服虔、何林等注釋經書，經術由是大爲昌明。然在東漢明帝之時，佛教已自印度傳入中土，靈帝之際，而張道陵、張魯等已始創道教。

亭林先生既引〈姤卦〉，說明一陰生於五陽之下，用以說明「盛治之極，而亂萌焉」之理，又引述〈姤卦〉「初六，繫于金柅，貞吉」之〈小象傳〉所云「繫于金柅，柔道牽也」之辭，以說明〈姤卦〉初六當陰始生而將長之際，則制之當於其微而未盛之時，有如車行途中，柅爲金屬用以止車之物，當陰始生而漸進，如能使用繫於車上之金柅，使車受到牽制，停止進行，避免顚危，因此，見微知著，使陰不能消弱正義，則仍可獲得貞吉之道。

亭林先生在此條之中，強調秉國之大政者，必當詳知天下大勢盛衰之理，明悉天下大勢，一治一亂之源，其實，盛衰之事，往往相倚相伏，天下大勢，往往盛極而衰，衰極而盛，人君處此關鍵時刻，如能持盈保泰，勿使剛亢太過，庶幾能加以救挽，免於衰敝之病，能夠趨吉而避免災禍。因此，亭林先生闡釋〈姤卦〉之時，深知天下大勢，當此之際，危亡興盛，關係極大，所以，不免有所感觸而歎息云：「嗚呼，豈獨君子小人之辨而已乎！」證以明末政務之種種弊亂，則亭林先生之心思微意，可以想見。

㈥君王宜慎於用兵

顧亭林《日知錄》卷一〈自邑告命〉條云：

> 人主所居謂之邑。《詩》曰「高邑翼翼，四方之極」，《書》曰「惟尹躬先見於西邑夏」，曰「惟臣附於大邑周」，曰「作新大邑於東國洛」，曰「肆予敢求爾於天邑商」，《白虎通》曰「夏曰夏邑，商曰商邑，周曰京師」是也。〈泰〉之「上六」，政教陵夷之後，

> 一人僅亦守府，而號令不出於國門，於是焉而用師，則不可。君子處此，當守正以俟時而已。桓王不知此也，故一用師，而祝聃之矢遂中王肩；唐昭宗不知此也，故一用師，而邠岐之兵直犯闕下。然則保泰者，可不豫為之計哉。[107]

亭林先生在此條之中，詮釋《易・泰卦》上六爻辭「自邑告命」之意義，首先指出「人主所居謂之邑」，（《廣雅・釋詁》云：「邑，國都也。」）然後引述《詩・周頌・殷武》云：「商邑翼翼，四方之極。」[108]（《毛傳》云：「商邑，京師也。」《鄭箋》云：「極，中也。商邑之禮俗翼翼然可則傚，乃四方之中正也。」）作爲人主所居爲「邑」之佐證。然後又引述《尚書・太甲上》所謂「惟尹躬先見于西邑夏」[109]《尚書・武成》所謂「天休震動用附我大邑周」[110]，《尚書・康誥》所謂「作新大邑于東國洛」[111]，《尚書・多士》所謂「肆于敢求爾於天邑商」[112]，以及《白虎通・京師》所謂「夏曰夏邑，商曰商邑，周曰京師」[113]，指出夏商周三代國都之名雖然不同，但同爲天子所居之都城，亭林先生既釋「邑」字之義，然後再釋「自邑告命」之旨，今案《易・泰卦》，䷊，乾下坤上，象徵陰小往外，陽大來內，而陰氣下降，陽氣上升，由是陰陽交泰，故卦辭云：「泰，小往大來，吉享。」[114]然而，〈泰卦〉云：「上六，城復于隍，勿用師，自邑告命，貞吝。」則言〈泰卦〉上六一爻，已至泰極而否來之時，如城垣將崩於河中，當此之際，民心離散，不從其上，君王則不可妄思舉動，尤不當用師征伐，否則，雖君王有令，自京邑都城而發，亦將得凶吝。故亭林先生釋此爻之義，乃云：「政教陵夷之後，一人僅亦守府，而號令不出於國門，於是焉而用師，則不可。君子處此，當守正以俟時而已。」亭林先生對〈泰卦〉上六「勿用師」之辭，又舉出二例，用作佐證，其一爲《春秋》桓公五年（西元前七〇七年），周桓王以天子之尊，率蔡衛陳三國之兵，用以討伐鄭國，鄭大夫祝聃射中王肩，王卒大敗。其二爲唐僖宗廣明六年（西元八八〇年），黃巢陷長安，中和三年（西元八八三年），大同節度使李克用（克用世為沙陀部酋長，其祖其父降唐，因授大同節度使，克用嗣立）破黃巢，收復長安，有大功，李克用受封爲晉王，而朱全忠心忌李克用，與之有隙，構陷之，唐昭宗大順元年（西元八九〇年），李克用起兵犯闕。故亭林先生以爲，爲人君者，當持盈保泰，守正俟時，而不宜輕率用師，反受其害。亭林先生《日知錄》卷一〈自邑告命〉條又云：

107 黃汝成：《日知錄集釋》卷一（上海古籍出版社，二〇〇六年）頁一八。
108 孔穎達：《毛詩正義》卷二十，（臺北，藝文印書館，一九九三年）頁八〇四。
109 孔穎達：《尚書正義》卷十一，（臺北，藝文印書館，一九九三年）頁一六二。
110 孔穎達：《尚書正義》卷八，（臺北，藝文印書館，一九九三年）頁一一六。
111 孔穎達：《尚書正義》卷十四，（臺北，藝文印書館，一九九三年）頁二〇〇。
112 陳立：《白虎通疏證》卷四，（北京，中華書局，一九九四年）頁一六一。
113 孔穎達：《尚書正義》卷十六，（臺北，藝文印書館，一九九三年）頁二三八。
114 孔穎達：《周易正義》卷二，（臺北，藝文印書館，一九九三年）頁四一。

《易》之言「邑」者，皆內治之事，〈夬〉曰「告自邑」，如康王之命畢公「彰善癉惡，樹之風聲」者也。〈晉〉之「上九」曰「維用伐邑」，如王國之大夫，「大車檻檻，毳衣如菼」，國人畏之而不敢奔者也。其為自治則同，皆聖人之所取也。

亭林先生又將《易・泰卦》「邑」爲京城之義，引申爲「《易》之言邑者，皆內治之事」，此則京城在國家之內，君王常居京城之內，更應內以修己，自爲惕勵，使內政清明，民衆安居，意義引申，實也一以貫之，故亭林先生於此，也枚舉二例，用作佐證，其一爲《易・夬卦》卦辭「告自邑，不利即戎，利有攸往」[115]（程頤《易傳》云：「告自邑，先自治也。」又云：「君子之治小人，以其不善也，必以己之善道勝革之，故聖王誅亂，必先修己，舜之敷文德是也。」）並引《尙書・畢命》「彰善癉惡，樹之風聲」[116]之辭，主張君王宜表彰善良，疾恨邪惡，方能樹立社會良好之風氣。其二爲《易・晉卦》「上九，晉其角，維用伐邑，厲吉，无咎，貞吝。」[117]（程頤《易傳》云：「上九以剛居卦之極，故取角爲象，以陽居上剛之極也。」又云：「伐四方者，治外也，伐其居邑者，治內也，言伐邑，謂內治也。」）並引《詩・王風・大車》「大車檻檻，毳衣如菼」[118]之辭，主張主帥所乘之車，車行在路，檻檻發聲，所衣毛衣，威儀棣棣，以此感化百姓，建立社會良佳之風氣。要之，《易》之言「邑」，自〈泰卦〉、〈夬卦〉、〈晉卦〉所引，亭林先生皆以爲乃君王「自治」之辭，君王內以修己，外方足以治人，內政修明，而後方能懷柔遠人，此不易之理，故皆為聖人所取。

晚明時代，積弱不振，內有流寇竄亂，外有強鄰窺伺，思宗末年，李自成陷北京，天子號召勤王，天下義師，無一至者，《平寇志》卷九云：「甲申三月十九日，帝集前殿，鳴鐘集百官，無一至者。」[119] 馴至崇禎帝自縊煤山，則亭林先生生當變亂，耳聞目擊，痛心之餘，而《日知錄》此條之中，所謂「政教陵夷之後，一人僅亦守府，而號令不出於國門」者，或亦別有傷心感慨者在也。

（十九）人主當用兵嚴正

顧亭林《日知錄》卷一〈師出以律〉云：

> 以湯、武之仁義為心，以桓、文之節制為用，斯謂之律。律即卦辭之所謂「貞」也。《論

115 孔穎達：《周易正義》卷五，（臺北，藝文印書館，一九九三年）頁一〇三。
116 孔穎達：《尚書正義》卷十九，（臺北，藝文印書館，一九九三年）頁二九一。
117 孔穎達：《周易正義》卷四，（臺北，藝文印書館，一九九三年）頁八八。
118 孔穎達：《毛詩正義》卷四，（臺北，藝文印書館，一九九三年）頁一五三。
119 引見陳登元，《國史舊聞》第三分冊，（臺北，明文書局，一九八一年）頁三一五。

語》言「子之所慎者戰」。長勺以詐而敗齊，泓以不禽二毛而敗於楚，《春秋》皆不予之。故「先為不可勝，以待敵之可勝」，雖三王之兵，未有易此理也。120

今案《易．師卦》云：「䷆，師，貞，丈人，吉，无咎。」〈彖傳〉云：「師，眾也；貞，正也。能以眾正，可以王矣。」〈象傳〉云：「地中有水，師，君子以容民畜眾。」121師卦，下坎上坤，地中有水，爲容眾之象。《易．師卦》又云：「初六，師出以律，否臧凶。」朱熹《周易本義》云：「律，法也。」122蓋指行軍出師，當以律法綱紀部眾，而亭林先生，引申爲君王用兵征伐，更當以仁義存心，再加以節制爲用，方是「師出以律」之要旨。進而言商湯革命，主要由於夏桀王暴虐無道，人民不堪其苦，而有「時日曷喪，予及女皆亡」（《尚書．湯誓》）之傷痛呼號，因此，湯武王方有弔民伐罪征夏之戰；而商紂王寵愛妲己，「惟婦言是用，昏棄厥肆弗答」，「暴虐于百姓，以姦宄于商邑」（《尚書．牧誓》），因此，周武王方有用兵牧野伐紂之役。要之，商湯王及周武王，有此仁義存心，作爲根本，才能結合諸侯，爰整師旅，討伐罪魁，推翻暴政，拯救民眾於水深火熱之中。因此，亭林先生以爲，「師出以律」，「律即卦辭之所謂貞也」，貞，乃「正」義，必合「仁義爲心」，「節制爲用」，方才能夠稱之爲正當用兵之「律」。

《論語．述而》記述：「子之所慎，齋、戰、疾。」123戰爭爲凶險之事，古人云，「國之大事，在祀與戎」（《左傳》成公十三年），故爲人君而用兵，不得不謹慎行之。春秋魯莊公十年，齊魯戰於長勺，魯莊公用曹劌之謀，戰勝齊軍，《春秋》書曰：「十年，春，王正月，敗齊師于長勺。」《穀梁傳》云：「不日，疑戰也。」范甯注：「疑戰者，言不剋日而戰，以詐相襲。」[124]《春秋》不書作戰之日期，是不以魯國之勝爲正當也。又春秋魯襄公二十二年，宋襄公與楚國戰於泓水，宋襄公力主「不重傷，不禽二毛」，「不鼓不成列」（《左傳》），卒至大敗，《春秋》書曰：「宋師敗績。」[125]敗績，乃潰不成軍之義。（《左傳》莊公十一年云：「大崩曰敗績。」）因此，亭林先生以爲，「《春秋》皆不予之」，是指《春秋》以爲，兩次戰爭皆非「軍以正興，兵以義動」，非正義之戰，故皆不予以正面之評價。

《孫子．形篇》云：「孫子曰：昔之善戰者，先爲不可勝，以待敵之可勝。」又云：「不可勝者，守也，可勝者，攻也。」[126]乃指善於作戰者，應先了解敵我之形勢，評估自身之實力，運用戰略戰術，使自己立於不敗之地，等待可以戰勝敵人之時機，然後一舉殲滅敵人。因此，

120 黃汝成：《日知錄集釋》卷一，（上海古籍出版社，二〇〇六年）頁一五。
121 孔穎達：《周易正義》卷一，（臺北，藝文印書館，一九九三年）頁三五。
122 朱熹：《周易本義》卷一，（臺北，大安出版社，二〇一三年）頁五九。
123 邢昺：《論語注疏》卷七，（臺北，藝文印書館，一九九三年）頁六一。
124 楊士勛：《穀梁傳注疏》卷五，（臺北，藝文印書館，一九九三年）頁五一。
125 孔穎達：《左傳正義》卷十五，（臺北，藝文印書館，一九九三年）頁二四七。

對於敵我雙方之實力，應該審慎評估，如果不易戰勝敵人，則宜採取守勢，反之，如果有把握戰勝敵人，則應該斷然採取攻勢。

《日知錄》中此條，表面似乎在詮解《易經・師卦》，但是，亭林先生則將《師卦》「師出以律」之義，引至國君用兵之態度，必求存心正當，態度謹慎，畢竟，「兵者，國之大事，死生之地，存亡之道，不可不察也」（《孫子・計篇》），是乃亭林先生告戒儆惕政治領袖眞正之用心。

(二十)君王當愼防外戚宦官之禍

顧亭林《日知錄》卷一〈以杞包瓜〉條云：

> 劉昭《五行志》曰：「瓜者外延，離本而實，女子外屬之象。」一陰在下，如瓜之始生，勢必延蔓而及於上。「五」以陽剛居尊，如樹杞然，使之無所緣而上，故曰「以杞包瓜」。孔子曰：「惟女子與小人為難養也。」顰笑有時，恩澤有節，器使有分，而國之大防不可以逾，何有外戚宦官之禍乎！[127]

考《易・姤卦》云：「䷫，姤，女壯，勿用取女。」〈彖傳〉云：「姤，遇也，柔遇剛也，勿用取女，不可與長也。」[128]此卦一陰生於九陽之下，此陰漸盛，將消於陽，故戒君王勿欲取女，免使陰勢漸長，力量漸盛，而不可制止。〈姤卦〉云：「九五，以杞包瓜，含章，有隕自天。」朱熹《周易本義》云：「瓜，陰物之在下者，甘美而善潰，杞，高大堅實之木也。五以陽剛中正，主卦於上，而下防始生必潰之陰，其象如此。然陰陽迭勝，時運之常，若能含晦章美，靜以制之，則可以回造化矣。有隕自天，本无而倏有之象也。」[129]以高大堅實杞木之枝葉，包覆甜美之瓜果，使美不外露，也猶人君之能主導其嬪妃，宰制其宦官，使彼等進退、舉動，皆有節度，而不致牽引糾附，以致災禍，是以〈姤卦〉「九五」一爻之意義，朱熹所釋，頗能得其要旨。

亭林先生，於《日知錄》此條之中，引述劉昭《五行志》。所曰「瓜者外延，離本而實，女子外屬之象」之言，（黃汝成《日知錄集釋》云：「汝成案，『瓜者外延』云云，司馬彪《續漢書五行志》文，今日劉昭，當是『續漢』二字之誤。」《集釋》附載丁晏《日知錄校正》云：「壽昌案，司馬彪《續漢志》，當稱『劉昭注五行志』，落一『注』字。」）說明〈姤卦〉「一

126 《十一家注孫子》，（香港，太平書局，一九六六年）頁五二。
127 黃汝成：《日知錄集釋》卷一，（上海古籍出版社，二〇〇六年）頁二七。
128 孔穎達：《周易正義》卷五，（臺北，藝文印書館，一九九三年）頁一〇四。
129 朱熹：《周易本義》，卷二，（臺北，大安出版社，二〇一三年）頁一六九。

陰在下，如瓜之始生，勢必延蔓而及於上。『五』以陽剛居尊，如樹杞然，使之無所緣而上，故曰『以杞包瓜』」，作爲譬喻，又引述孔子之言，皆用以說明，人君在位，當使後宮嬪妃，外戚宦官，皆能各遵節度，恪循法規，「顰笑有時，恩澤有節，器使有分，而國之大防不可以逾」，則自然能夠減少宮庭外戚宦官之災禍。亭林先生，有懲於歷代外戚宦官爲禍之烈，尤以明代中葉以後，劉瑾、魏忠賢等掌擅權柄，殘害患良，馴至朝廷受害，國家滅亡，故於《周易・姤卦》此爻之中，而寄寓其感慨之意焉。

㈢國政清明則民不迷信

顧亭林《日知錄》卷二〈罔中於信以覆詛盟〉條云：

國亂無政，小民有情而不得申，有冤而不見理，於是不得不訴之於神，而詛盟之事起矣。蘇公遇暴公之譖，則「出此三物，以詛爾斯」；屈子遭子蘭之讒，則告五帝以折中，命咎繇而聽直。至於里巷之人，亦莫不然。而鬼神之往來於人間者，亦或著其靈爽，於是賞罰之柄乃移之冥漠之中，而蚩蚩之氓，其畏王鈇常不如其畏鬼責矣。乃世之君子猶有所取焉，以輔王政之窮。今日所傳地獄之說，《感應》之書，皆苗民詛盟之餘習也。「明明棐常，鰥寡無蓋」，則王政行於上，而人自不復有求於神。故曰：有道之世，「其鬼不神」。所謂「絕地天通」者，如此而已矣。[130]

凡人皆有喜怨哀樂之情，民衆百姓，也不例外，在現實社會，人們心中如有鬱悶而不能暢達，有冤曲而無法申訴，處此情形，人們往往轉向世俗之外之鬼神世界，以尋求心靈之慰藉，亭林先生在此條之中，先行舉出古代兩件事例，以作說明，其一，爲《詩經・小雅・何人斯》中蘇公諷刺暴公之詩句，〈小序〉云：「〈何人斯〉，蘇公刺暴公也，暴公爲卿士而譖蘇公焉，故蘇公作是詩以絕之。」[131]此詩八章，其中第七章言：「伯氏吹壎，仲氏吹篪，及爾如貫，諒不我知，出此三物，以詛爾斯。」蘇公刺暴公，指二人本如兄弟，感情如音樂合奏之和諧，卻至反目成仇，故詩人代蘇公立言，指陳設犬羊豬三物，刺其血用以祭神，以明其心不愧於神明。其二，亭林先生又舉楚大夫屈原，爲令尹子蘭所讒，遠放於湘楚，故屈原在《九章・惜誦》之中，自述其忠憤之情，有云：「所作忠而言之兮，指蒼天以爲正，令五帝以折中兮，戒六神以嚮服，俾山川以備御兮，命咎繇使聽直」[132]，屈原自陳忠心，盼上天爲之明察，盼五方六宗之神靈爲自己作憑證，請聖人咎繇聆聽己言是否正直。舉出以上二例之後，亭林先生因而申論，指出平民

130 黃汝成：《日知錄集釋》卷二，（上海古籍出版社，二〇〇六年）頁一〇八。
131 孔穎達：《毛詩正義》卷十二，（臺北，藝文印書館，一九九三年）頁四二五。
132 洪興祖：《楚辭補注》卷四，（臺北，中華書局，一九七三年）頁一。

百姓，對於神靈之信仰尊敬，有時反在世間王法之上，以至民間信仰，對於天堂地獄之說，《太上感應篇》中之言，反而深信不疑，此種現象，《尚書．呂刑》篇中所記，苗民之崇奉天神地祇，祈求佑助，已有其例。也皆由於人之相交，相互欺詐，社會紛亂，背棄盟誓，不守信約所致。

亭林先生以爲，庶民百姓，冤不得訴，情不能申，鬱懷在心，極可哀憫，因此，以爲正本清源之道，乃在爲政者體恤民瘼，「明明棐常，鰥寡無蓋」，爲政者如能作到法制清明於上，執法公正無誤，老弱鰥寡，一視同仁，無所偏宕，無所輕忽，則人民大衆，自然不再捨棄人事，迷信鬼神，輕忽當前，轉求來生，因此，國君行政，能夠如此，則《老子》中所說之「其鬼不神」，鬼神不能惑人，〈呂刑〉中所謂之「絕地天通」，人民不再崇奉鬼神，此種境地，自然可以實現眼前。

㈢大臣諫諍之道

顧亭林《日知錄》卷一〈罔孚裕无咎〉條云：

> 君子信而後諫，未信，則以為謗己也，而況「初」之居下位，未命於朝者乎？「孔子嘗為委吏矣，曰會計當而已矣。嘗為乘田矣，曰牛羊茁壯長而已矣」，此所謂「裕无咎」也。

> 若受君之命而任其事，有官守者不得其職，則去；有言責者不得其言，則去矣。[133]

考《易・晉卦》云：「䷢，晉，康侯用錫馬蕃庶，晝日三接。」《彖傳》云：「晉，進也，明出地上，順而麗乎大明，柔進而上行，是以康侯用錫馬蕃庶，晝日三接也。」《大象傳》云：「明出地上，晉，君子以自昭明德。」[134]今案〈晉卦〉坤下離上，坤爲地，離爲火，爲旭日初出而上升前進之象。王弼注云：「康，美之名也。順以著明，臣之道也。」而〈晉卦〉，云：「初六，晉如摧如，貞吉，罔孚，裕，无咎。」程頤《易傳》云：「罔孚者，在下而始進，豈遽能深見信於上，苟上未見信，則當安中自守，雍容寬裕，无急於求上之信也。」[135]是以大臣處下，固然有諫勸君主之義，但如其尚未獲得信任於國君，則不妨稍俟而緩諫，勿急於進言也，《論語・子張》記子夏之言云：「君子信而後勞其民，未信，則以爲厲己也。信而後諫，未信，則以爲謗己也。」[136]足見君子行事，無論對下對上，皆當以獲得信心信任爲主，否則，反易於僨事

---

133 黃汝成：《日知錄集釋》卷一，（上海古籍出版社，二〇〇六年）頁二二。
134 孔穎達：《周易正義》卷四，（臺北，藝文印書館，一九九三年）頁八七。
135 程頤：《易傳》卷三，（臺北，河洛圖書出版社，一九七四年）頁三〇八。
136 邢昺：《論語注疏》卷十九，（臺北，藝文印書館，一九九三年）頁一七二。

取禍，故亭林先生於此臣下事上之事，加以叮嚀，並申言「而況『初』之居下位，未命於朝者乎！」以爲儆惕。

亭林先生又引《孟子．萬章下》所云：「孔子嘗爲委吏矣，曰，會計當而已矣，嘗爲乘田矣，曰，牛羊茁壯長而已矣。位卑而言高，罪也。」[137]指出孔子曾任小吏管理倉庫，曾任小吏畜養牛羊，皆只求計算無誤，牲畜肥碩而已，盡其本份所司職責即可，而不宜高論政務，越逾職份，而應當寬暇時日，以俟從容緩諫，方才能夠無所咎責。

《孟子．萬章下》曾記述孟子答齊宣王問「卿」之意義，孟子回答，卿有不同，「有貴戚之卿，有異姓之卿」[138]，貴戚之卿，與國君有血緣之關係，君如有大過，諫而不聽，則可以另易宗族爲君，以維護親屬之責任；至於異姓之卿，與君主既無血緣之關係，則當諫君之過，如果反覆諫諍而君王不聽，則可以斷然離去，因五倫之中，父子以天屬，君臣以義合，合則合，不合則大臣可以逕行離去，而不當眷念爵祿，見義而不爲。亭林先生在《日知錄》此條之中，抒發孟子論卿士出仕之道，因而申言，「若受君之命而任其事，有官守者不得其職，則去；有言責者不得其言，則去矣」，唯有堅守道義，方屬爲臣事君之正途也。

㈢治國當取信於民

顧亭林《日知錄》卷七〈去兵去食〉條云：

「乃積乃倉，乃裹餱糧，於橐於囊」，國所以足食，而不待涵土之行也。「備乃弓矢，鍜乃戈矛，礪乃鋒刃，無敢不善」，國所以足兵，而不待淮夷之役也。苟其事變之來而有所不及備，則耰鉏白梃可以為兵，而不可闕食以修兵矣；糠覈草根可以為食，而不可棄信以求食矣。古之人有至於張空拳，羅雀鼠，而民無貳志者，非上之信有以結其心乎？此又權於緩急輕重之間，而為不得已之計也。明此義，則國君死社稷，大夫死宗廟，至於輿臺牧圉之賤莫不親其上，死其長，所謂「聖人有金城者，（比）物此志也」。豈非為政之要道乎？孟子言「制梃以撻秦、楚」，亦是可以無待於兵之意。139

考《論語．顏淵》云：「子貢問政。子曰：『足食足兵，民信之矣。』子貢曰：『必不得已而去，於斯三者何先？』曰：『去兵。』子貢曰：『必不得已而去，於斯二者何先？』曰：『去食。自古皆有死，民無信不立。』」140足食、足兵、民信，自是爲政之基本條件，然而，三者之

137 孫奭：《孟子注疏》卷十，（臺北，藝文印書館，一九九三年）頁一八五。
138 孫奭：《孟子注疏》卷十，（臺北，藝文印書館，一九九三年）頁一八八。
139 黃汝成：《日知錄集釋》卷七，（上海古籍出版社，二〇〇六年）頁四〇九。
140 邢昺：《論語注疏》卷十二，（臺北，藝文印書館，一九九三年）頁一〇七。

間，孔子尤重視「信」之一字，居上者對下民有信用，則下民對居上者有信心，故萬不得已，兵可去，食可去，而下民對在上位者之信心不可無，無信，則國不成國矣。

《詩．大雅．公劉》，述后稷之裔孫公劉，率民遷居於豳，辛勤經營之事，詩中有云：「迺場迺疆，迺積迺倉，迺裹餱糧，于橐于囊，思輯用光。」[141]是言整理疆界，蓄積食糧，以光大其國，故亭林先生以爲，此乃「足食」以養民之事。《尚書．費誓》，記魯國君主討伐淮夷徐夷之事，文中有云：「備乃弓矢，鍛乃戈矛，礪乃鋒刃，無敢不善。」[142]是言齊備弓矢，磨礪兵戈，以增強武器，故亭林先生以爲，此乃「足兵」以衛國之事。且此足食足兵之事，固當預籌於平日，早爲策謀，以待不時之需。然而，萬一事起於突然，「事變之來，而有所不及備」，則「耰鉏白梃可以爲兵」，「糠覈草根可以爲食」，武器食物，雖至差至劣，也不可使民衆失卻信心，有此信心，則國君大臣，下至甿吏，可以捐軀爲國，此乃爲政之要道，故《漢書．賈誼傳》，以忠臣之志，比於國有金城，安固而不可毀，《孟子．梁惠王上》，以爲民知孝悌忠信，可使執梃棍以抗秦楚之堅甲利兵，皆以國之上下，具此信心而已，故爲政之道，兵食可去，而信不可去也。

㈣為政當知民心所向

顧亭林《日知錄》卷六〈桀紂帥天下以暴〉條云：

《仲虺之誥篇》曰：「簡賢附勢，實繁有徒。」《多方篇》曰：「叨懫日欽，劓割夏邑。」此桀民之從暴也。《微子篇》曰：「殷罔不小大，好草竊姦宄。卿士師帥非度，凡有辜罪，乃罔恒獲。小民方興，相為敵讎。」此紂民之從暴也。故曰「幽、厲興則民好暴」。古之人所以「胥訓告、胥保惠、胥教誨」，而不使民之陷於邪僻者，何哉？上無禮，下無學，賊民興，喪無日矣。〈天保〉之詩皆祝其君以受福之辭，而要其指歸，不過曰：「民之質矣，日用飲食。羣黎百姓，徧為爾德。」然則人君為國之存亡計者，其可不致審於民俗哉！[143]

考《禮記‧大學》云：「一家仁，一國興仁；一家讓，一國興讓；一人貪戾，一國作亂。其機如此，此謂一言僨事，一人定國。堯舜帥天下以仁，而民從之；桀紂帥天下以暴，而民從之。」[144]此言上有所好，下必甚焉，百姓順從其上，如水之流溼，火之炎上，其勢如此，《尚書‧仲虺之誥》記夏桀王暴虐無道，成湯革命，放逐夏桀於南巢，其中有云：「有夏昏德，民墜塗炭。」

141 孔穎達：《毛詩正義》卷十七，（臺北，藝文印書館，一九九三年）頁六一六。
142 孔穎達：《尚書正義》卷二十，（臺北，藝文印書館，一九九三年）頁三一一。
143 黃汝成：《日知錄集釋》卷六，（上海古籍出版社，二〇〇六年）頁三七九。
144 孔穎達：《禮記正義》卷六十，（臺北，藝文印書館，一九九三年）頁九八六。

又云：「夏王有罪，矯誣上天，以布命于下。」又云：「簡賢附勢，寔繁有徒。」[145]是謂夏桀有罪，而臣下趨炎附勢之徒，爲數繁多。《尚書．多方》記成王平定奄國之亂，諸侯來朝，周公以王命誥知 四方諸侯，其中有云：「有夏誕厥逸，不肯慼言于民，乃大淫昏，不克終日勸于帝之廸，乃爾攸聞，厥圖帝之命，不克開于民之麗，乃大降罰，崇亂有夏。」又云：「亦惟有夏之民，叨懫日欽，劓割夏邑。」[146]乃謂夏桀肆於逸樂，不恤民苦，以至民不聊生，遂也效法夏桀所爲，增長貪婪風氣，傷害夏國禮俗。故亭林先生以爲，由〈仲虺之誥〉與〈多方〉所記，實乃夏桀之導民爲惡也。

《尚書．微子》記商紂王暴虐無道，紂之庶兄微子，憂心耿耿之事，其中有云：「我祖底遂陳于上，我用沈酗于酒，用亂敗厥德于下。殷罔不小大，好草竊姦宄，卿士師師非度，凡有辜罪，乃罔恆獲。小民方興，相爲敵讎。」[147]乃指殷商先祖成湯，制定良法於前，而紂王沈醉於酒，敗壞先祖美德於後，以致殷商大小臣民，皆染有敗德，罔遵法度，而四方小民，忍無可忍，遂各起一方，敵視紂王。亭林先生以爲，由〈微子〉篇中所記，實乃商紂王導民爲惡也。

《孟子．告子》云：「是故文武興，則民好善，幽厲興，則民好暴。」此言下民之行爲，易受在上位者所影響也。《尚書．無逸》記周公告成王之言云：「我聞曰：『古之人猶胥訓告，胥保惠，胥教誨，民無或胥譸張爲幻。』」[148]此言百姓尚能相互激勵，相互保護，相互教導，而無所欺詐，故能彼此相勉，而不陷入於邪枉之途。反之，如至於居上位者不知禮義，在下位者不知從學，賊民四起，則國亡可計日而至矣。

《詩・小雅》中〈天保〉一詩，〈小序〉以為「下報上也，君能下下以成其政，臣能歸美以報其上焉。」詩中屢言「天保定爾」，屢言「如山如阜，如岡如陵」，「如南山之壽」，「如松柏之茂」149，以歌頌祝福其君，而民眾自身所祈求者，不過為「民之質矣，日用飲食，群黎百姓，遍為爾德」，不過為飲食得以溫飽，即咸戴國君恩德於不已矣，民眾群黎，希求在此，則為政為統帥天下者，豈能不措心於此區區之事乎？

(二五) 治國當鑑往知來

顧亭林《日知錄》卷七〈子張問十世〉條云：

《記》曰：「聖人南面而治天下，必自人道始矣。立權度量，考文章，改正朔，易服色，

---

145 孔穎達：《尚書正義》卷八，（臺北，藝文印書館，一九九三年）頁一一〇。
146 孔穎達：《尚書正義》卷十七（臺北，藝文印書館，一九九三年）頁二五四。
147 孔穎達：《尚書正義》卷十，（臺北，藝文印書館，一九九三年）頁一四五。
148 孫奭：《孟子注疏》卷十一，（臺北，藝文印書館，一九九三年）頁一九五。
149 孔穎達：《毛詩正義》卷九，（臺北，藝文印書館，一九九三年）頁三三〇。

殊徽號，異器械，別衣服，此其所得與民變革者也。其不可得變革者則有矣，親親也，尊尊也，長長也，男女有別，此其不可得與民變革者也。」自春秋之并為七國，七國之并為秦，而大變先王之禮。然其所以辨上下，別親疏，決嫌疑，定是非，則固未嘗有異乎三王也。故曰：「其或繼周者，雖百世可知也。」

自古帝王相傳之統，至秦而大變。然而秦之所以亡，漢之所以興，則亦不待讖緯而識之矣。「不仁而得天下，未之有也」，此百世可知者也。「保民而王，莫之能禦也」，此百世可知者也。150

考《論語．爲政》記云：「子張問十世，可知也？子曰：『殷因於夏禮，所損益，可知也。周因於殷禮，所損益，可知也。其或繼周者，雖百世可知也。』」何晏《集解》引馬融云：「所因，謂三綱五常。所損益，謂文質三統。」151朱熹《集注》云：「三綱五常，禮之大體。三代相繼，皆因之而不能變。其所損益，不過文章制度，小過不及之間。」又引胡氏云：「子張之問，蓋欲知來。而聖人言其既往以明之也。」152今案禮者，有儀有義，其可變者，事之儀節，不可變者，理之精義。而亭林先生於本條之中，所謂「立權度量，考文章，改正朔，易服色，殊徽號，異器械，別衣服」，屬於禮之儀節，可以因時而變易，所謂「親親也，尊尊也，長長也，男女有別」，屬於禮之精義，不可隨時而變者。亭林先生於此條之末，以爲「自古帝王相傳之統，至秦而大變」，以為「不仁而得天下，未之有也，此百世可知者」，亭林先生以一「仁」字，論歷代隆盛之本，以一「不仁」，論歷代衰替之因，此則先生飽覽史乘，歷觀興亡，貫通百代，發揮經書義理，鑑往以知來者也。

三、結語

經為常道，經義所論，本不離於人倫日用之間，西漢時代，君王提倡經學致用，大臣言事，也往往援引經義，以作判斷，《漢書》卷七十一〈平當傳〉，記「每有災異，當輒傅經術，言得失」，「當以經明〈禹貢〉，使行河，為騎都尉，領河隄」，此以〈禹貢〉治河之例。《漢書》卷七十五〈夏侯勝傳〉，記勝據〈洪範傳〉推指車騎將軍欲廢昌邑王，霍光大驚，「以此益重經術士」，此以〈洪範〉察變之例。《漢書》七十一卷〈雋不疑傳〉，記武帝末年，宦官江充埋蠱於太子宮中，反密稟武帝，以誣太子，太子與皇后謀斬充，兵敗，皇后自殺，太子出亡，傳亦自殺。昭帝始元五年，有一男子乘黃犢車，詣北闕，自稱太子，長安城中觀者數萬人，

150 黃汝成：《日知錄集釋》卷七，（上海古籍出版社，二〇〇六年）頁三九三。
151 邢昺：《論語注疏》卷二，（臺北，藝文印書館，一九九三年）頁一九。
152 朱熹：《四書集注》卷一，（臺北，世界書局，一九六七年）頁一二。

文武大臣至者，莫敢發言，京兆尹雋不疑後至，叱從吏收縛，或曰：「是非未可知，且安之。」不疑引《春秋》衛靈公太子蒯聵，得罪於靈公，出而奔晉，靈公卒，使蒯聵之子輒嗣位，及蒯聵欲入衛，輒乃拒之，《公羊傳》以為，輒從祖命，而不從父命，其事甚當，以為當今之事，即使武帝太子前來，亦當身為罪人，遂送之獄中。大將軍霍光聞而嘉之，以為「公卿大臣當用經術明於大誼」，《漢書》卷三十〈藝文志〉有〈董仲舒治獄〉十六篇。《漢書》卷八十九〈循吏傳〉亦謂董仲舒「以經術潤飾吏事，天子器之」，此以《春秋》斷事之例。《漢書》卷八十八《儒林傳》，記王式為昌邑王師，昭帝崩，昌邑王立，以行淫亂而被廢，昌邑王群臣多下獄，王式亦繫獄當死，治事者責問，式為帝師，何以無諫書？王式對曰，「臣以《詩》三百五篇朝夕授王」，「臣以三百五篇諫，是以亡諫書」，此以三百五篇作諫書之例。

綜合前舉數例觀之，似漢人習言「經術」，後人習言「經學」，經學重其意義，經術重在致用，《日知錄》三十二卷，亭林先生自謂「上篇經術」者，或亦有其微旨存乎！亭林先生〈與黃太冲書〉云：「伏念炎武自中年以前，不過從諸文士之後，注蟲魚，吟風月而已。積以歲月，窮探古今，然後知後海先河，為山覆簣，而於聖賢六經之指，國家治亂之源，生民根本之計，漸有所窺。」又〈與潘次耕札〉云：「君子之為學也，非利己而已也，有明道淑人之心，有撥亂反正之事，知天下之勢之何以流極而至於此，則思起而有以救之。」又〈與友人書〉云：「至于三代之英，固聖人所有志，百姓之病，亦儒者所難忘。竊欲待一治於後王，啓多聞於來學，而六藝之精微剖析，群言之浩博靡窮。」觀此數封函札，則亭林先生闡發經義，進求致用，以期濟世之志，可謂昭明彰著者矣。

亭林先生生當異族統治之際，又懲於晚明學風，空虛不實，乃創爲徵實之學，昌大經學義理，雖礙於網禁嚴密，不能暢所欲言，不得不曲折其辭，隱約其意，以寄寓其光復之志願，是以《日知錄》有關「經術」數卷之中，每條所論，往往引歸人倫日用之間，爲民生國計而發，皆可見諸實行，而不徒爲詁經釋經而設也。然而，清季乾嘉以下，學術專崇考據，而鮮能繼承亭林先生通經致用之理想，雖則有清一代，諸多史乘，咸尊亭林先生爲「開國儒宗」，亦豈是亭林先生志業所在於斯者歟！

肆、顧亭林《日知錄》中「經邦治國」之藍圖

一、引言

顧亭林（一六一三～一六八二）初名絳，江蘇崑山人，國變之後，改名炎武，字寧人，學者稱為亭林先生，生於明萬曆四十一年，卒於清康熙二十一年，享年七十歲。

亭林先生三十二歲之時，適當明思宗十七年，流寇李自成攻破北京，思宗自縊，而山海關守將吳三桂因愛妾陳圓圓為李自成部將劉宗敏所掠，憤而開關，引清兵入境，清兵逐走李自成，進入北京，乘勢揮軍南下，佔據華夏。亭林先生曾與友人起兵抗清，事雖不濟，而光復之志，未嘗稍衰，亭林先生嗣母，聞清兵南下，絕食十五日而死，遺命亭林，勿事二姓。亭林先生，身負國仇家恨，乃六謁孝陵，六謁思陵，遍觀天下山川地理形勢，博覽載籍，以求經世而致用，以圖光復於異日。

亭林先生〈與人書二十五〉云：「別著《日知錄》，上篇經術，中篇治道，下篇博聞，共

三十餘卷。有王者起，將以見諸行事，以躋斯世於治古之隆，而未敢為今人道也。」又〈與友人論門人書〉云：「所著《日知錄》三十餘卷，平生之志與業皆在其中，惟多寫數本，以貽之同好，庶不為惡其害己者之所去，而有王者起，得以酌取焉，其亦可以畢區區之願矣。」亭林先生《日知錄》成書之時，清人已據有中原，則亭林先生所謂「有王者起」，所指王者，絕非清人異族，是知《日知錄》一書之中，自有亭林先生經世之理念，治國之方策，而期望未來華夏之英主，得以措諸實行者也。

《日知錄》之寫作，以劄記形式呈現，每條劄記之中，討論某一專門之事項，然而，劄記每條與每條之間，又往往事相銜接，義相聯繫，前後照應，形成一更廣闊之見解，因此，彙集《日知錄》中事項相關之各條劄記，亦可窺見亭林先生更加完整之思想，與規畫之用意。至於亭林先生所以採取劄記之方式，一則以其書寫方便，「有所得，輒記之」（《日知錄》書前識語），另則亦可以隱然分散其心中之意趣，「庶不為惡其害己者之所去」，故亭林先生之苦心，宜當在此。

余嘗草有〈顧亭林《日知錄》中「通經致用」之實踐〉一文，所取亭林先生各條劄記，皆以由經學義理中闡釋人生之教訓為主，枚舉二十五事，而於此篇之中，則率多採取亭林先生自史事典章制度中闡發經邦治國之要者，分為君道、臣道、人才、社會、交通、農業、水利、國防等八類，共枚舉為三十事，加以疏釋。論其內容，則拙稿兩篇，自亦可以有其相互印證參照者在也。

二、經邦治國之藍圖

㈠君道

1.君主應有之基本認識

顧亭林《日知錄》卷七〈周室班爵祿〉條云：

為民而立之君，故班爵之意，天子與公、侯、伯、子、男一也，而非絕世之貴。代耕而賦之祿，故班祿之意，君、卿、大夫、士與庶人在官一也，而非無事之食。是故知「天子一位」之義，則不敢肆於民上以自尊；知祿以代耕之義，則不敢厚取於民以自奉。不明乎此，而「侮奪人之君」，常多於三代之下矣。[1]

人生在世，付出辛勞，換取報酬，乃天經地義之事，故世人耕田得食，織布得衣，亦理所當然，

1 黃汝成：《日知錄集釋》卷七，（上海古籍出版社，二〇〇六年）頁四三三。

但天下萬事，庶事繁多，於是有君主爲之治理，且庶事繁多，君主不能一人治理，而需要各級官員，公、侯、伯、子、男等，襄助治理。故君主百官，治理政務，雖不能自耕自織，其實也如同耕田織布，方始獲得爵祿，故君主百官，爵祿所得，實乃「代耕」、「代織」之所得而已。

君主在位，治理政務，百官在職，襄助政務，天子之位，不過較之百官公侯伯子男，相對各自略高一位一級而已，非上天偏愛此一姓一家，立之爲君主，又爲之廣設萬民以奉厚之，立百官以聽從之也。故亭林先生以爲，身爲君主者，必須先有此理解，有此認識，自知爵祿乃「代耕」所得，自知「天子一位」之義，「則不敢肆於民上以自尊」，以致專橫放恣，「知祿以代耕之義，則不敢厚取於民以自奉」，否則，侮人之行，奪民之財，萬民亦將群起逐而去之也。

2. 君主為政當開誠布公

顧亭林《日知錄》卷八〈法制〉條云：

法製禁令，王者之所不廢，而非所以為治也。其本在正人心、厚風俗而已。故曰：「居敬而行簡，以臨其民。」周公作〈立政〉之書曰：「文王罔攸兼於庶言，庶獄庶慎。」又曰：「庶獄庶慎，文王罔敢知於茲。」其丁寧後人之意可謂至矣。秦始皇之治天下之事，無大小皆決於上，上至於衡石量書，日夜有呈，不中呈不得休息，而秦遂以亡。太史公曰：「昔天下之網嘗密矣，然姦偽萌起，其極也，上下相遁，相遁至於不振。」然則法禁之多，乃所以為趣亡之具，而愚闇之君猶以為未至也。

又云：

諸葛孔明開誠心，布公道，而上下之交，人無間言，以蕞爾之蜀，猶得小康。魏操、吳權任法術以御其臣，而篡逆相仍，略無寧歲。天下之事，固非法之所能防也。叔向與子產書曰：「國將亡，必多制。」夫法制繁則巧猾之徒皆得以法為市，而雖有賢者，不能自用，此國事之所以日非也。善乎杜元凱之解《左氏》也，曰：「法行則人從法，法敗則法從人。」[2]

爲政治國，不能缺少法令，無法令則百姓無所遵循，然君王爲政之根本，非徒憑藉法令，乃更在「正人心，厚風俗」而已，《論語．雍也》記仲弓論爲政之言云：「居敬而行簡，以臨其民。」以爲治民理政，當心存專注，行事簡約，方能獲得民衆之信任。《尚書．立政》記載周公告誡

2 黃汝成：《日知錄集釋》卷八，（上海古籍出版社，二〇〇六年）頁四八八。

成王之言，亦明言當年文王在世，並不兼理各種政令，至於各種訟獄及赦令之事，亦皆各有官員專司專守，文王亦不一一加以過問，此則身爲君王，不親庶事之例。反之，秦始皇之治理國政，天下之事，事無大小，一律決斷於天子，故始皇爲政，網禁雖密，而姦僞萌興，一起而不可救挽，法禁雖多，直爲暴秦促其快速滅亡而已。

亭林先生以爲，爲君之道，唯在「正人心，厚風俗」而已，故諸葛亮能「開誠心，布公道」，故上下歸心，別無閒言，是以蜀漢雖小，猶得立國近五十年，維持小康之局勢，是故亭林先生以爲，「天下之事，固非法之所能防也」，爲人君者，宜當三復斯言。

《左傳》昭公六年，記鄭人鑄刑書於鼎，叔向使人詒子產書，以爲「夏有亂政，而作《禹刑》，商有亂政，而作《湯刑》，周有亂政，而作《九刑》」，故以爲「國將亡，必多制」，而子產相鄭國，乃鑄刑書，「將以靖民，不亦難乎」[3]，蓋指陳法令嚴彰，盜賊多有，巧猾之徒，必將玩弄法令以逐利，故徒法實不足以自恃也。

3. 天子宜慎擇大臣

顧亭林《日知錄》卷十三〈大臣〉條云：

《記》曰：「大臣法，小臣廉，官職相序，君臣相正，國之肥也。」故欲正君而序百官，必自大臣始。然而王陽黃金之論，時人既怪其奢；公孫布被之名，直士復譏其詐。則所以考其生平而定其實行者，惟觀之於終，斯得之矣。「季文子卒，大夫入斂，公在位。宰庀家器為葬備，無衣帛之妾，無食粟之馬，無藏金玉，無重器備，君子是以知季文子之忠於公室也。相三君矣，而無私積，可不謂忠乎？」諸葛亮自表後主曰：「成都有桑八百株，薄田十五頃，子孫衣食，悉仰於家，自有餘饒。至於臣在外任，無別調度，隨身衣食，悉仰於官，不別治生，以長尺寸。若臣死之日，不使內有餘帛，外有贏財，以負陛下。」及卒，如其所言。夫廉不過人臣之一節，而《左氏》稱之為忠，孔明以為無負者，誠以人臣之欺君誤國，必自其貪於貨賂也。夫居尊席腆，潤屋華身，亦人之常分爾，豈知高后降之弗祥，民人生其怨詛，其究也，乃與國而同敗邪！誠知夫大臣家事之豐約，關於政化之隆污，則可以審擇相之方，而亦得富民之道矣。

杜黃裳，元和之名相，而以富厚蒙譏。盧懷慎，開元之庸臣，而以清貧見獎。是故「貧則觀其所不取」，此卜相之要言。4

3 孔穎達：《左傳正義》卷四十三，（臺北，藝文印書館，一九九三年）頁七五〇。

4 黃汝成：《日知錄集釋》卷十三，（上海古籍出版社，二〇〇六年）頁七八三。

《禮記・禮運》以爲，大臣如能謹守法度，小臣自然能夠廉潔自持，不敢妄作非爲，進而方足以使官職有序，君臣相互砥礪，以至於正道。故國家能有正直不貪之大臣，上可以匡君之非，下可以爲百官之表率。苟能如此，是國家之福也。然而大臣立朝，雖動見觀瞻，其爲眞爲僞，尤需察其行事，論其終始，勿以一時之毀譽，而輕率評定之也。故《漢書・王吉傳》記王吉世名清廉，「好車馬衣服，其自奉極爲鮮明，而亡金銀錦繡之物，及遷徙去處，所載不過囊衣，不畜積餘財。去位家居，亦布衣疏食，天下服其廉而怪其奢，故俗傳『王陽能作黃金』」[5]，王吉字子陽，世人以其無所求取，不營產業而車服鮮明，故相傳其自作黃金以給日用也。又《史記・平津侯列傳》記公孫弘位至丞相，而衣僅布被，食不重肉，汲黯以爲「公孫弘位在三公，奉祿甚多，然爲布被，此詐也」[6]，而天子以爲公孫弘乃行爲謙讓，愈益厚之。故亭林先生以爲，對大臣之觀察，宜有始有終，察其一生之行事，方不易爲一時之見所欺矇也。

《左傳》襄公五年，記魯大臣季文子（季孫行父）之卒，入斂之際，魯襄公親臨視斂，見季文子之家臣，以家中器皿爲葬具，文子之妾，無衣錦帛者，其家中之馬，皆食草料，無食米粟者，而文子家中，未藏金玉，家中用具，且無雙份重複者，由是可以知道，季文子嘗輔相宣公、成公、襄公三君，達三十四年之久，而家無私藏積蓄，誠可謂之爲忠心輔國之大臣矣。[7]

《三國志・諸葛亮傳》，記亮將出師北伐，上表後主，以爲成都有桑八百株，薄田十五頃，子孫衣食，悉仰於家，自有餘饒，以及不使內有餘帛，外有贏財，以負陛下等等。皆足以彰明其廉潔而不貪於貨賂也。[8]

《尚書・盤庚中》記殷帝盤庚遷移都城，自奄（山東曲阜）至於殷（河南安陽），以避水患，告誡大臣之言云：「茲予有亂政同位，具乃貝玉，乃祖父乃父丕乃告我高后曰：『作丕刑于朕孫。』廸高后丕乃崇降弗祥。」[9]指盤庚之意，謂其時有在位之大臣，散播浮言，擾亂行政，不願遷都，實乃由於彼等家中聚集珍寶珠玉，如此，則彼等之祖先，必將告知我先王，拋棄汝等，可用重刑加以處置。於是，我先王勢必對此等大臣，施以重刑。

亭林先生由前述事例，因而言曰：「誠知夫大臣家事之豐約，關於政化之隆污，則可以審擇相之方，而亦得富民之道矣。」天子一人在上，宰相輔之，大臣佐之，其關係於施政利民者大矣，故選擇大臣，天子不得不審慎拔擢之也。

4. 論人主中央集權之弊病

5 班固：《漢書》卷七十二，（臺北，鼎文書局，一九九一年）頁三〇六八。
6 司馬遷：《史記》卷一一二，（臺北，鼎文書局，一九九一年）頁二九四九。
7 孔穎達：《左傳正義》卷三十，（臺北，藝文印書館，一九九三年）頁五一五。
8 陳壽：《三國志》卷三十五，（臺北，鼎文書局，一九九一年）頁九二七。
9 孔穎達：《尚書正義》卷九，（臺北，藝文印書館，一九九三年）頁一三二。

顧亭林《日知錄》卷八〈法制〉條云：

宋葉適言：「國家因唐、五代之極弊，收斂藩鎮之權，盡歸於上，一兵之籍，一財之源，一地之守，皆人主自為之也。欲專大利而無受其大害，遂廢人而用法，廢官而用吏，禁防纖悉，特與古異，而威柄最為不分。雖然，豈有是哉！故人才衰乏，外削中弱，以天下之大而畏人，是一代之法度又有以使之矣。」

又云：

百年之憂，一朝之患，皆上所獨當，而其害如之何？此夷狄所以憑陵而莫禦，讎恥所以最甚而莫報也。」10

考殘唐五代之時，後梁、後唐、後晉、後漢、後周，諸國相繼競立，爭奪不已，及至後周世宗末年，趙匡胤本爲殿前都檢點，乃藉陳橋兵變，得以黃袍加身，建立大宋，稱號太祖，太祖即位之後，採取杯酒釋兵權之策略，令領軍大帥，盡皆放歸田里，而實施強幹弱枝，中央集權之制，是以宋代三百年間，鮮少內亂，然而，兵權集中朝廷，而外敵漸強，遼、金、西夏等國，時復寇邊，一旦有警，而各地「人才衰乏，外削中弱」，外患鐵騎，長驅直入，侵害京城，而勤王之師罕至，故葉適以爲，「以天下之大而畏人，是一代法度又有以使之矣」，「此夷狄所以憑陵而莫禦，讎恥所以最甚而莫報也」。

《日知錄》卷九〈藩鎮〉條亦云：

> 真宗咸平三年，濮州盜夜入城，略知州王守信、監軍王昭度。於是知黃州王禹偁上言：「《易》曰『王公設險，以守其國』。自五季亂離，各據城壘，豆分瓜剖七十餘年。太祖、太宗削平僭偽，天下一家。當時議者乃令江淮諸郡，毀城隍，收兵甲，撤武備。書生領州，大郡給二十人，小郡十五人，以充常從。號曰長吏，實同旅人，名為郡城，蕩若平地。雖則尊京師而抑郡縣，為強幹弱枝之計，亦匪得其中道也。

又云：

> 文天祥言：「本朝懲五季之亂，削除藩鎮，一時雖足以矯尾大之弊，然國以寖弱，故敵

10 黃汝成：《日知錄集釋》卷八，（上海古籍出版社，二〇〇六年）頁四八八。

至一州則一州破，至一縣則一縣殘。今宜分境內為四鎮，使其地大力眾，足以抗敵，約日齊奮，有進無退。彼備多力分，疲於奔命，而吾民之豪傑者又伺間出於其中，則敵不難卻也。」

又云：

嗚呼！人徒見藝祖罷節度，為宋百年之利，而不知奪州縣之兵與財，其害至於數百年而未已也。11

國家不能缺乏武力，武力之運用，則關係於君主所制定之策略，若君主擔憂軍人干政，各擁重兵，尾大不掉，自當設法，建立制度，使軍力強盛，而爲國所用，否則，如爲畏懼重蹈唐代藩鎮割據，而過爲強枝弱枝之策，兵權集中於京師，廣收郡縣兵甲，多撤武備，致使天下削弱，無力拱衛京師，內雖無亂，一旦外敵侵陵，遂成殘破之局，而不可收拾，文丞相身當南宋末年，元人南侵，北宋開國時種種策略之弊病，至是一一顯現，文丞相親身感受，故建言當時境內，宜分爲四鎮，各擁重兵，使其地大力衆，足以抗敵，而軍民豪傑，出於其中，相約激奮，有進無退，則外敵可卻，而國家可安，惜乎文丞相之言，宋室君主，未能及早省悟及此也！故亭林先生亦感歎言，宋太祖罷諸將兵權之事，策略一誤，「其害至於數百年而未已也」。

㈡臣道

5.整頓政風以貴廉為首要

顧亭林《日知錄》卷十二〈貴廉〉條云：

漢元帝時，貢禹上言：「孝文皇帝時，貴廉潔，賤貪污，賈人贅婿及吏坐贓者皆禁錮，不得為吏。賞善罰惡，不阿親戚。罪白者伏其誅，疑者以與民，亡贖罪之法。故令行禁止，海內大化。天下斷獄四百，與刑錯亡異。武帝始臨天下，尊賢用士，闢地廣境數千里，自見功大威行，遂從者欲。用度不足，乃行一切之變，使犯法者贖罪，入穀者補吏，是以天下奢侈，官亂民貧，盜賊並起，亡命者眾。郡國恐伏其誅，則擇便巧史書，習於計簿、能欺上府者，以為右職。姦軌不勝，則取勇猛能操切百姓者，以苛暴威服下者，使居大位。故亡義而有財者顯於世，欺謾而善書者尊於朝，誖逆而勇猛者貴於官。故俗

11 黃汝成：《日知錄集釋》卷九，（上海古籍出版社，二〇〇六年）頁五五九。

> 皆曰：『何以孝弟為，財多而光榮。何以禮義為，史書而仕宦。何以謹慎為，勇猛而臨官。』故黥劓而髡鉗者，猶復攘臂為政於世。行雖犬彘，家富勢足，目指氣使，是為賢耳。故謂居官而置富者為雄傑，處姦而得利者為壯士。兄勸其弟，父勉其子，俗之敗壞，乃至於是。察其所以然者，皆以犯法得贖罪，求士不得真賢，相守崇財利，誅不行之所致也。今欲興至治，致太平，宜除贖罪之法。相守選舉不以實及贓者，輒行其誅，亡但免官。則爭盡力為善，貴孝弟，賤賈人，進真賢，舉實廉，而天下治矣。」嗚呼，今日之變有甚於此！自神宗以來，黷貨之風，日甚一日，國維不張，而人心大壞，數十年於此矣。《書》曰：「不肩好貨，敢恭生生。鞠人謀人之保居，敘欽。」必如是，而後可以立太平之本。
>
> 禹又欲令「近臣自諸曹、侍中以上，家亡得私販賣，與民爭利，犯者輒免官削爵，不得仕宦」。此議今亦可行。自萬曆以後，天下水利、碾磑、場渡、市集無不屬之豪紳，相沿以為常事矣。[12]

貢禹論政，以爲漢文帝時，「貴廉潔，賤貪污」，凡犯罪收贓者，皆禁錮之，不准爲吏，「賞善罰惡，不阿親戚」，故令出必行，「海內大化」。至漢武帝時，因開疆闢土，用度大增，乃行權變之法，使犯法者可以入錢贖罪，獻穀者可以因而爲吏，遂使天下風氣，習爲奢靡，以致

「官亂民貧，盜賊並起」，郡國地方，習爲欺瞞，遂使巧僞苛虐之徒，得居上位，故習俗敗壞，推原其初，皆犯法得以贖罪，上下欺詐，所以致之也，故貢禹以爲，「今欲興至治，致太平，宜除贖罪之法」，「進眞賢，舉實廉，而天下治矣」[13]。亭林先生，由是論述明代弊政，以爲「自神宗以來，黷貨之風，日甚一日，國維不張，而人心大壞，數十年於此矣」，亭林先生，蓋不得不沉痛言之也。

貢禹論政，又欲令官宦之家，不得私相販賣，與民爭利，亭林先生亦引之以論明代弊政，以爲「自（神宗）萬曆以後，天下水利、碾磑、場渡、市集，無不屬之豪紳，相沿以爲常事」，而百姓生活，益加艱苦，民心離散，益發快速，流寇四起，邊徼多事，天下事遂不可爲矣。

6.吏治以官員戒貪為根本

顧亭林《日知錄》卷十三〈除貪〉條云：

> 漢時贓罪被劾，或死獄中，或道自殺。唐時贓吏多於朝堂決殺，其特宥者乃長流嶺南。

12 黃汝成：《日知錄集釋》卷十三，（上海古籍出版社，二〇〇六年）頁七九〇。
13 班固：《漢書》卷七十二，（臺北，鼎文書局，一九九一年）頁三〇七一。

> 睿宗太極元年四月制：「官典：主司枉法，贓一匹已上，並先決一百。」而改元及南郊赦文，每曰：「大辟罪已下，已發覺未發覺，已結正未結正，繫囚見徒，罪無輕重，咸赦除之。官典犯贓，不在此限。」然猶有左降遐方，謫官蠻徼者，而盧懷慎重以為言，謂「屈法惠姦」，非正本塞源之術。是知亂政同位，商后「作其丕刑」；貪以敗官，《夏書》訓之必殺。三代之王，罔不由此道者矣。
>
> 宋初，郡縣吏承五季之習，黷貨厲民，故尤嚴貪墨之罪。開寶三年，董元吉守英州，受贓七十餘萬，「帝以嶺表初平，欲懲掊克之吏，特詔棄市」。而南郊大赦，十惡、故劫殺及官吏受贓者不原。史言宋法有可以得循吏者三，而不赦犯贓其一也。天聖以後，士大夫皆知飾簠簋而厲廉隅，蓋上有以勸之矣。于文定謂：「本朝姑息之政甚於宋世，敗軍之將，可以不死，贓吏巨萬，僅得罷官，而小小刑名反有凝脂之密，是輕重胥失之矣。」蓋自永樂時，贓吏謫令戍邊，宣德中改為運磚納米贖罪，寖至於寬，而不復究前朝之法也。嗚呼，法不立，誅不必，而欲為吏者之毋貪，不可得也。人主既委其太阿之柄，而其所謂大臣者皆刀筆筐篋之徒，毛舉細故，以當天下之務，吏治何由而善哉？[14]

漢代法規較嚴，其犯貪贓罪被劾，處分嚴厲。唐時執法亦嚴，凡官員貪贓者，多不在赦除之例，《舊唐書．盧懷慎傳》，仍謂如惠及姦佞，非斷除貪官根本之計。《尚書．盤庚中》，商君盤庚斥貪贓之官，謂其祖其父亦當嚴予斥責而加罰重刑。《左傳》昭公十四年，引《夏書》之言，凡貪贖財貨，以敗官常者，則必誅殺無赦。宋代初年，因郡縣官吏承於五代舊習，貪黷害民，效朝廷懲治貪墨之罪，尤爲嚴格，太祖開寶三年，董元吉受贓七十萬，特詔棄市，仁宗天聖年間以後，士大夫尤重廉潔，亦朝廷倡導之效也。馴至明代，法網漸寬，自成祖永樂年間，有官吏受贓，僅令戍邊者，至宣宗宣德年間，官吏受贓，有改爲以運磚納米贖罪者，而官吏貪瀆之風益盛矣。法令之鬆，貪瀆之害，隨時代而益多，故亭林先生因而歎息，「法不立，誅不必，而欲爲吏者之毋貪，不可得也」，而所謂朝廷大臣，僅能毛舉政務細故，吏治豈能不壞？〈除貪〉條又云：

> 《金史》：大定十二年，咸平尹石抹阿沒剌以贓死於獄，上謂：「其不尸諸市，已為厚幸。貧窮而為盜賊，蓋不得已。三品職官以贓至死，愚亦甚矣。其諸子皆可除名。」夫以贓吏而錮及其子，似非惡惡止其身之義。然貪人敗類，其子必無廉清，則世宗之詔亦未為過。《漢書》言李固、杜喬朋心合力，致主文、宣，而孝桓即位之詔有曰：「贓吏子孫，不得詳舉。」豈非漢人已行之事乎？

14 黃汝成：《日知錄集釋》卷十三，（上海古籍出版社，二〇〇六年）頁七八五。

朱子謂：「近世流俗，惑於陰德之論，多以縱舍有罪為仁。」此猶人主之以行赦為仁也。孫叔敖斷兩頭蛇而位至楚相，亦豈非陰德之報邪？

唐柳氏家法：「居官不奏祥瑞，不度僧道，不貸贓吏法。」此今日士大夫居官者之法也。

宋包拯戒子孫：「有犯贓者，不得歸本家，死不得葬大塋。」[15] 此今日士大夫教子孫者之法也。

金世宗大定十二年，咸平尹石抹阿沒剌，因貪贓罪死於獄中，世宗令「其諸子皆可除名」，是以官吏貪瀆而罪及其子孫，「似非惡惡止其身之義」，然在朝爲官者，眞爲其子孫計者，亦宜引以爲戒，是則「錮及其子」，亦防預貪瀆之一法耳，不止金人，其在漢桓帝時，亦已行此令矣。

朱子謂近世流俗，有惑於陰德之說，以不殺生、不誅罪爲有仁心者，亭林先生以孫叔敖殺兩頭蛇，而仍然位至楚國宰相，加以駁斥。亭林先生又引唐人柳玭〈序訓〉之言，以居官不奏祥瑞以取悅天子，不度僧道以惑於迷信，不寬罰貪贓之吏爲家法，指其爲「今日士大夫居官者之法」，又引宋代包拯告戒子孫之言，「有犯贓者，不得歸本家，死不得葬大塋」，指其爲「今日士大夫教子孫之法」，要之，爲官戒貪，乃士大夫立身第一要務，亦國家吏治清明之根本要圖也。

7.御史宜任用通經守正之士

顧亭林《日知錄》卷十七〈通經爲吏〉條云：

漢武帝從公孫弘之議，下至郡太守卒史，皆用通一藝以上者。唐高宗總章初，詔諸司令史，考滿者限試一經。昔王粲作〈儒吏論〉，以為「先王博陳其教，輔和民性，使刀筆之吏皆服雅訓，竹帛之儒亦通文法。」故漢文翁為蜀郡守，「選郡縣小吏開敏有材者張叔等十餘人，親自飭厲，遣詣京師，受業博士」。後漢欒巴為桂陽太守，「雖幹吏卑末，皆課令習讀，程試殿最，隨能升授」。吳顧邵為豫章太守，「小吏資質佳者，輒令就學，擇其先進，擢置右職」。而梁任昉有〈厲吏人講學〉詩。然則昔之為吏者，皆曾執經問業之徒，心術正而名節修，其舞文以害政者寡矣。

東京之盛，「自期門羽林之士，悉念通《孝經章句》」。貞觀之時，「自屯營飛騎，亦給博士，使授以經。有能通經者，聽得貢舉」。「小人學道則易使也」，豈不然乎？

又云：

15 脫脫：《宋史》卷三一六，（北京，中華書局，一九八五年）頁一〇三一八。

> 永樂七年，車駕在北京，命兵部尚書署吏部事方賓，簡南京御史之才者召來，賓奏御史張循理等二十八人可用。上問其出身，賓言循理等二十四人繇進士、監生，洪秉等四人由吏。上曰：「用人雖不專一途，然御史、國之司直，必有學識，達治體，廉正不阿，乃可任之。若刀筆吏，知利不知義，知刻薄不知大體，用之任風紀，使人輕視朝廷。」遂黜秉等為序班，諭自今御史勿復用吏。流品自此分矣。[16]

經爲常道，可以指示人生正確之方向，研習其義，可以使人心術純正，名節自勵，故自漢武帝從公孫弘之議，爲郡吏者，率皆用通曉一藝以上者，故史籍所載，前漢文翁爲蜀郡守[17]，後漢欒巴爲桂陽太守[18]，吳顧邵爲豫章太守[19]，皆鼓勵官吏勤習經義，而得「心術正而名節修」之效。東漢儒學之盛，唐太宗貞觀圖治之時，皆莫不如是也。

明成祖永樂七年（一四〇九），天子命兵部尚書署吏部主事方賓，簡選南京人材可用爲御史者，亦特詔「御史，國之司直，必有學識，達治體，廉正不阿，乃可任之」，故御史一職，尤需以通經守正之士爲之，方能自正而後正人，朝廷方得盛傳切直之聲也。

8.御史言事當充分授權

顧亭林《日知錄之餘》卷四〈風聞言事〉條云：

《宋史．陳次升傳》：「為左司諫。宣仁有追廢之議，次升密言：『先太后保佑聖躬，始終無間，願勿聽小人銷骨之謗。』帝曰：『卿安所聞？』對曰：『臣職許風聞，陛下毋詰其所從來可也。』」

《彭汝礪傳》：「為監察御史裏行，論俞充諂中人王中正，至使妻拜之，神宗為罷充。詰其語所從，汝礪曰：『如此，非所廣聰明也。』卒不奉詔。」[20]

《周禮．春官．御史》云：「掌邦國都鄙及萬民之治令，以贊冢宰。」此非後世之御史。後世御史，乃漢因秦制，設爲御史大夫，位列三公，其屬有御史中丞，掌圖籍秘書，兼司糾察，所居之署，稱爲御史府，自漢代以後，或稱卸史臺。宋哲宗時，御史陳次升奏事，帝問何所得聞，次升答以「臣職許風聞，陛下毋詰其所從來可也」，神宗時，御史彭汝勵奏事，帝問何所從來，汝礪答以「如此，非所廣聰明也」，卒不奉詔。《宋史》所記二事，正以見御史在朝，得以大

16 黃汝成：《日知錄集釋》卷十七，（上海古籍出版社，二〇〇六年）頁一〇一九。

17 班固：《漢書》卷八十九，（臺北，鼎文書局，一九九一年）頁三六二五。

18 范曄：《後漢書》卷五十七，（臺北，鼎文書局，一九九一年）頁一八四一。

19 陳壽：《三國志》卷五十二，（臺北，鼎文書局，一九九一年）頁一二二九。

20 黃汝成：《日知錄集釋》，（上海古籍出版社，二〇〇六年）頁二〇〇七。

膽言事，勇於進諫，君主得此，始能兼聽聰明，得聞已過，而救正訛謬，所以特許御史得以放言高論，而不至於有所顧忌也，究其緣由，亦在天子之能充分授權而已。

㈢人才

9.拔擢人才宜用其所長

顧亭林《日知錄》卷九〈人材〉條云：

> 宋葉適言：「法令日繁，治具日密，禁防束縛至不可動，而人之智慮自不能出於繩約之內，故人材亦以不振。」今與人稍談及度外之事，輒搖手而不敢為。夫以漢之能盡人材，陳湯猶扼腕於文墨吏，而況於今日乎？宜乎豪傑之士無以自奮而同歸於庸懦也。使枚乘、相如而習今日之經義，則必不能發其文章；使管仲、孫武而讀今日之科條，則必不能運其權略。故法令者，敗壞人材之具。以防姦宄而得之者什三，以沮豪傑而失之者常什七矣。[21]

又〈保舉〉條云：

《宋史》：元祐初，司馬光為相，奏曰：「為政得人則治，然人之才或長於此而短於彼，雖皋、夔、稷、契，各守一官，中人安可求備？故孔門以四科取士，漢室以數路得人。若指瑕掩善，則朝無可用之人；苟隨器授任，則世無可棄之士。臣備位宰相，職當選官，而識短見狹。士有恬退滯淹，或孤寒遺逸，豈能周知？若專引知識則嫌於私，若止循資序未必皆才，莫若使有位達官各舉所知，然後克叶至公，野無遺賢矣。欲乞朝廷設十科舉士。一曰行義純固、可為師表科，二曰節操方正、可備獻納科，三曰智勇過人、可備將帥科，四曰公正聰明、可備監司科，五曰經術精通、可備講讀科，六曰學問該博、可備顧問科，七曰文章典麗、可備著述科，八曰善聽獄訟、盡公得實科，九曰善治財賦，公私俱便科，十曰練習法令、能斷請讞科。應職事官自尚書至給、舍、諫議，寄祿官自開府儀同三司至大中大夫，職自觀文殿學士至待制，每歲須於十科內舉三人，仍具狀保任，中書置籍記之。異時有事須材，即執政案籍，視其所嘗被舉科格，隨事試之，有勞又著之籍，內外官闕，取嘗試有效者隨科授職。所賜誥命仍備所舉官姓名，其人任官無狀，坐以謬舉之罪。所貴人人重慎，所舉得才。」[22]

---

21 黃汝成：《日知錄集釋》卷九，（上海古籍出版社，二〇〇六年）頁五一八。
22 黃汝成：《日知錄集釋》卷九，（上海古籍出版社，二〇〇六年）頁五一九。

治國以人才爲本，人才不世出，又或沉埋於庸吏之下，而無特選拔擢之人，或囿於法令規章，而銷磨於陋習之間，「宜乎豪傑之士無以自奮而同歸於庸儒」，「故法令者，敗壞人材之具」也。

宋哲宗時，司馬光爲宰相，深知「爲政得人則治，然人之才或長於此而短於彼」，乃奏請天子，設十科舉士，由在朝大臣，每年各舉薦三人，皆具狀保任，以昭公信，如此各自用其所長，朝廷果能採行其法，則國家有可用之人，而舉世無可棄之士矣，平治天下，何患無人才哉！

10. 教育學子宜採文武合一之制

顧亭林《日知錄》卷十七〈武學〉條云：

《山堂考索》言：「武學置於慶曆三年，阮逸為武學諭。未幾省去，熙寧復置，選知兵書者判武學，置直講如國子監。靖康之變，不聞武學有禦侮者。」國朝正統六年五月，從成國公朱勇等奏，以兩京多勳衛子弟，乃立武學，設教授、訓導，如京府儒學之制。已而武生漸多，常至欺公撓法。正德中，錢寧已嗾武學生朱大周上疏劾楊一清矣。崇禎四年，南京武學生吳國麟等毆御史郭維，經掌都察院張延登奏黜。是則不惟不收其用，而反貽之害矣。

《太祖實錄》：「洪武二十年七月，禮部請如前代故事，立武學，用武舉，仍祀太公，建昭烈武成王廟。上曰：『太公，周之臣，若以王祀之，則與周天子並矣，加之非號，必不享也。至於建武學，用武舉，是分文、武為二途，輕天下無全才矣。古之學者，文武皆備，故措之於用，無所不宜，豈謂文武異科，各求專習者乎？太公但從祀帝王廟，去武成王號，罷其舊廟。』於是勳戚子孫襲爵者，習禮肄業於國子監；被選尚主者，用儀制主事一人教習。」文事武備統歸於一，嗚呼純矣！

又云：

因勳衛子弟，不得已而立武學，仍宜以孔子為先師。如前代國學祀周公，唐開元改為孔子。周公尚不祀於學，而況太公乎？成化五年，掌武學國子監監丞閻禹錫言：「古者廟必有學，受成獻馘於中，欲其先禮義而後勇力也。今本學見有空堂數楹，乞敕所司，改為文廟。」可謂得禮之意。[23]

---

23 黃汝成：《日知錄集釋》卷十七，（上海古籍出版社，二〇〇六年）頁一〇一五。

宋代章如愚所纂《山堂考索》，曾記載宋仁宗慶曆三年（一六四三），阮逸爲武學諭，朝廷因置武學，未幾省去，神宗熙寧年間，復置武學，用以取士，培育武學人才，然而欽宗靖康年間，金人南下，虜徽宗、欽宗二帝北去，未嘗有武學之士，起而禦侮者。明英宗正統六年（一四四一），又立武學，設教授、訓導，如京師儒學之制，其時武生漸多，常有違法之行。明武宗正德年間，武學生已有上疏彈劾大臣之舉，思宗崇禎四年（一六三一），又有武學生毆御史事，是習武學生，本冀其捍衛疆土，至是反有受其害者。

明代《太祖實錄》記載，洪武二十年（一三八七），禮部請立武學，仍祀姜太公，建昭烈武成王廟，而太祖以爲，姜太公爲周武王之大臣，若祀之以王，則是與天子並立，一無分別，乃敕姜太公宜去王號，僅宜從祀於帝王廟中。至於另立武學，是有別於國子監，而分文武爲二途，有違自古文武合一教育之目的，故敕令文事武備，宜統歸於一也。

亭林先生以爲，昔孔子教育弟子，必以六藝，禮樂射御書數，不僅有文學之科，亦有武備之目，文武合一，自古而然，故凡言學校，不宜更分文武，「仍宜以孔子爲先師」也。

㈣社會

11. 爲政當偵察邪惡以安善良

顧亭林《日知錄》卷十二〈訪惡〉條云：

「尹翁歸為右扶風，縣縣收取黠吏豪民，案致其罪，高至於死。收取人必於秋冬課吏大會中，及出行縣，不以無事時。其有所取也，以一警百，吏民皆服，恐懼，改行自新。」所謂收取人，即今巡按御史之訪察惡人也。武斷之豪，舞文之吏，主訟之師，皆得而訪察之。及乎濁亂之時，遂借此為罔民之事。矯其敝者乃並訪察而停之，無異因噎而廢食矣。

《傳》曰：「子產問政於然明。對曰：『親民如子，見不仁者誅之，如鷹鸇之逐鳥雀也。』」是故誅不仁所以子其民也。

《說苑》：「董安于治晉陽，問政於蹇老。蹇老曰：『曰忠、曰信、曰敢。』董安于曰：『安忠乎？』曰：『忠於主。』曰：『安信乎？』曰：『信於令。』曰：『安敢乎？』曰：『敢於不善人。』董安于曰：」此三者足矣。』」

《鹽鐵論》曰：「水有猵狙池魚勞，國有強禦齊民消。」24

24 黃汝成：《日知錄集釋》卷十二，（上海古籍出版社，二〇〇六年）頁七二二。

考《漢書》卷七十六，記尹翁歸爲東海太守，賢能明察，郡中吏民賢不肖，及姦邪罪名盡知之，「縣縣收取黠吏豪民，案致其罪，高至於死，收取人必於秋冬課吏大會中，及出行縣，不以無事時。其有所取也，以一警百，吏民皆服，恐懼，改行自新」[25]，亭林先生以爲，「所謂收取人，即今巡按御史之訪察惡人也」，亦即設置專官，以偵查地方邪惡之人，所以安良民、撫百姓也，且不僅地方莠民，且凡「武斷之豪，舞文之吏，主訟之師，皆得而訪察之」，其所以爲害善良百姓者，皆得而偵察收捕，以維護社會治安，優良風氣，所以爲善政也。

《左傳》襄公二十五年，記子產問政於然明，然明對曰：「視民如子，見不仁者誅之，如鷹鸇之逐鳥雀也。」[26]故亭林先生以爲，賢人爲政，當勇於盡責，誅不仁者，即所以子愛善良之百姓也。

《說苑》記董安于問政於蹇老，蹇老答以忠於明主，信於百姓，勇於擒捕邪惡之徒，能行此三者，足以爲賢大夫也。

12.為政當重視社會輿論

顧亭林《日知錄》卷十三〈清議〉條云：

古之哲王所以正百辟者，既已制官刑儆於有位矣，而又為之立閭師，設鄉校，存清議於

> 州里，以佐刑罰之窮。「移之郊遂」，載在《禮經》；「殊厥井疆」，稱於《畢命》。兩漢以來，猶循此制，鄉舉里選，必先考其生平，一玷清議，終身不齒。君子有懷刑之懼，小人存恥格之風。教成於下而上不嚴，論定於鄉而民不犯。降及魏、晉，而九品中正之設，雖多失實，遺意未亡。凡被糾彈付清議者，即廢棄終身，同之禁錮。天下風俗最壞之地，清議尚存，猶足以維持一二。至於清議亡而干戈至矣。[27]

古代帝王，既立百官，各有所司，以導民守法，又爲之設鄉校，立師表，以存清議於州里，《左傳》襄公三十一年記云：「鄭人游于鄉校，以論執政，然明謂子產曰：『毀鄉校如何？』子產曰：『何爲？夫人朝夕退而游焉，以議執政之善否，其所善者，吾則行之，其所惡者，吾則改之，是吾師也，若之何毀之？我聞忠善以損怨，不聞作威以防怨，豈不遽止，然猶防川，大決所犯，傷人必多，吾不克救也，不如小決使道，不如吾聞而藥之也。』然明曰：『蔑也，今而後知吾子之信可事也，小人實不才，若果行此，其鄭國實賴之，豈唯二三臣。』仲尼聞是語也，

25 班固：《漢書》卷七十六，（臺北，鼎文書局，一九九一年）頁三二〇六。
26 孔穎達：《左傳正義》卷三十六，（臺北，藝文印書館，一九九三年）頁六二五。
27 黃汝成：《日知錄集釋》卷十三，（上海古籍出版社，二〇〇六年）頁七六四。

曰：『以是觀之，人謂子產不仁，吾不信也。』」[28]子產不毀鄉校，即保存社會清議之意也。《禮記．王制》云：「命鄉簡不帥教者以告，耆老皆朝于庠，元日習射上功，習鄉上齒，大司徒帥國之俊士與執事焉，不變，命國之右鄉簡不帥教者移之左，命國之左鄉簡不帥教者簡之右，右，如初禮。不變，移之郊，如初禮。不變，移之遂，如初禮。不變，屏之遠方，終身不齒。」[29]以司徒主持民眾教化，與鄉里之耆老集於學校，以教國家士人，務使接受教化，學習禮儀，如未能受教遷化，則依次移往他鄉、移往遠郊、移往遠遂、移往遠方，藉環境改變而增進禮儀，如仍不能遷化，則終身不予錄用。《尚書．畢命》記康王策命畢公之言云：「往哉！旌別淑慝，表厥宅里，彰善癉惡，樹之風聲，弗率訓典，殊厥井疆，俾克畏慕。」[30]亦期望畢公彰別善惡，樹立良好風氣，如有不循教化之徒，則變更其里居田界，使之能敬畏改過。所記古代教化，拔擢人員，必先考察其生平，如有社會評論不善，則終身難望登進仕途，兩漢魏晉，亦多存此義，蓋國家由此重輿論而舉人才也。

亭林先生由是以爲，「天下風俗最壞之地，清議尚存，猶足以維持一二。至於清議亡而干戈至矣」，蓋以其國家社會，民眾輿論，尚可以自由抒發，是非曲折，因而也漸有公議，則人心士風，尚可挽救，冀其恢復，否則，士噤於言，民杜其口，以至是非顛倒，黑白無別，則倫紀亡而國家危矣。

13.不宜禁止民間私有兵器

顧亭林《日知錄》卷十二〈禁兵器〉條云：

王莽始建國二年，「禁民不得挾弩鎧，徙西海」。隋煬帝大業五年，「制民間鐵叉、搭鉤、鑽刃之類皆禁絕之」，尋而海內兵興，隕身失國。元世祖至元二十三年二月己亥，「敕中外，凡漢民持鐵尺、手檛及杖之〔藏〕刃者，悉輸於官」。六月戊申，「括諸路馬，凡色目人有馬者三取其二，漢民悉入官」。二十六年十二月辛巳，「括天下馬，一品、二品官許乘五匹，三品三匹，四品、五品二匹，六品以下皆一匹」。順帝至元三年四月癸酉，「禁漢人、南人、高麗人不得執持軍器，凡有馬者拘入官」。已而羣盜充斥，攻陷城邑。至正十七年正月辛卯，「命山東分省團結義兵，每州添設判官一員，每縣添設主簿一員，專率義兵以事守禦」。故劉文成有詩曰：「他時重禁藏矛戟，今日呼令習鼓鼙。」嗚呼，「予視天下愚夫愚婦一能勝予」，古之聖王則既已言之矣。

28 孔穎達：《左傳正義》卷四十，（臺北，藝文印書館，一九九三年）頁六八八。
29 孔穎達：《禮記正義》卷十三，（臺北，藝文印書館，一九九三年）頁二五六。
30 孔穎達：《尚書正義》卷十九，（臺北，藝文印書館，一九九三年）頁二九〇。

> 漢武帝時，公孫弘奏言：「禁民毋得挾弓弩。」吾丘壽王難之，以為「聖王務教化而省禁防。今陛下昭明德，建太平，宇內日化，方外鄉風。然而盜賊猶有者，郡國二千石之罪，非挾弓弩之過也。」誠能明教化之原，而帥之以為善保家之道，則「家有鶴膝，戶有犀渠」，適足以誇國俗之強，而不至導民以不祥之器矣。[31]

民間可否私備兵器，乃自古即有之爭論，王莽、隋陽帝、元世祖、元順帝等，禁止民間攜帶武器，意在防民之反叛，不僅禁止兵器，甚且馬匹可為攻戰之用，亦加禁止其使用之數目，以防盜賊之興起。《漢書》卷六十四〈吾丘壽王傳〉記述，漢武帝時，丞相公孫弘奏言，「民不得挾弓弩」，而吾丘壽王難之，以爲「聖王務教化而省禁防」，「今陛下昭明德，建太平，舉俊材，興學官」，「宇內日化，方外鄉風，然而盜賊猶有者，郡國二千石之罪，非挾弓弩之過也」[32]，故亭林先生以爲，國家宜專務根本之計，「誠能明教化之原，而帥之以爲善保家之道」，則即使「家有鶴膝（矛也），戶有犀渠（楯也）」，也足以爲國家強盛之象徵，而不致爲社稷之害也。

14.老人司理其鄉之訴訟

顧亭林《日知錄之餘》卷四〈老人〉條云：

《實錄》：「洪武二十七年四月壬午，命民間高年老人理其鄉之訟詞。先是，州縣小民多因小忿輒興獄訟，越訴於京，及逮問，多不實。上於是嚴越訴之禁，命有司擇民間耆民公正可任事者，俾聽其鄉訴訟。若戶婚、田宅、鬬毆，則會里胥決之，事涉重者始白於官。且給教民榜，使守而行之。」[33]

《明太祖實錄》於洪武二十七年（一三九四）記述，「命民間高年老人理其鄉之訟詞」，蓋由其先州縣小民，多因小事小忿，輒興獄訟，甚至越州越郡，而上訴京師，及官吏逮問，又多不實之詞，如此，官府既多增員吏處理，民間又多傷財帛糜費，故天子乃命有司選擇各地民間德業俱崇、年歲既長者，出任協調其事，以聽其鄉里之訴訟，化解民間之糾紛，若其涉及重大刑事案件者，始得上白於官府。以傳統社會之敬老尊賢，老人既得貢獻其心力，民間又減少興訟之事件，其用意甚佳，而在民間，又極易行之。故其制度，流傳至今，各地鄉里，皆有協調委員會之設立也。

---

31 黃汝成：《日知錄集釋》卷十二，（上海古籍出版社，二〇〇六年）頁七二五。

32 班固：《漢書》卷六十四，（臺北，鼎文書局，一九九一年）頁二七九四。

33 黃汝成：《日知錄集釋》附錄二，（上海古籍出版社，二〇〇六年）頁二〇一三。

15. 為政宜注意城鄉人口分布

顧亭林《日知錄》卷十二〈人聚〉條云：

太史公言：「漢文帝時，人民樂業。因其欲然，能不擾亂，故百姓遂安。自六七十翁亦未嘗至市井。」劉寵為會稽太守，狗不夜吠，民不見吏，龐眉皓髮之老未嘗識郡朝。史之所稱，其遺風猶可想見。唐自開元全盛之日，姚、宋作相，海內升平。元稹詩云：「戍煙生不見，村豎老猶純。」此唐之所以盛也。至大曆以後，四方多事，賦役繁興，而小民奔走官府，日不暇給。元結作〈時化〉之篇，謂「人民為徵賦所傷，州里化為禍邸」。此唐之所以衰也。予少時見山野之氓，有白首不見官長，安於畎畝，不至城中者。洎於末造，役繁訟多，終歲之功，半在官府，而小民有「家有二頃田，頭枕衙門眠」之諺。已而山有負嵎，林多伏莽，遂舍其田園，徙於城郭。又一變而求名之士，訴枉之人，悉至京師，輦轂之間易於郊坰之路矣，錐刀之末，將盡爭之。五十年來，風俗遂至於此。今將靜百姓之心而改其行，必在制民之產，使之甘其食，美其服，而後教化可行，風俗可善乎？

又云：

人聚於鄉而治，聚於城而亂。聚於鄉則土地闢，田野治，欲民之無恒心，不可得也。聚於城則徭役繁，獄訟多，欲民之有恒心，不可得也。

又云：

欲清輦轂之道，在使民各聚於其鄉始。[34]

人口分布聚散，關係於社會治安之穩定，以至於國家力量之強弱，漢文帝時，施行黃老之道，極少興作，與民休息，故百姓安居，斑白老翁，亦罕至市井，「狗不夜吠，民不見吏」，以官方事少，民衆安祥也。至於唐代，玄宗開元年間，任用賢相姚崇、宋璟，天下大治，及至代宗大曆以後，政治社會，情況丕變，故詩人興詠，亦自不同，而國勢強弱，亦從而可見矣。

中國土地幅員廣大，古代交通不便，故民衆習於安土重遷，樂享生活，而不羨慕繁華，然

34 黃汝成：《日知錄集釋》卷十二，（上海古籍出版社，二〇〇六年）頁七二〇。

而爲政者，亦必使其人民，仰足以事其父母，俯足以畜其妻子，舉家生活，能甘其食物，美其衣服，而後教化易於推行，風俗足致淳厚也。

亭林先生以爲，「人聚於鄉而治，聚於城而亂」，此必然之勢，然而欲使民衆樂於聚集於鄉里，亦必宜使鄉鎭設施，生活便利，近於都邑，則人民自然樂於安享鄉居生活之悠然自在，而離棄都邑之繁囂緊張也。亭林先生以爲，「人聚於鄉而治，聚於城而亂」，「欲清輦轂之道，在使民各聚於其鄉始」，鄉村都邑，人口分布，關係於人民生活之安定，工商分布之得宜，田畝農力之興旺，爲政者不可不措意於斯也。

16. 人口之分布與遷徙

顧亭林《日知錄之餘》卷四〈徙民〉條云：

> 秦始皇二十八年，「徙黔首三萬戶瑯琊臺下」。
>
> 〔三〕十六年，「徙民於北〔河〕、榆中三萬戶」。
>
> 漢高帝五年九月，「徙諸侯於關中」。
>
> 九年十一月，「徙齊、楚大族昭氏、屈氏、景氏、懷氏、田氏五姓關中，與利田宅。初，婁敬〔從〕匈奴來，因言：『匈奴河南白羊、樓煩王去長安近者七百里，輕騎一日一夕

可以至秦中，〔秦中〕新破，少民，地肥饒，可益實。諸侯初起時，非齊諸田，楚屈、昭、景莫與。今陛下雖都關中，實少人，北近胡寇，東有六國強族，一日有變，陛下亦未得安枕而臥也。臣願陛下徙齊諸田，楚昭、屈、景，燕、趙、韓、魏後及豪傑名家，且實關中。無事，可備胡。諸侯有變，亦足率以東伐，此強本弱末之術也。』帝曰：『善。』乃徙劉敬所言關中十萬餘口」。

景帝元年正月，「詔其議民欲徙寬大地者聽之」。

武帝建元二年，「作茂陵邑。三年春，賜徙茂陵者戶錢二十萬，田二頃」。

元朔二年夏，「募民徙朔方十萬戶，又徙郡國豪傑及貲三百萬已上於茂陵。初，主父偃說帝曰：『茂陵初立，天下豪傑兼并之家，亂眾民，皆可徙茂陵，內實京師，外消姦猾，此所謂不誅而害除。』帝從之」。

元狩五年，「徙天下姦猾吏民於邊」。

元鼎六年，「分武威、酒泉地置張掖、敦煌郡，徙民實之」。

崔寔《政論》曰：「古有移人通〔財〕，以贍烝黎。今青、徐、兗、冀，人稠土狹，不足相供。而三輔左右及涼、幽州內附近郡，皆土廣人稀，厥田宜稼，悉不墾發。小人之情，安土重遷，寧就饑餒，無適樂土之慮。民猶羣羊聚畜，須主者牧養處置，置之茂草則肥澤繁息，置之磽〔鹵〕則零丁耗減。是以景帝六年，詔郡國令人得去磽狹、就寬肥。

〔至〕武帝，遂徙關東貧人於隴西、北地、西河、上郡、會稽凡七十二萬五千口，後加徙〔猾〕吏於關內。今宜復遵故事，徙貧人不能自業於寬地。此亦開草闢土，振人〔之〕術也。」

仲長統《昌言》曰：「遠州之縣界至數千。而諸夏有十畝共〔桑〕之迫，遠州有曠野不發之田。代俗安土，有死無去，君長不使，誰能自往緣邊之地？亦可因罪徙人，便以守禦。」

又云：

隋煬帝大業元年，「三月丁未，詔尚書令楊素、納言楊達、將作大匠宇文愷營建東京，徙〔豫〕州郭下居民以實之。又詔徙天下富商大賈數萬家於東京」。

唐武后天授二年七月二十四日，「徙關〔內〕雍、同等七州戶數十萬以實洛陽」。

玄宗開元十六年十月，「敕〔諸〕州客戶有情願屬緣邊州者，至彼給良沃田安置，仍給永年優復，宜令所司即與所管客戶州計會，召取願者，隨其所樂，〔具〕數奏聞」。

洪武二十一年八月，「戶部郎中劉九皋言：『古者狹鄉之民遷於寬鄉，蓋欲地不失利，民有恒業。今河北諸處自兵後田多荒蕪，居民鮮少。山東、西之民自入國朝，生齒日繁，宜令分丁徙居寬閑之地，開種田畝，如此國賦增而民生遂矣。』上諭戶部侍郎楊靖曰：『山東地廣，民不必遷；山西民眾，宜如其言。』於是遷山西澤、潞二州民之無田者往彰德、真定、臨清、歸德、太康諸處閑曠之地，令自便置屯耕種，免其賦役三年，仍戶給鈔二十錠，以備農具」。[35]

亭林先生此條劄記，文字較長，約四五千言，此處僅摘錄其較重要者，所論歷代遷徙人民戶口之事，上起秦始皇，下訖明成祖，依次敘述，時間綿延，達一千六百餘年，文中枚舉史實，討論歷代遷徙人口之目的，約有充實京師、防守邊境、振興農牧、平均人口等原因，至於其遷徙百姓之方法，則有鼓勵自願、獎勵資助、減免租稅、調動犯人等方式。要之，中國幅員廣大，而人口分布，極不平均，東南平原農漁之鄉，人口集中，西北邊疆高原沙漠各地，人煙稀少，為國家發展均平充實之計，歷代皆有大舉遷徙民眾之措施，亭林先生此條，臚列歷史事實，俾後人可以自歷史得失中，吸取教訓，廣獲經驗，以增益治國安民，富庶強盛之策略也。

㈤交通

35 黃汝成：《日知錄集釋》附錄二，（上海古籍出版社，二〇〇六年）頁一九九五。

17. 治國宜注意交通建設

顧亭林《日知錄》卷十二〈街道〉條云：

古之王者，於國中之道路，則有條狼氏滌除道上之狼扈而使之潔清。於郊外之道路，則有野廬氏達之四畿，合方氏達之天下，使之津梁相湊，不得陷絕。而又有遂師以巡其道修，候人以掌其方之道治。至於司險掌九州之圖，以周知其山林川澤之阻，而達其道路。則舟車所至，人力所通，無不蕩蕩平平者矣。晉文之霸也亦曰：「司空以時平易道路。」而道路若塞，川無舟梁，單子以卜陳靈之亡。自天街不正，王路傾危，塗潦遍於郊關，污穢鍾於輦轂。《詩》曰：「周道如砥，其直如矢。君子所履，小人所視。睠言顧之，潸焉出涕。」其今日之謂與？

《說苑》：「楚莊王伐陳，舍於有蕭氏，謂路室之人曰：『巷其不善乎，何溝之不浚也？』」以莊王之霸而留意於一巷之溝，此以知其勤民也。

後唐明宗長興元年正月，宗正少卿李延祚奏請「止絕車牛，不許於天津橋來往」。本朝兩京有街道官，車牛不許入城。[36]

考《周禮・秋官・條狼氏》云：「掌執鞭以趨辟，王出入，則八人夾道，公則六人，侯伯則四人，子男則二人。」[37] 條狼氏之職掌，既以使閒人迴避，以策安全，亦猶清除道路之穢物。《周禮・秋官・野廬氏》云：「掌達國道路，至于四畿，比國郊及野之道路、宿息、井、樹。」又云：「凡道路之舟車轚互者，敘而行之。」[38] 野廬氏之職掌，則是由國都至四境之交通食宿，道路安全，指揮往來車輛，勿使壅塞。《周禮・夏官・合方氏》云：「掌達天下之道路，通其財利，同其數器，壹其度量，除其怨惡，同其好善。」[39] 合方氏之職掌，在管理天下之交通要道，以利流通貨物，統一度量衡，使各諸侯封國之間，消除隔閡，推動優良風氣。《周禮・地官・遂師》云：「各掌其遂之政令戒禁。」又云：「賓客，則巡其道修。」[40] 遂師之職掌，在管理各地之政令戒禁，如有賓客之來，則巡察修整其道路。《周禮・夏官・候人》云：「各掌其方之道治與其禁令。」[41] 候人之職掌，在於管理其地方之道路，以及有關之禁令。《周禮・夏官・司

36 黃汝成：《日知錄集釋》卷十二，（上海古籍出版社，二〇〇六年）頁七一六。
37 賈公彥：《周禮注疏》卷三十七，（臺北，藝文印書館，一九九三年）頁五五六。
38 賈公彥：《周禮注疏》卷三十六，（臺北，藝文印書館，一九九三年）頁五四七。
39 賈公彥：《周禮注疏》卷三十三，（臺北，藝文印書館，一九九三年）頁五〇三。
40 賈公彥：《周禮注疏》卷十五，（臺北，藝文印書館，一九九三年）頁二三五。
41 賈公彥：《周禮注疏》卷三十，（臺北，藝文印書館，一九九三年）頁四六〇。

險》云：「掌九州之圖，以周知其山林、川澤之阻，而達其道路。」[42]司險之職掌，則在管理九州之地圖，從而全面掌握各地山林川澤之險阻情況，以確保交通道路之暢通而無阻。

古代帝王，既深知交通運輸之便捷與否，關係於國家民生與國防之利弊，故無不盡力修築道路，以便往還，《左傳》襄公三十一年記鄭國子產之言云：「僑聞（晉）文公之爲盟主也，宮室卑庳，無觀臺榭，以崇大諸侯之館，館如公寢，庫廄繕修，司空以時平易道路，圬人以時塓館宮室。」[43]晉文公極重親道路之安全暢通，用以維護國際之觀瞻。《國語・周語》記周定王使單襄公聘於陳，歸告於王，以爲陳國道路阻塞，川無舟梁，其國必亡。[44]《詩・小雅・大東》云：「周道如砥，其直如矢。」[45]亦謂大路平直，如砥如矢一般。

亭林先生又引《說苑》，記楚莊王之能稱霸於春秋，其伐陳國，亦留意陳國一巷一溝之不直不浚，而知陳君之不善理其國政，其觀察可謂細微。《史記・秦始皇本紀》，亦記其「車同軌，書同文」，「治馳道」，古今君王，蓋無不於此而措意焉。

18.爲政宜注重地方建設

顧亭林《日知錄》卷十二〈館舍〉條云：

> 讀孫樵〈書褒城驛壁〉，乃知其有沼、有魚、有舟。讀杜子美〈秦州雜詩〉，又知其驛

之有池、有林、有竹。今之驛舍殆於隸人之垣矣。予見天下州之為唐舊治者，其城郭必皆寬廣，街道必皆正直，廨舍之為唐舊創者，其基址必皆弘敞。宋以下所置，時彌近者制彌陋。此又樵記中所謂「州縣皆驛」，而人情之苟且十百於前代矣。今日所以百事皆廢者，正緣國家取州縣之財，纖毫盡歸之於上，而吏與民交困，遂無以為修舉之資。延陵季子避於晉，曰：「吾入其都，新室惡而故室美，新牆卑而故牆高，吾是以知其民力之屈也。」又不獨人情之苟且也。漢制：「官寺鄉亭漏敗，牆垣阤壞不治者，不勝任，先自劾。」古人所以百廢具舉者以此。[46]

今考唐人孫樵，撰有〈書褒成驛壁〉一文，褒城在今陝西省褒城縣西南，文中云，「褒城驛號天下第一」，曾經有池沼可觀，游魚可釣，小舟可乘。杜甫曾撰有〈秦州雜詩二十首〉，秦州

42 賈公彥：《周禮注疏》卷三十，（臺北，藝文印書館，一九九三年）頁四五九。
43 孔穎達：《左傳正義》卷四十，（臺北，藝文印書館，一九九三年）頁六八六。
44 左丘明：《國語》卷二，（臺北，宏業書店，一九八〇年）頁六七。
45 孔穎達：《毛詩正義》卷十三，（臺北，藝文印書館，一九九三年）頁四三七。
46 黃汝成：《日知錄集釋》卷十二，（上海古籍出版社，二〇〇六年）頁七一五。

在今陝西天水附近，其詩第九首詠秦州驛亭，詩中有云，「今日明人眼，臨池好驛亭，叢篁低地碧，高柳半天青」，故知其地曾經有池、有林、有竹。亭林先生藉孫可之文，杜工部詩，用以發端，主要以爲，「予見天下州之爲唐舊治者，其城郭必皆寬廣，街道必皆正直，廨舍之爲唐舊創者，其基址必皆弘敞。宋以下所置，時彌近者制彌陋」，蓋以州郡各地，公家建設，爲斯時國家力量之表現，國力強盛，建築堂皇，國力衰弱，建築簡陋，唐代京城，當年長安，今日西安，城垣街道，猶可窺見其規模雄偉，氣概非凡，故唐代建設，留傳至今者，廣爲後人珍視稱讚，亦以其爲國力雄大之展現也。

實則，亭林先生此條之意，不僅止在稱頌唐代建築之雄偉，其用心尤在追尋當前之衰敝，今不如古之原因，主要在於，「今日所以百事皆廢者，正緣國家取州縣之財，纖毫盡歸於上，而吏與民交困，遂無以爲修舉之資」，晚明財貨盡歸於京師皇室，地方衰弱凋弊，民不聊生，殆至饑荒遍野，流賊四起，而國家危矣，更無論外患之至矣。

《說苑》記吳季札遊晉都，見新屋陋而舊屋美，新牆低而舊牆高，知民力之屈弱，亦見微知著之例也。

漢制記「官寺鄉亭漏敗，牆垣阤壞不治者，不勝任，先自劾」，此所以漢世之強盛，亦有其原因在也。

19. 海道運輸為貨物流通之助

顧亭林《日知錄》卷二十九〈海運〉條云：

《舊唐書・懿宗紀》：「咸通三年，南蠻陷交阯，徵諸道兵赴嶺南。時湘、灕泝運，功役艱難，軍屯廣州，乏食。潤州人陳磻石詣闕上書，言：『江西、湖南泝流運糧，不濟軍師，士卒食盡則散，此宜深慮。臣有奇計，以饋南軍。』天子召見，磻石因奏：『臣弟聽思曾任雷州刺史，家人隨船至福建。往來大船一隻，可致千石。自福建裝船，不一月至廣州。得船數十艘，便可致三萬石至廣府。』又引劉裕海路進軍破盧循故事。執政是之，以磻石為鹽鐵巡官，往揚子院專督海運，於是康承訓之軍皆不闕供。」[47]

唐懿宗咸通三年（八六二），南蠻軍攻陷交趾（今越南北部地區），朝廷諸道兵往嶺南救援，（唐太宗併天下各省州郡，分爲關西、河南、河東、河北、山南、江南、隴右、淮南、劍南、嶺南十道，玄宗開元初，又增設京畿、都畿、黔中三道，又分山南爲山南東、山南西二道，分江南爲江南東、江南西二道，共十五道。）而糧食由湘江、灕江以船舶逆流而運送，功役艱難，而

47 黃汝成：《日知錄集釋》卷二十九，（上海古籍出版社，二〇〇六年）頁一六三二。

大軍屯駐廣州，糧食不繼，未能進軍。潤州人陳磻石上書，建議天子，以大船運輸糧食，由福建至廣州，一月可到。朝廷以磻石爲鹽鐵巡官，專督海運，大軍遂不缺糧。

黃汝成《日知錄集釋》引丘濬云：「海運自秦已有之，而唐人亦轉東吳粳稻以給幽燕。然以給邊方之用而已，用之以足國，則始於元初。伯顏平宋，命張瑄、朱清等以宋圖籍，自崇明由海道入京師。（元世祖）至元十九年（一二八二），始建海運之策，命羅璧等造平底海船運糧，從海道抵直沽。是時猶有中灤之運，不專於海道。二十八年，立都轉運萬戶府，督歲運。至大中，以江淮、江浙財賦府所辦糧充運。自此至末年，專仰海運矣。說者謂雖有風濤漂溺之虞，然視河漕之費，所得益多。故終元之世，海運不廢。」[48]是海道運輸，爲南北貨物糧食之供應，其重要不在河川道路轉運之下，況海道運輸，亦兼有軍事防禦之功效在焉。

㈥農業

20. 道路兩旁宜種植樹木

顧亭林《日知錄》卷十二〈官樹〉條云：

《周禮・野廬氏》：「比國郊及野之道路、宿息、井、樹。」《國語》：「單襄公述周制以告王曰：『列樹以表道，立鄙食以守路』。」《釋名》曰：「古者列樹以表道，道有夾溝以通水潦。」古人於官道之旁必皆種樹，以記里至，以蔭行旅。是以南土之棠，召伯所茇，道周之杜，君子來遊，固已宣美風謠，流恩後嗣。子路治蒲，樹木甚茂。子產相鄭，桃李垂街。下至隋、唐之代，而官槐官柳亦多見之詩篇，猶是人存政舉之效。近代政廢法弛，任人斫伐，周道如砥，若彼濯濯，而官無勿翦之思，民鮮侯甸之芘矣。《續漢百官志》：「將作大匠掌修作宗廟、路寢、宮室、陵園土木之功，并樹桐梓之類，列於道側。」是昔人固有專職。《後周書．韋孝寬傳》：「為雍州刺史。先是，路側一里置一土堠，經雨頹毀，每須修之。自孝寬臨州，乃勒部內當堠處植槐樹代之，既免修復，行旅又得芘蔭。周文帝後問知之，曰：『豈得一州獨爾，當令天下同之。』於是令諸州夾道一里種一樹，十里種三樹，百里種五樹焉。」《冊府元龜》：「唐玄宗開元二十八年正月，於兩京路及城中苑內種果樹。代宗永泰二年正月，種城內六街樹。」《舊唐書．吳湊傳》：「官街樹缺，所司植榆以補之。湊曰：『榆非九衢之玩。』命易之以槐。及槐蔭成而湊卒。人指樹而懷之。」《周禮．朝士》注曰：「槐之言懷也，懷來人

48　黃汝成：《日知錄集釋》卷二十九，（上海古籍出版社，二〇〇六年）頁一六四三。

於此。」然則今日之官其無可懷之政也久矣。[49]

考《周禮・秋官・野廬氏》云：「掌達國道路，至于四畿，比國郊及野之道路，宿息、井、樹。」[50]野廬氏之職掌，管理國都之道路交通，以通達至國家之邊境，並在沿路之旁，種植樹木，以供屏障，開鑿水井，以供飲用，設置驛館，以供賓客來往住宿。《國語・周語》記單襄公告周定王，周制曾有「列樹以表道，立鄙食以守路」[51]，指道路之旁，皆種植樹，四郊邊遠之處，每約十里，設有廬舍，供應往來旅客之飲食。劉熙《釋名・釋道》亦云：「古者列樹以表道，道有夾溝以通水潦。」[52]劉熙乃東漢人，則東漢以前，道路兩旁種行道樹，道旁掘水溝以排流水，已有其制度。故《詩經・召南・甘棠》云：「蔽芾甘棠，勿剪勿伐，召伯所茇。」朱熹《詩集傳》云：「召伯循行南國，以布文王之政，或舍甘棠之下。其後人思其德，故愛其樹而不忍傷也。」[53]亦指道旁植樹，可資休憩也。故下至隋唐，而官種之槐樹柳樹，仍多見於詩人之歌詠。

然而，亭林先生亦慨歎云：「近代政廢法弛，任人斫伐，周道如砥，若彼濯濯，而官無勿翦之思，民鮮侯甸之芘矣。」故如砥之周道，已經童山濯濯，多成無毛之地，亭林先生又引《續漢・百官志》，有將作大匠一人，掌修作宗廟、路寢、宮室、陵園木土之功，并樹桐梓之類列于道側。（亭林先生《日知錄》此條原注云：「《三輔黃圖》：『長安御溝謂之楊溝，謂植高楊於其上也。』」而《後周書・韋孝寬傳》，記孝寬爲雍州刺史，種植槐樹，得周文帝敕令，諸州皆加倣效，皆種槐樹。而《舊唐書．吳湊傳》，亦記吳湊令植槐樹，由植槐樹而令後人懷念其德政，循至爲官吏者，若無德政留傳，亦必使得後人無可懷念也。

21. 政府宜鼓勵人民廣種樹木

顧亭林《日知錄之餘》卷四〈種樹〉條云：

《南齊書》：「劉善明為海陵太守。郡境邊海，無樹木。善明課民種榆檟雜果，遂獲其利。」

《梁書．沈瑀傳》：「為建德令。教民一丁種十五株桑，四株柿及梨〔栗〕，女丁半之。咸歡悅，頃之成林。」

49 黃汝成：《日知錄集釋》卷十二，（上海古籍出版社，二〇〇六年）頁七一八。

50 賈公彥：《周禮注疏》卷三十六，（臺北，藝文印書館，一九九三年）頁五四七。

51 左丘明：《國語》卷二，（臺北，宏業書局，一九八〇年）頁七〇。

52 王先謙：《釋名疏證補》卷六，（上海古籍出版社，一九八九年）頁一〇一九。

53 朱熹：《詩集傳》卷二，（臺北，藝文印書館，一九七四年）頁三八。

魏應璩〈與龐惠〔恭〕書〉：「比見所上利民之術，植濟南之榆，栽漢中之漆。」54

又〈栽桑棗〉條云：

《實錄》：「乙巳年六月乙卯，下令：凡農民田畝，五畝至十畝者，栽桑、麻、木棉各半畝，十畝以上者倍之。其田多者，率以是〔為〕差。有司親臨督勸，惰不如令者，有罰。不種桑，出絹一匹。不種麻及木棉，〔使〕出麻布、棉布各一〔匹〕。」「洪武二十五年正月戊子，詔諭五軍都督府臣曰：天下衛所分兵屯種者，咸獲稼穡之利。其令在屯軍士，人樹桑、棗百株，柿、栗、胡桃之類隨地所宜種之，亦足以備歲歉。五府其遍行程督之。」「十一月壬寅，詔鳳陽、滁州、廬州等處民戶種桑、棗、柿各二株。」「二十七年三月庚戌，命天下種桑棗。上諭工部臣曰：『人之常情，安於所忽，飽即忘饑，煖即忘寒，不思為備。一旦卒遇凶荒，則茫然無措。朕深知民艱，百計以勸督之，俾其咸得飽煖。比年以來，時歲頗豐，民庶給足，田里皆安，若可以無憂也。然預防之計，不可一日而忘也。爾工部其諭民間，但有隙地，皆令種植桑棗，或遇凶歉，可為衣食之助。』於是工部移文天下有司，督民種植桑棗，且授之種植之法。又令益種棉花，率蠲其稅，歲終具數以聞。」

又云：

「宣德七年九月癸亥，順天府尹李庸言：『所屬州縣舊有桑棗，近年砍伐殆盡，請令州縣每里擇耆老一人，勸督每丁種桑棗各百株，官常點視。三年給〔由〕，開其所種多寡，以驗勤怠。』上謂行在戶部臣曰：『桑棗，生民衣食之計。洪武間，遣官專督種植，今有司略不加意。其即移文天下郡邑，督民栽種，違者究治。』」[55]

廣植樹木，可以防止風沙，可以堅固水土，可以調節氣候，果實可供食用，材料可資建築，樹木植物，其爲用於民生者，亦已大矣，故歷代君主行政，皆措心於此，令民廣種樹木，桑棗果栗，以供人民衣食之用，且時以減稅獎勵等方法激勵之。中國幅員廣大，沙漠草原，佔地不少，尤宜率先綠化，以利國家民衆也。

54 黃汝成：《日知錄集釋》附錄二，（上海古籍出版社，二〇〇六年）頁二〇一〇。

55 黃汝成：《日知錄集釋》附錄二，（上海古籍出版社，二〇〇六年）頁二〇一一。

(七)水利

22. 君王宜瞭解各地水旱情況

顧亭林《日知錄》卷十二〈雨澤〉條云：

洪武中，令天下州縣長吏月奏雨澤。蓋古者「龍見而雩」，《春秋》三書「不雨」之意也。承平日久，率視為不急之務。永樂二十二年十月，通政司請以四方雨澤奏章類送給事中收貯，上曰：「祖宗所以令天下奏雨澤者，欲前知水旱，以施恤民之政，此良法美意。今州縣雨澤章奏乃積於通政司，上之人何繇知？又欲送給事中收貯，是欲上之人終不知也。如此徒勞州縣何為？自今四方所奏雨澤，至即封進，朕親閱焉。」嗚呼，太祖起自側微，升為天子，其視四海之廣猶吾莊田，兆民之眾猶吾佃客也，故其留心民事如此。當時長吏得以言民疾苦，而里老亦得詣闕自陳。後世雨澤之奏，遂以寢廢，天災格而不聞，民隱壅而莫達，然後知聖主之意有不但於祈年望歲者。民親而國治，有以也夫。[56]

考《左傳》桓公五年記云：「秋，大雩。書，不時也。龍見而雩。」[57]龍，指東方蒼龍，包括角、亢、氐、房、心、尾、箕等七宿。見，同現，龍見，非謂七宿同時出現，角宿、亢宿於黃昏時出現東方，即可謂之龍見。雩，乾旱時祈雨之祭。是時，當夏正四月。又《春秋》於莊公三十一年，僖公二年、僖公三年，皆書曰「不雨」，《公羊傳》並以爲「記異也」[58]，以爲皆是天候異於常情，故加以記錄。

明太祖洪武年中，令天下州縣長吏月奏雨澤，稟報各地降雨數量，不止有仿古之意義，實則亦以天降雨水多寡，關係於人民生活與農業耕作者，甚爲鉅大也。然而，國家承平日久，官吏怠墮，往往又視之爲不急之務，故至成祖永樂二十二年，仁宗即位，通政司請以四方雨澤奏章類送給事中收貯，天下所奏，轉成具文，幸而天子明察，明令「自今四方所奏雨澤，至即封進，朕親閱焉」，由是天災民隱，朝廷瞭若指掌，各地水旱災情，可早予防備，故亭林先生以爲，「太祖起自側微」，「故其留心民事如此」，官吏得以言民間疾苦，里老亦得詣闕自陳，下情得以上達，故民親而國治，非無故也。

23. 治國當留心水利

56 黃汝成：《日知錄集釋》卷十二，（上海古籍出版社，二〇〇六年）頁七三二。
57 孔穎達：《左傳正義》卷六，（臺北，藝文印書館，一九九三年）頁一〇八。
58 徐彥：《公羊注疏》卷十，（臺北，藝文印書館，一九九三年）頁一二四。

顧亭林《日知錄》卷十二〈水利〉條云：

歐陽永叔作《唐書・地理志》，凡一渠之開，一堰之立，無不記之其縣之下，實兼〈河渠〉一志，亦可謂詳而有體矣。蓋唐時為令者猶得以用一方之財，興期月之役。而志之所書，大抵在天寶以前者居什之七，豈非太平之世，吏治修而民隱達，故常以百里之官而創千年之利；至於河朔用兵之後，則以催科為急，而農功水道有不暇講求者歟？然自大曆以至咸通，猶皆書之不絕於冊。而今之為吏，則數十年無聞也已。水日乾而土日積，山澤之氣不通，又焉得而無水旱乎？崇禎時，有輔臣徐光啟作書，特詳於水利之學。而給事中魏呈潤亦言：「《傳》曰：『雨者，水氣所化。』水利修亦致雨之術也。」夫子之稱禹也曰「盡力乎溝洫」，而禹自言亦曰「濬畎澮，距川」。古聖人有天下之大事，而不遺乎其小如此。自乾時著於齊人，枯濟徵於王莽，古之通津巨瀆，今日多為細流，而中原之田，夏旱秋潦，年年告病矣。

龍門縣，今之河津也。「北三十里有瓜谷山堰，貞觀十年築。東南二十三里有十石壚渠，二十三年縣令長孫恕鑿，溉田良沃，畝收十石。西二十一里有馬鞍塢渠，亦恕所鑿。有龍門倉，開元二年置」，所以貯渠田之人，轉般至京，以省關東之漕者也。此即漢時河東太守番係之策。《史記・河渠書》所謂「河移徙，渠不利，田者不能償種」，而唐人行之，竟以獲利。是以知天下無難舉之功，存乎其人而已。謂後人之事必不能過前人者，不亦誣乎？[59]

歐陽修撰《新唐書・地理志》，兼具有〈河渠志〉之功用，蓋其詳記渠堰之修立，而唐時爲縣令者，猶得以一方之財力與期月之民役，而爲民衆振興河渠灌漑之利益。其河渠之開設，約十分之七，爲玄宗天寶盛世以前所浚鑿者。故亭林先生以爲，當時雖以百里之縣令，尚得爲民衆而開創千年之利益，以其有爲民之心，有專斷之權也。安史亂後，河朔用兵頻繁，而水利農功則不暇講求者矣。

及至後世，既少河渠水力之利，水日乾而土日積，不爲水災，則多旱災，明思宗崇禎年間，徐光啓撰《農政全書》，特詳於水利之學，上古時期，大禹治水，功勞卓著，嘉惠後世極巨，孔子稱讚大禹，曰「盡力乎溝洫」（《論語・泰伯》），大禹自言其事，亦曰「濬畎澮，距川」（《尚書・益稷》），自後世水利多不講求，而「古之通津巨瀆，今日多爲細流，而中原之田，夏旱秋潦，年年告病」，而百姓之苦難亦不斷矣。

59 黃汝成：《日知錄集釋》卷十二，（上海古籍出版社，二〇〇六年）頁七二七。

24. 為政當慎治黃河水患

顧亭林《日知錄》卷十二〈河渠〉條云：

黃河載之《禹貢》，「東過洛汭，至於大伾；北過洚水，至於大陸；又北，播為九河，同為逆河，人於海」者，其故道也。漢元光中，河決瓠子，東南注鉅野，通於淮泗。武帝自臨，發卒數萬人塞之，築宮其上，名曰宣防。「導河北行，復禹舊迹，而梁、楚之地復寧，無水災」。自漢至唐，河不為害幾及千年。《五代史》：「晉開運元年五月丙辰，滑州河決，浸汴、曹、濮、單、鄆五州之境，環梁山，合於汶水，與南旺蜀山湖連，彌漫數百里，河乃自北而東。」《宋史》：「熙寧八年七月乙丑，河大決於澶州曹村，北流斷絕，河道南徙，東匯於梁山張澤濼。分為二派，一合南清河入於淮，一合北清河入於海。河又自東而南矣，元豐以後，又決而北。議者欲復禹迹，而大臣力主回東之議。」降及金、元，其勢日趨於南而不可挽。故今之河非古之河矣。自中牟以下奪汴，徐州以下奪泗，清口以下奪淮，凡三奪而後注於海。今歲久，河身日高，淮、泗又不能容矣。廟堂之議既視其奪者以為常，司水之臣又乘其決者以為利，不獨以害民生，妨國計，而於天地之氣運未必不有所關也。自宋之亡，以至於今，首顧居下，足反居上，嗚呼，雖人事使然，豈得不繇於地脈哉！[60]

中華民族發源於黃河流域，中華文化亦孕育於黃河流域，唯華夏地理形勢，西北高而東南低，黃河九曲，雖終必入海，然而歷代以來，黃河泛濫改道，亦自古成爲中夏民族務必小心以對之艱難問題。蓋黃河發源於巴顏喀拉山之北麓，每逢初春，高山溶雪，水勢突增，經過黃土高原，河水挾泥沙而俱下，聲勢澎湃，噴撲驚人，及至華北平原，衝激而來，尤易泛濫改道，爲害人物。

《尚書・禹貢》記大禹治水，「導河、積石，至于龍門，南至于華陰，東至于厎柱，又東至于孟津，東過洛汭，至于大伾，北過降水，至于大陸，又北，播爲九河，同爲逆河，入于海」[61]，已記載黃河經大禹疏導，分爲支流九條，各自流入大海。

漢武帝元光年中，黃河決堤，天子發士卒數萬人治河堰塞，故自漢至唐，黃河不爲民害者將近千年。

五代以後，黃河泛濫，至於宋代神宗熙寧年間，河水決堤，分爲二派，一入淮河，一入大

60 黃汝成：《日知錄集釋》卷十二，（上海古籍出版社，二〇〇六年）頁七三三。
61 孔穎達：《尚書正義》卷六，（臺北，藝文印書館，一九九三年）頁七七。

海，金元以下，黃河水勢，日趨於南方，形勢大變，源頭愈趨於下，末流反趨於上，國計民生，受禍益多，〈河渠〉條又云：

《禹貢》之言治水也，曰播，曰豬。水之性合則沖，驟則溢。故別而疏之，所以殺其沖也，「又北播為九河」是也。旁而蓄之，所以節其溢也，「大野既豬」是也。必使之有所容而不為暴，然後鍾美可以豐物，流惡可以阜民，而百姓之利，繇是而興矣。今也不然，堤之、障之、逼之、束之，使之無以容其流，而不得不發其怒，則其不由地中而橫出於原隰之間，固無怪其然也。

又云：

河政之壞也，起於並水之民貪水退之利，而占佃河旁汙澤之地，不才之吏因而籍之於官，然後水無所容，而橫決為害。賈讓言：「古者立國居民，疆理土地，必遺川澤之分，度水勢所不及。大川無防，小水得入，陂障卑下，以為汙澤，使秋水多，得有所休息，左右游波，寬緩而不迫。故曰：『善為川者，決之使道。』」又曰：「內黃界中有澤，方數十里，環之有堤。往十餘歲，太守以賦民，民今起廬舍其中，此臣親見者也。」《元史・河渠志》謂：「黃河退涸之時，舊水泊汙池多為勢家所據。忽遇泛溢。水無所歸，遂致為害。」繇此觀之，非河犯人，人自犯之。

《尚書・禹貢》記大禹整治洪水，其主要方法，爲疏導（播）與聚集（豬），水勢盛則疏導使之就下，開渠道使之渲洩，水勢過急則深掘其旁以貯蓄之，以防其溢濫，而不可爲堤以障之，築防以逼束之，否則，一旦水湧堤潰，爲患更甚矣。

至於河政之壞，尤在傍水之居民，貪圖近利，一旦水勢稍退，即佔據河房汙澤之地，謀爲耕作漁蝦之利，圍蘆造田，及水勢既漲，無地爲容，而其勢必橫決而害人矣。《漢書・溝洫志》記賈讓治河之議，《元史・河渠志》所言，皆「非河犯人，人自犯之」之事也。〈河渠〉條又云：

今之言治水者，計無出於堤、塞二事。箕子答武王之訪，首言「鯀陻洪水，汩陳其五行，帝乃震怒」。後世治河之臣皆鯀也，非其人之願為鯀，乃國家教之使為鯀也，是以水不治而彝倫斁也。

因河以為漕者，禹也。壅河以為漕者，本朝也。故古曰河渠，今曰河防。

聞之先達言：天啟以前，無人不利於河決者。侵克金錢，則自總河以至於閘官，無所不利。支領工食，則自執事以至於游閑無食之人，無所不利。其不利者，獨業主耳。而今年決口，明年退灘，塡淤之中，常得倍蓰，而溺死者特百之一二而已。於是頻年修治，頻年沖決，以馴致今日之害，非一朝一夕之故矣。國家之法使然，彼斗筲之人，焉足責哉。不獨此也。彼都人士，為人說一事，置一物，未有不索其酬者。百官有司受朝廷一職事，一差遣，未有不計其獲者。自府史胥徒上而至於公卿大夫，真可謂之同心同德者矣。苟非返普天率土之人心，使之先義而後利，終不可以致太平。故愚以為今日之務，正人心急於抑洪水也。

黃河之患，在決堤，在溢洪，而後世之治水者，反多言築堤，言阻塞，不由大禹之道，而競效鯀之所爲，亭林先生以爲，「故古曰河渠，今曰河防」，一字之異，而精神異趣，效益千萬有別矣，況如亭林先生所言者，官員治河，侵克金錢，無所不計其私利之所獲，由是治河一事，本係天災，至是，則更轉加成爲人禍，其所辛苦危亡者，百姓而已矣，故亭林先生以爲，「今日之務，正人心急於抑洪水也」，先正人心，乃其本根，而後洪水可以治也。

(八)國防

25. 鼓勵民間畜養戰馬

顧亭林《日知錄》卷十〈馬政〉條云：

漢晁錯言：「令民有車騎馬一匹者，復卒三人。」文帝從之。故文、景之富，眾庶街巷有馬，仟伯之間成羣。乘牸牝者，擯而不得會聚。若乃塞之斥也，橋桃致馬千匹。班壹避墜，於樓煩致馬牛羊數千羣。則民間之馬，其盛可知。武帝輪臺之悔，乃修馬復令。唐玄宗開元九年詔：「天下之有馬者，州縣皆先以郵遞、軍旅之役，定戶復緣以升之。百姓畏苦，乃多不畜馬，故騎射之士減曩時。自今諸州民，勿限有無蔭，能家畜十馬以下，免帖驛郵遞征行，定戶無以馬為貲。」古之人君，其欲民之有馬如此。惟夷狄之君忌漢人之強而不欲其有馬，故魏世宗正始四年十一月丁未，禁河南畜牝馬。元世祖至元二十三年六月戊申，「括諸路馬，凡色目人有馬者三取其二，漢民悉入官。敢匿與互市者罪之。」《實錄》言：永樂元年七月丙戌，上諭兵部臣曰：「比聞民間馬價騰貴，蓋禁民不得私畜故也。漢文、景時，閭里有馬成羣，民有即國家之有。其榜諭天下，聽軍民畜馬勿禁。」又曰：「三五年後，庶幾馬漸蕃息。」此承元人禁馬之後，故有此諭。而洪熙元年正月辛巳，上申諭兵部，令民間畜官馬者，二歲納駒一匹，俾得以餘力養私馬。至宣德六年，有陝西安定衛土民王從義，畜馬蕃息，數以來獻。此則小為之而小效者也，然未及修漢、唐復馬之令也。[62]

馬可駕車，可以騎乘，可以作戰，故馬匹之多寡，亦象徵國力之強弱，漢代晁錯獻策，鼓勵民間養馬，家有戰馬一匹，則其家中當爲卒者，可免三人，文帝從其議，故文帝景帝之時，民衆爭養戰馬，農地阡陌之間，馬匹成群。《漢書・貨殖傳》記國家廣開邊塞，而橋桃得以拓展畜牧，有馬千匹，《漢書・敘傳》記秦始皇時，班氏之先祖班壹，嘗避居於樓煩，致馬牛羊數千羣。是其時民間畜馬，盛況可知。古代人君，皆欲其民衆能多畜戰馬，以利國家，尤以漢唐時代，國力盛時爲然。惟夷狄之君，入居中土，忌漢人之強，而不欲其民間有馬，故南北朝時，北魏宣武帝正始四年（五〇四），禁黃河以南畜養雄馬，元世祖至元二十三年（一二八六），令漢人所畜馬匹，悉入之官府。

明成祖永樂九年（一四〇三），乃令天下，勿禁軍民畜馬，蓋其以爲，「民有即國家之有」，藉民間養馬，培育國防戰力，節省國家公帑，激勵民衆尚武精神，其所識見，亦已遠矣。

26. 加強寓兵於農之策略

顧亭林《日知錄》卷九〈邊縣〉條云：

> 宋元祐八年，知定州蘇軾言：「漢晁錯與文帝畫備邊策，不過二事，其一曰徙遠方以實廣虛，其二曰制邊縣以備敵國。今河朔西路被邊州軍，自澶淵講和以來，百姓自相團結，

為弓箭社，不論家業高下，戶出一人。又自相推擇家資武藝眾所服者為社頭、社副、錄事，謂之頭目。帶弓而鋤，佩劍而樵，出入出坂，飲食長技，與北虜同。私立賞罰，嚴於官府。分番巡邏，鋪屋相望。若透漏北賊及本土強盜不獲，其當番人皆有重罰。遇有警急，擊鼓集眾，頃刻可致千人。器甲鞍馬，常若寇至。蓋親戚墳墓所在，人自為戰，虜甚畏之。先朝名臣帥定州者，如韓琦、龐籍，皆加意拊循其人，以為爪牙耳目之用，而籍又增損其約束賞罰。今雖名目具存，責其實用，不逮往日。欲乞朝廷立法，少賜優異，明設賞罰，以示懲勸。」奏凡兩上，皆不報。此宋時弓箭社之法，雖承平廢弛，而靖康之變，河北忠義多出於此。有國家者，能於閒暇之時而為此寓兵於農之計，可不至如先帝之末課責有司以修練儲備之紛紛矣。[63]

宋哲宗元祐八年（一〇九三），定州知府蘇軾，曾上奏天子，自眞宗景德元年（一〇六四），與契丹簽訂澶淵之盟以來，邊境各地，百姓自動團結，成立弓箭社，每戶出一人，互推家資武藝出衆者爲頭目，平日農耕採樵，皆佩帶弓箭刀劍，出入山林田野，分別巡行偵伺，一旦有警，即刻

62 黃汝成：《日知錄集釋》卷十，（上海古籍出版社，二〇〇六年）頁六一四。
63 黃汝成：《日知錄集釋》卷九，（上海古籍出版社，二〇〇六年）頁五六七。

擊鼓集衆，群起保鄉衛家，勇於戰鬥，而北虜甚爲畏之，往日先朝名臣，爲帥於定州者，如韓琦、龐籍，皆曾加撫慰，故建議朝廷，加以恩賜，定其賞罰，示以懲勸，以爲國家之用。至欽宗靖康年間，金人南侵，虜二帝北去，宗澤任開封留守，號召勤王，河北忠義之士，群起投效者，亦多出於此類志士。故亭林先生有見於此，特爲倡導此類「寓兵於農」之策略，以加強鄉兵守邊，進而增強國家防衛之力量。

27. 海道用師利於攻擊

顧亭林《日知錄》卷二十九〈海師〉條云：

海道用師，古人蓋屢行之矣。吳徐承率舟師自海入齊，此蘇州下海至山東之路。越王句踐命范蠡、舌庸率師沿海泝淮，以絕吳路，此浙東下海至淮上之路。唐太宗遣強偉於劍南伐木造舟艦，自巫峽抵江、揚，趨萊州，此廣陵下海至山東之路。漢武帝遣樓船將軍楊僕從齊浮渤海，擊朝鮮；魏明帝遣汝南太守田豫督青州諸軍，自海道討公孫淵；秦苻堅遣石越率騎一萬，自東萊出〔石〕徑襲和龍；唐太宗伐高麗，命張亮率舟師，自東萊渡海趨平壤，薛萬徹率甲士三萬，自東萊渡海入鴨綠水，此山東下海至遼東之路。漢武帝遣中大夫嚴助，發會稽兵浮海救東甌；橫海將軍韓說自句章浮海擊東越，此浙江下海至福建之路。劉裕遣孫處、沈田子自海道襲番禺，此京口下海至廣東之路。隋伐陳吳州刺史蕭瓛，遣燕榮以舟師自東海至吳，此又淮北下海而至蘇州也。公孫度越海攻東萊諸縣，侯希逸自平盧浮海據青州，此又遼東下海而至山東也。宋李寶自江陰率舟師敗金兵於膠西之石臼島，此又江南下海而至山東也。此皆古人海道用師之效。64

中華疆域，西北背倚高山，東南面臨大海，若南北往還，陸路運輸之外，亦可利用海船轉運，其在用兵，尤可收奇襲方便之效。此條之中，亭林先生枚舉古代自海道而用兵之路線，凡有九條，其一，由「蘇州下海至山東之路」，其二，由「浙東下海至淮上之路」，其三，由「廣陵下海至山東之路」，其四，由「山東下海至遼東之路」，其五，由「浙江下海至福建之路」，其六，由「京口下海至廣東之路」，其七，由「由淮北下海至蘇州」，其八，由「遼東下海而至山東」，其九，由「江南下海而至山東」。所舉海道九條，有向北而行者，有向南而行者，皆古人海道用師之路，而其戰役，則不止十餘次，皆古人自海道用師之往例，可借以爲經驗者也，況大海之上，船艦隨時代而進步，往來迅速，可以奇襲，可以自衛，中華海岸，逾一萬公里，進可以攻，退可以守，故亭林先生於此海疆國境之保衛利用，尤其倍加措意者也。

64 黃汝成：《日知錄集釋》卷二十九，（上海古籍出版社，二〇〇六年）頁一六二三。

28. 燒荒防寇以守邊境

顧亭林《日知錄》卷二十九〈燒荒〉條云：

守邊將士，每至秋月草枯，出塞縱火，謂之燒荒。《唐書》「契丹每入寇幽、薊，劉仁恭歲燎塞下草，使不得留牧，馬多死，契丹乃乞盟」是也。其法自七國時已有之。《戰國策》：公孫衍謂義渠君曰：「中國無事於秦，則秦且燒焫，獲君之國。」《英宗實錄》：「正統七年十一月，錦衣衛指揮僉事王瑛言：『禦虜莫善於燒荒，蓋虜之所恃者馬，馬之所恃者草。近年燒荒，遠者不過百里，近者五六十里，胡馬來侵，半日可至。乞敕邊將，遇秋深，率兵約日同出，數百里外縱火焚燒，使胡馬無水草可恃，如此則在我雖有一時之勞，而一冬坐卧可安矣。』翰林院編修徐珵亦請每年九月，盡敕坐營將官巡邊，分為三路，一出宣府抵赤城、獨石，一出大同抵萬全，一出山海抵遼東。各出塞三五百里，燒荒哨瞭。如遇虜寇出沒，即相機勦殺。」此本朝燒荒舊制，誠守邊之良法也。[65]

契丹世居北鄙，深處廣漠草原，尤以擅於騎射，往來迅速，利於奇襲，而華夏民族，安土重遷，抵禦邊寇，多採守勢，出擊較少，故唐代守邊將帥，每至秋月草枯，遠出塞外，縱火燔燒草木，破壞水源，使邊寇入境，無水草可供飲食，人縱不疲，馬已乏力，無法再行戰鬥，邊寇如多携草料飲水，則軍行必將延緩，戰力亦必減弱，故明代《英宗實錄》記載，每年九月，官兵巡邊，分爲三路，各自前行，分別遠出塞外三五百里，焚燒草木，遠設哨瞭，有寇來襲，可相機剿滅，以使寇騎行動減緩，不敢南下，不失爲防守邊境之良法。

29. 慎防四夷入居中夏

顧亭林《日知錄》卷二十九〈徙戎〉條云：

> 武后時，四夷多遣子入侍，其論欽陵、阿史德元珍、孫萬榮等，皆因充侍子，得遍觀中國形勢，其後竟為邊害。先是，天授三年左補闕薛謙光上疏曰：「臣聞戎夏不雜，自古所誡。夷狄無信，易動難安，故斥居塞外，不邇中國。前史所稱，其來久矣。然而帝德廣被，有時朝謁，願受向化之誠，請納梯山之禮，貢事畢則歸其父母之國，導以指南之車，此三王之盛典也。自漢、魏以後，遂革其風，務飾虛名，徵求侍子。諭令解辮，使

65 黃汝成：《日知錄集釋》卷二十九，（上海古籍出版社，二〇〇六年）頁一六四三。

襲衣冠，築室京師，不令歸國，此又中葉之故事也。較其利害，則三王是而漢、魏非。論其得失，則距邊長而徵質短。殷鑑在昔，豈可不慮。

又云：

本朝永樂、宣德間，達虜來降，多乞留居京師，授以指揮、千百戶之職，賜之俸祿及銀鈔、衣服、房屋、什器，安插居住，名曰「達官」。夫夷狄人面而獸心，貪而好利，乍臣乍叛，荒忽無常。彼來降者，非心悅而誠服也，實慕中國之利也。且達人在胡，未必不自種而食，自織而衣，今在中國，則不勞力而坐享其有。是故其來之不絕者，中國誘之也。誘之不衰，則來之愈廣。一旦邊方有警，其勢必不自安矣。前世五胡之亂，可不鑑哉！66

華夏之與四夷，道德不同，風俗各異，然不能不有所往來，從而懾之以武力，撫之以仁義，力求其不爲邊患則已矣，然而中夏之武力強盛，則四夷賓服，華夏一旦國勢衰弱，則四夷窺伺而起，侵犯疆域，甚且直入中原，演爲大患，故亭林先生於此條之中，叮嚀周至，亟盼中夏，愼與外夷交往，小心任用外夷爲官，蓋鑑於五胡亂華之類事件，而不得不有此警惕忠告之語也。

30. 君主戰伐宜慎於借兵外夷

顧亭林《日知錄》卷二十九〈樓煩〉條云：

樓煩乃趙西北邊之國，其人強悍，習騎射。《史記．趙世家》：武靈王「行新地，遂出代，西遇樓煩王於西河而致其兵」。「致」云者，致其人而用之也。是以楚、漢之際，多用樓煩人別為一軍。〈高祖功臣侯年表〉「陽都侯丁復，以趙將從起鄴，至霸上，為樓煩將」，而〈項羽本紀〉「漢有善騎射者樓煩」，則漢有樓煩之兵矣。〈灌嬰傳〉：「擊破柘公王武，斬樓煩將五人。攻龍且，生得樓煩將十人。擊項籍軍陳下，斬樓煩將二人。攻黥布別將於相，斬樓煩將三人。」〈功臣表〉：「平安侯齊受，以驍騎都尉擊項籍，得樓煩將。」則項王及布亦各有樓煩之兵矣。蓋自古用四夷攻中國者，始自周武王，牧野之師，有庸、蜀、羌、髳、微、盧、彭、濮。而晉襄公敗秦於殽，實用姜戎為「犄」角之勢。大者王，小者霸，於是武靈王踵此，用以謀秦，而鮮卑、突厥、回紇、沙陀自此不絕於中國矣。[67]

66 黃汝成：《日知錄集釋》卷二十九，（上海古籍出版社，二〇〇六年）頁一六五五。

67 黃汝成：《日知錄集釋》卷二十九，（上海古籍出版社，二〇〇六年）頁一六六三。

自古國家戰爭，如力有不逮，則不免聯合他國之兵，甚且有借兵於異族者，然亦往往易受異族之患，《史記・趙世家》記武靈王出塞外，則已借用異族樓煩之軍士，而楚漢相爭之際，劉邦、項羽、黥布，亦各有借自樓煩之將士。追溯往古，則《尙書・牧誓》記周武王討伐商紂王，已聯合借用庸、蜀、羌、髳、微、盧、彭、濮等八地異國異族之兵衆。《左傳》僖公三十三年，記晉文公薨，秦穆公興師伐晉，晉襄公墨衰絰，引軍抵拒，並「遽興姜戎」68，指急以姜族之軍爲己援，遂大敗秦軍。故亭林先生引此數事，而以爲國家有事，而乃輕率借用外夷之兵，而鮮卑、突厥、回紇、沙陀之兵，自此不絕於中國，而中國受患之深，有不可言者矣，然則爲君王者，於借兵外夷，豈能不愼之又愼乎！

三、結語

亭林先生生於滿清入關，明室危亡之際，曾經投身軍旅，起兵抗清，事雖不濟，然而匡復之志，終生不懈，亭林先生〈與楊雪臣書〉云：「向者《日知錄》之刻，謬承許可，比來學業稍進，亦多刊改。意在撥滌污，法古用夏，啓多聞于來學，待一治于後王，自信其書之必傳，而未敢以示人也。」是則亭林先生，志存撥亂世，返之正，澄清天下，而《日知錄》中，乃固有亭林先生治國方策整體之規畫，而以個別分散之劄記形式，加以呈現，以俟華夏之英主，假以經世而濟民，以登國族於富強之境域，斯則亭林先生所懷抱之夙願也。

亭林先生所懷抱之志業，雖未能及身而實現，然而亭林先生卒後約二百年，愛國志士，羣起奮鬥，辛亥革命，一舉成功，推翻滿清，驅除韃虜，重光華夏，再造中興，其能如是，固有賴於革命諸志士，拋頭顱，灑熱血，奮不顧身，然亦遠紹晚明諸大儒者，如亭林、梨洲、船山、晚村等諸先生之恢復精神、峻偉人格而有以激之致之也。

亭林先生於《日知錄》中所規畫之治國藍圖，其在今日，時代變易，自不能事事皆付諸實踐，然而其精神旨趣，宏綱巨目，有裨於治國之原理者，固有其不朽之價值者在也。世之為政者，有能參酌一二，加以借鏡者歟！

68 孔穎達：《左傳正義》卷十七，（臺北，藝文印書館，一九九三年）頁二九〇。

伍、顧亭林《日知錄》中之考證方法

——以「介子推」與「杞梁妻」二事為例

一、引言

顧亭林（一六一三～一六八二）初名絳，江蘇崑山人，國變後，改名炎武，字寧人，學者稱爲亭林先生，生於明萬曆四十一年，卒於清康熙二十一年，享年七十歲。

亭林先生生當滿清入關，明室危亡之際，曾經起兵抗清，事雖不濟，然而遍觀天下，地理險要，著書立說，光復之志，終生不衰。嘗六謁孝陵，六謁思陵，以明道救世，爲治學之鵠的。

晚明時代，學風趨於狂禪，士子束書不觀，游談無根，世道人心，多受感染，亭林先生，力挽此弊，倡導博學於文，行己有恥，凡爲學術，必求言而有據，事必徵實，其所撰述，皆能符合此旨，故其爲學，影響於清代考證之學風者，實甚巨大，所著《日知錄》三十二卷，尤受世人之推崇。

以下，即就《日知錄》中有關「介子推」與「杞梁妻」之兩事，試爲舉例，以見其考證方法之一斑焉。

二、考證方法

亭林先生《日知錄》中，有數條涉及「介子推」與「杞梁妻」事跡之眞實與否者，以下，即試爲分析，以見亭林先生考證方法，推尋眞相之事例。

㈠有關「介子推」者

《日知錄》卷二十五〈介子推〉條云：

介子推事，見於《左傳》則曰：「晉侯求之，不獲，以緜上為之田，曰：『以志吾過，且旌善人。』」《呂氏春秋》則曰：「負釜蓋簦，終身不見。」二書去當時未遠，為得其實，然之推亦未久而死，故以田祿其子爾。《史記》之言稍異，亦不過曰「使人召之，則亡。聞其入緜上山中，於是環緜上之山中而封之，以為介推田，號曰介山」而已。「立

> 枯」之說始自屈原，「燔死」之說始自《莊子》。《楚辭・九章・惜往日》：「介子忠而立枯兮，文公寤而追求。封介山而為之禁兮，報大德之優遊。思久故之親身兮，因縞素而哭之。」《莊子》則曰：「介子推至忠也，自割其股以食文公。文公後背之，子推怒而去，抱木而燔死。」於是瑰奇之行彰而廉靖之心沒矣。今當以《左氏》為據，割股燔山，理之所無，皆不可信。1

考《左傳》魯僖公四年記述，晉獻公有子申生、重耳、夷吾等，又娶驪姬，生奚齊，驪姬欲立奚齊爲世子，乃設計陷害世子申生，申生自殺，重耳、夷吾，出亡在外，獻公薨，奚齊立，僖公九年，夷吾返國即位，是爲晉惠公，重耳在外，遍歷諸國，達十九年，從之在外者，有大臣多人。魯僖公二十四年，重耳返國即位，是爲晉文公，《左傳》記云：「晉侯賞從亡者，介之推不言祿，祿亦弗及。推曰：『獻公之子九人，唯君在矣。惠懷無親，外內棄之，天未絕晉，必將有主，主晉祀者，非君而誰？天實置之，而二三子以爲己力，不亦誣乎！竊人之財，猶謂之盜，況貪天之功，以爲己力乎！下義其罪，上賞其姦，上下相蒙，難與處矣。』其母曰：『盍亦求之，以死誰懟？』對曰：『尤而效之，罪又甚焉，且出怨言，不食其食。』其母曰：『亦

---

1 黃汝成：《日知錄集釋》卷二十五，（上海古籍出版社，二〇〇六年）頁一四一〇。

使知之，若何？』對曰：『言，身之文也。身將隱，焉用文之，是求顯也。』其母曰：『能如是乎，與女偕隱。』遂隱而死。晉侯求之不獲，以緜上爲之田，曰：『以志吾過，且旌善人。』」[2]此《左傳》所載介之推事跡，爲最早之記錄。

《呂氏春秋・介立》云：「晉文公反國，介子推不肯受賞，自爲賦詩曰：『有龍於飛，周遍天下，五蛇從之，爲之丞輔。龍反其鄉，得其處所。四蛇從之，得其露雨。一蛇羞之，橋死於中野。』懸書公門，而伏於山下。文公聞之曰：『譆！此必介子推也。』避舍變服，令士庶人曰：『有能得介子推者，爵上卿，田百萬。』或遇之山中，負釜蓋簦，問焉，曰：『請問介子推安在？』應之曰：『夫介子推苟不欲見而欲隱，吾獨焉知之？』遂背而行，終身不見。」[3]考《呂氏春秋》一書，乃秦始皇時相國呂不韋集門下客編纂而成，其成書時代，晚於《左傳》，所記介子推之事跡，也略同於《左傳》。

司馬遷《史記・晉世家》，於介子推之事跡，大體本於《左傳》與《呂氏春秋》之記述，其稍有增益者，則係「（文公）使人召之，則亡，遂求所在，聞其入緜上山中，於是文公環緜上山中而封之，以爲介推田，號曰介山，『以記吾過，且旌善人。』」[4]較之《左傳》與《呂氏春秋》所記，略增緜上介山之封贈而已。

屈原與莊周，皆生長於戰國，《楚辭・九章・惜往事》云：「介子忠而立枯兮。」又云：「因縞素而哭之。」《莊子・盜跖》云：「介子推至忠也，自割其股以食文公，文公後背之，子推怒而去，抱木而燔死。」是以「立枯」之說始自屈原，「燔死」之說始自《莊子》，然而《楚辭》爲抒情之作，《莊子》乃寓言之書，成書時代，雖早於《呂覽》與《史記》，其所爲文，未免踵事增華，變本加厲，不盡可以憑信。故亭林先生依據原始之記載，參以時間之先後，乃評斷云，介子推之事跡，「當以《左氏》爲據，割股燔山，理之所無，皆不可信」也。

《日知錄》卷二十五〈介之推〉條又云：

魏武帝令曰：「聞太原、上黨、西河、雁門，冬至後百五日，皆絕火寒食，云為介子推。且北方沍寒之地，老少羸弱，將有不堪之患。令到，人不得寒食。若犯者，家長半歲刑，主吏百日刑，令長奪一月俸。」後魏高祖太和二十年二月癸丑詔：「介山之邑聽為寒食，自餘禁斷。」

《冊府元龜》：「龍屋，木之精也。春見東方。心為火之盛，故為之禁火。俗傳介子推以此日被焚，禁火。」

2 孔穎達：《左傳正義》卷十五，（臺北，藝文印書館，一九九三年）頁二五五。
3 許維遹：《呂氏春秋集釋》十五卷，（臺北，世界書局，一九七七年）頁六。
4 司馬遷：《史記》卷三十九，（臺北，鼎文書局，一九九三年）頁一六三五。

《路史・燧人改火論》曰：「順天者存，逆天者亡，是必然之理也。昔者燧人氏作，觀乾象，察辰心而出火，作鑽燧，別五木以改火，豈惟惠民哉，以順天也。予嘗考之，心者，天之大火。而辰、戌者，火之二墓。是以季春心昏見於辰而出火，季秋心昏見於戌而納之。卯為心之明堂，至是而火大壯。是以仲春禁火，戒其盛也。《周官》：『每歲仲春命司烜氏，以木鐸修火禁於國中』，為季春將出火，而『司爟掌行火之政令，四時變國火，以救時疾。季春出火，季秋內火，民咸從之。時則施火令。凡國失火，野焚萊，則隨之以刑罰。』夫然，故天地順而四時成，氣不愆伏，國無疵癘，而民以寧。鄭以三月鑄刑書，而士文伯以為必災，六月而鄭火，蓋火未出而作火，宜不免也。今之所謂寒食一百五者，熟食斷煙，謂之龍忌，蓋本乎此。而周舉之書，魏武之令，與夫《汝南先賢傳》、陸翽《鄴中記》等，皆以為為介子推，謂子推以三月三日燔死，而後世為之禁火。吁，何妄邪！是何異於言子胥溺死，而海神為之朝夕者乎？予觀左氏、史遷之書，曷嘗有子推被焚之事？況以清明、寒食初靡定日，而《琴操》所記子推之死乃五月五，非三日也。夫火，神物也，其功用亦大矣。昔隋王劭嘗以先王有鑽燧改火之義，於是表請變火，曰：『古者周官四時變火，以救時疾。明火不變，則時疾必興。聖人作法，豈徒然哉！在晉時，有人以洛陽火渡江，世世事之，相續不滅，火色變青。昔師曠食飯，云是勞薪所爨，晉平公使視之，果然車輞。今溫酒炙肉，用石炭火、木炭火、竹火、草火、麻荄火，氣味各自不同。以此推之，新火舊火，理應有異。伏願遠遵先聖，於五時取五木以變火。用功甚少，救益方大。』夫火惡陳，薪惡勞。晉代荀勗進飯，亦知薪勞。而隋文帝所見江寧寺晉長明燈，亦復青而不熱。傳記有以巴豆木入爨者，爰得泄利，而糞臭之草炊者，率致味惡。然則火之不改，其不疾者鮮矣。泌以是益知聖人之所以改火、修火、正四時五變者，豈故為是煩文害俗，得已而不已哉。《傳》不云乎：違天必有大咎。先漢武帝猶置別火令丞，典司燧事。後世乃廢之邪？方石勒之居鄴也，於是不禁寒食，而建德殿震，及端門、襄國西門，雹起西河介山，大如雞子，平地三尺，洿下丈餘，人禽死以萬數，千里摧折，秋稼蕩然。夫五行之變如是，而不知者亦以為為之推也。雖然，魏、晉之俗尤所重者，辰為商星，實祀大火，而汾晉參墟，參辰錯行，不毗和所致。」

魏武帝曹操，因聞太原、上黨、西河、雁門一帶，於冬至後百五日，皆絕火寒食，云爲悼念介子推之緣故，然北方寒冷，恐民衆老少羸弱，將有不能忍受之者，故令該等地方，禁止寒食。（《日知錄》此條亭林先生原注，謂魏武之令，見於《藝文類聚》卷四）而北魏孝文帝太和二十年亦有詔令，「介山之邑，聽爲寒食，自餘禁斷」。

據《史記．天官書》、《漢書．天文志》等記載，上古以來，以五行配合天文，分天象星辰爲二十八宿。其中東方蒼龍主木，有角、亢、氐、房、心、尾、箕等七宿。南方朱雀主火，有井、鬼、柳、星、張、翼、軫等七宿。西方白虎主金，有奎、婁、胃、昴、畢、觜、參等七宿。北方玄武主水，有斗、牛、女、虛、危、室、壁等七宿。合之爲二十八宿，以紀天文星象，故《冊府元龜》記云，「龍星，木之精也，春見東方」，而其中「心星」爲火之盛，故其時宜爲禁火，故「俗傳介子推以此日被焚，禁火」。

宋人羅泌《路史》中有〈燧人改火論〉一篇，以爲「昔者燧人氏作，觀乾象，察辰心而出火，作鑽燧，別五木以改火，豈惟惠民哉，以順天也」，亭林先生於此條原注云：「四時五變：榆、柳青，故春取之；棗、杏赤，故夏取之；桑、柘黃，故季夏取之；柞、楢白，故秋取之；槐、檀黑，故冬取之。皆因其性，故可救時疾。」四時改用不同之樹木，鑽之取火，是亦順天時變更以利民用者也。

羅泌又引《周禮》中「司烜」及「司爟」二官所掌守，「四時變國火，以救時疾」之事，而云「今之所謂寒食一百五者，孰食斷煙，謂之龍忌，蓋本乎此」，從而以爲，改火之事，其來有自，然與介子推之事跡無涉，《左傳》、《史記》，既無子推被焚之事，且諸書所記，子推之死，又有三月三日與五月五日之不同，故以爲寒食改火，皆與介子推無關也。

由於《左傳》曾記載晉文公尋覓介之推不獲，乃以緜上之土田封贈予介子推，加以表揚，故亭林先生《日知錄》卷三十一，又有〈緜上〉一條，對緜上介山之地，加以考證云：

《左傳》僖二十四年，「晉侯賞從亡者，介之推不言祿，祿亦弗及，遂隱而死。晉侯求之不獲，以緜上為之田。」杜氏曰：「西河界休縣南有地名緜上。」《水經注》：「石桐水即緜水，出介休縣之緜山。北流逕石桐寺西，即介子推之祠也。袁崧《郡國志》曰：『界休縣有介山，有緜上聚、子推廟。』」今其山南跨靈石，東跨沁源，世以為之推所隱。而漢、魏以來，傳有焚山之事，太原、上黨、西河、雁門之民至寒食不敢舉。石勒禁之，而雹起西河介山，大如雞子，平地三尺。前史載之，無異辭也。然考之於《傳》，襄公十三年，「晉悼公蒐於緜上以治兵，使士匄將中軍，讓於荀偃」。此必在近國都之地。又定公六年，「趙簡子逆宋樂祁，飲之酒於緜上」。自宋如晉，其路豈出於西河界休乎？況文公之時，霍山以北大抵皆狄地，與晉都遠不相及。今翼城縣西亦有緜山，俗謂之小緜山，近曲沃，當必是簡子逆樂祁之地。今萬泉縣南二里有介山。《漢書・武帝紀》詔曰：「朕用事介山，祭后土，皆有光應。」《地理志》：「汾陰，介山在南。」《揚雄傳》：「其三月，將祭后土，上乃帥群臣，橫大河，湊汾陰。既祭，行游介山，回安邑，顧龍門，覽鹽池，登歷觀，陟西岳以望八荒。雄作《河東賦》曰：『靈輿安步，周流容與，以覽於介山。嗟文公而愍推兮，勤大禹於龍門。』」《水經注》亦引此，謂《晉太康記》及《地道記》與《永初記》並言子推隱於是山，而辨之以為非然，可見漢時已有二說矣。[5]

亭林先生於此條之中，先引《左傳》杜預注，以爲「西河界休縣南有地名緜上」，又引酈道元《水經注》，也以爲「介休縣之綿山」，附近有介子推之祠，袁崧《郡國志》也以爲，界休在今山西省界休縣附近，「界休縣有介山，有緜上聚，子推廟」，由於緜上、緜水、緜山、介山、子推廟，而引出「漢、魏以來，傳有焚山之事」，以至「太原、上黨、西河、雁門之民，至寒食不敢舉火」，又引出「寒食」之來源。

《左傳》襄公十三年，記「晉悼公蒐於緜上以治兵」，定公六年記，「趙簡子逆宋樂祁，飲之酒於緜上」，兩言緜上，亭林先生以爲，「此必在近國都之地」，宋國在今河南省，春秋時晉國都於絳，在今山西省平陽府翼城縣附近，由此推之，則介山也必在附近。然而，根據《漢書．武帝紀》及《漢書．地理志》，以爲「汾陰，介山在南」，汾水源出山西省寧武縣西南，環繞太原，西南流經界休、臨汾，至新絳縣，折入黃河。《漢書．揚雄傳》所述，也略相同。而酈道元《水經注》引述《晉太東記》等三書已辨之，以爲非是子推所隱居之介山，因而斷言，介山之地，究屬何處，「漢時已有二說」。

至於〈緜上〉條所謂漢魏以來，傳有焚山、寒食之事，則亭林先生於《日知錄之餘》卷二之中，另有〈寒食焚〉一條，以作補述，其云文：

《琴操》：「介子推抱木而燒死，文公令民五月五日不得發火。」

魏武帝令曰：「聞太原、上黨、西河、雁門，冬至後百五日皆絕火寒食，云為介子推。且北方沍寒之地，老少羸弱，將有不堪之患。今則人不得寒食。若犯者，家長半歲刑，主吏百日刑，令長奪一月俸。」

《魏書》：「高祖太和二十年二月癸丑，詔介山之邑，聽為寒食，自餘禁斷。」

《晉書・載記》：「石勒時，雹起西河介山，大如雞子，平地三尺，洿下丈餘，行人、禽獸死者萬數。歷太原、樂平、武鄉、趙郡、廣平、鉅鹿〔千〕餘里，樹木摧折，禾稼蕩然。勒正服於東堂，以問徐光曰：『歷代以來，有斯災幾也？』光對曰：『周、漢、魏、晉皆有之，雖天地之常事，然明主未始不為變，所以敬天之怒也。去年禁寒食，介子推，帝鄉之神也，歷代所尊，或者以為未宜替也。一人呼嗟，王道尚為之虧，況群神怨憾，而不〔怒動〕上帝乎？縱不令天下同爾，介山左右，晉文之所封也，宜任百姓奉之。』勒下書曰：『寒食既并州之舊風，朕生其俗，不能異也。前者外議，以子推諸侯之臣，王者不應為忌。故從其議。倘或由之而致斯災乎？子推雖朕鄉之神，非法食者，亦不得亂也。尚書其促檢舊典，定議以聞。』有司奏以子推歷代攸尊，請普復寒食，更為植嘉樹，立祠堂，給戶奉祀。勒黃門郎韋謏駁曰：『按《春秋》，藏冰失道，陰〔氣

5 黃汝成：《日知錄集釋》卷三十一，（上海古籍出版社，一九九三年）頁一七九六。

發〕泄為雹。自子推以前，雹者復何所致？此自陰陽乖錯所為耳。且子推賢者，曷為群害若此？求之冥趣，必不然矣。今雖為冰室，懼所藏之冰不在固陰沍寒之所，多在山川之側，氣泄為雹也。以子推忠賢，令綿、介之間奉之為允，於天下則不通矣。』勒從之。於是遷冰室於重陰凝寒之所，并州復寒食如初。」

唐李涪《刊誤》曰：「《論語》曰：『鑽燧改火，春榆夏棗，秋作冬槐。』則〔是〕四時皆改其火。自秦漢以降，漸至簡易，唯以春是一歲之首，此一鑽燧。而適當改火之時，是為寒食節之後。既曰就新，即去其舊。今人〔待〕〔持〕新火曰勿與舊火相見，即其事也。又《禮記．郊特牲》云：『季春出火曰禁火。』此則禁火之義昭然可徵。俗傳禁火之因，皆以介推為據，是不知古，以鑽燧證之。」

《困學紀聞》：「『司爟』，鄭康成引《〔鄹〕子》，與《論語》馬融引《周書．月令》同。晉時有以洛陽火度江者，代代事之，相續不滅，火色變青。《後漢禮儀志》：『〔日〕夏至浚井改水，〔日〕冬至鑽燧改火。』」

《升庵集》：「《容齋隨筆》謂寒食禁火不由介推，其言〔是〕「似」矣。近觀《十六國春秋》，石勒下令，寒食不許禁火，後有冰雹之異。徐光曰：『介推，帝鄉之神也，歷代所尊，未宜替也，宜令百姓奉之。』勒又令尚書定議以聞。韋謏曰：『子推忠賢，令綿、介之間奉之為允，於天下則不通矣。』勒從之，令并州復寒食如初。容齋亦未之

> 考耶？然勒禁天下寒食，而至隋、唐已復禁改火，觀隋李崇嗣『普天皆滅焰，匝地盡藏煙』之句，及元稹《連昌宮詞》自注：『唐時京城寒食火禁，以雞羽入灰，有（禁）〔焦〕者罪之。』亦極嚴矣。火禁迨今則絕不知，而四時亦不改火。自胡元入中國，鹵莽之政也，然寒食不必復，改火乃先聖節宣天道，可因元人而廢之乎？」6

考《琴操》一書，為漢代蔡邕所撰，已記有「文公令民五月五日不得發火」，以悼念介子推之事。而魏武帝曹操下令，雖禁北方寒食，也先言「聞太原、上黨、西河、雁門，冬至後百五日皆絕火寒食，云為介子推」，而日期推算，冬至後百五日，亦宜當五月五日，寒食之日應同。而北魏孝文帝亦嘗禁止寒食。

《晉書・載記》記東晉時北方後趙之主羯人石勒，先叛前趙稱王，復弒劉曜，僭稱帝，其時，亦有因禁寒食，而有冰雹災異之說，且以介子推為「帝鄉之神」，崇敬有加。

考《論語・陽貨》云：「宰我問三年之喪，期已久矣。君子三年不為禮，禮必壞，三年不為樂，樂必崩。舊穀既沒，新穀既升，鑽燧改火，期可已矣。」何晏《集解》引馬融云：「《周書・月令》，有更火之文。春取榆柳之火，夏取棗杏之火，季夏取桑柘之火，秋取柞楢之火，

6 黃汝成：《日知錄集釋》附錄《日知錄之餘》卷二，（上海古籍出版社，一九九三年）頁一九四三。

冬取槐檀之火。一年之中，鑽火各異，故曰改火也。」所謂鑽燧改火，指古人鑽木取火，所用之木，隨四季不同，而各有差異。自古以來，形成一種禮俗，然李涪以為，自秦漢以後，漸取簡易之道，唯春季一歲之首，止一鑽燧取火，略存古代風俗而已，而新鑽改火之時，適當寒食節日，世俗因誤傳改火禁火，皆以介子推之緣故，不知自是二事，原無關係，此亦因介子推之忠賢，而誤涉為一事也。故李涪加以辨明，然亦可見介子推之事跡，自春秋以下，已深入民間社會人心之中矣。

《周禮・夏官・司爟》云：「司爟，掌行火之政令，四時變國火，以救時疾。」[7] 宋代王應麟《困學紀聞》謂《周禮・司爟》鄭康成注引《鄹子》之說，與《論語・陽貨》馬融注所引《周書・月令》相同。又謂晉時有以洛陽之火度江，而《後漢・禮儀志》也有冬至之日，鑽燧改火之記錄。

明代楊慎《升庵集》，曾引宋人洪邁之《容齋隨筆》，指寒食禁火之風俗，不由介子推而來。並據《十六國春秋》，指後趙石勒禁寒食，而至隋唐，並已禁改火。楊慎以為，四時不再改火，乃元人入主中國後之弊政，並且以為，寒食雖不必復行，而改火乃先聖節宣天道之舉，宜當恢復，以昭示四季天道之運行。

《日知錄》每條之中，各記一事為主，然若事有相關係者，亦往往數條兼記其事，以相互補足，彰明眞相，以上三條，各有重點，首條以考證「介子推」之事跡為主，次條以考證「緜上介山」之地點爲主，三條以考證「寒食禁火」爲主，資料取材，雖略有重複，然而，合併觀之，則「介子推」有關之事，亦益爲彰著矣。以上三條，由考證介子推事跡之眞實情況，逐漸而涉及緜上、介山，以至於寒食、改火之習俗，亦一併而加以考明，以彰顯史事之是否眞實可信，其主要依據之典籍，皆以時間之先後，加以排列，據以佐證，俾使事跡源流，發展過程，得以自然呈現，清晰無遺。

㈡有關「杞梁妻」者

《日知錄》卷二十五〈杞梁妻〉條云：

《春秋傳》：「齊侯襲莒，杞梁死焉。齊侯歸，遇杞梁之妻於郊，使弔之，辭曰：『殖之有罪，何辱命焉。若免於罪，猶有先人之蔽廬在，下妾不得與郊弔。』齊侯弔諸其室。」《左氏》之文不過如此而已。《檀弓》則曰：「其妻迎其柩於路而哭之哀。」《孟子》則曰：「華周、杞梁之妻，善哭其夫而變國俗。」言哭者始自二書。《說苑》則曰：「杞梁、華舟進鬬，殺二十七人而死，其妻聞之而哭，城為之阤，而隅為之崩。」《列女傳》

7 賈公彥：《周禮注疏》卷三十，（臺北，藝文印書館，一九九三年）頁四五八。

則曰：「杞梁之妻無子，內外皆無五屬之親。既無所歸，乃枕其夫之尸於城下而哭，道路過者，莫不為之揮涕。十日而城為之崩。」言崩城者始自二書。而《列女傳》上文亦載《左氏》之言，夫既有先人之敝廬，何至枕尸城下？且莊公既能遣弔，豈至暴骨溝中？崩城之云，未足為信。且其崩者城耳，未云長城。長城築於威王之時，去莊公百有餘年，而齊之長城又非秦始皇所築之長城也。後人相傳，乃謂秦築長城，有范郎之妻孟姜送寒衣至城下，聞夫死，一哭而長城為之崩，則又非杞梁妻事矣。夫范郎者何人哉？使秦時別有此事，何其相類若此？唐僧貫休據以作詩云：「築人築土一萬里，杞梁貞婦啼嗚嗚。」則竟以杞梁為秦時築城之人，似并《左傳》、《孟子》而未讀者矣。

古詩：「誰能為此曲？無乃杞梁妻。」崔豹《古今注》：「樂府〈杞梁妻〉者，杞殖妻妹朝日所作也。殖戰死，妻曰：『上則無父，中則無夫，下則無子，人生之苦至矣！』乃抗聲長哭，杞都城感之而頹，遂投水死。其妹悲姊之貞操，乃作歌，名曰〈杞梁妻〉焉。梁，殖字也。」按此則又云杞之都城。《春秋》杞成公遷於緣陵，今昌樂縣；文公又遷於淳于，今安丘縣。其時杞地當已入齊，要之非秦之長城也。[8]

《左傳》襄公二十三年記載，齊莊公率師襲擊莒國，使大夫杞殖（杞梁）及華還（華周）趁夜前往莒郊埋伏，次日，莒君親自擊鼓督戰，大敗齊軍，杞梁戰死。「齊侯歸，遇杞梁之妻於郊，使弔之，辭曰：『殖之有罪，何辱命焉。若免於罪，猶有先人之敝廬在，下妾不得與郊弔。』齊侯弔諸其室。」[9]杞梁戰死，杞梁之妻，在道旁迎杞梁之柩，齊侯見及，使人弔唁，杞梁妻以杞梁身爲大夫，爲國戰死，君宜使人弔唁於家室之中，方符禮儀，故婉辭國君使臣之弔，齊莊公以爲杞梁妻知禮，乃使人弔唁於杞梁之室中。

至《禮記．檀弓》，乃言杞梁妻迎杞梁之柩於路而哭之甚哀，而《孟子．告子下》乃云：「華周、杞梁之妻，善哭其夫而變國俗。」不但言哭，且並杞梁妻與華周妻二人皆哭，以至齊國風俗，由此而變，不免誇張其詞。

《說苑》則並言華周、杞梁之勇，殺敵多人而死，其妻聞之而哭，城爲之阤，隅爲之崩，《列女傳》則言杞梁妻枕其夫之尸於城下而哭，十日而城爲之崩，《說苑》與《列女傳》，皆漢代劉向輯錄而成，然而，亭林先生致疑其說，以爲杞梁妻「既有先人之敝廬，何至枕尸城下」，「莊公既能遣弔，豈至暴骨溝中」？故評斷云，「崩城之云，未足爲信」。亭林先生又云，「且其崩者城耳，未云長城，長城築於威王之時，去莊公百有餘年，而齊之長城又非秦始皇所築之長城也」，乃後世之人，相傳有秦築長城，孟姜女送寒衣，哭倒長城之故事，則與《左傳》、

8 黃汝成：《日知錄集釋》卷二十五，（上海古籍出版社，二〇〇六年）頁一四一四。

9 孔穎達：《左傳正義》卷三十五，（臺北，藝文印書館，一九九三年）頁六〇七。

《孟子》所言之事，全然不類矣。

亭林先生又引晉人崔豹《古今注》，謂杞梁妻所哭倒之城，乃杞國都城，而據《春秋》所記杞成公、文公遷都之事，並謂齊莊公之時，杞地應已併入齊國，則杞梁妻所哭之杞國都城，亦並非秦之長城也。

由杞梁妻而涉及長城，《日知錄》卷三十一又有〈長城〉一條，考論歷代長城修築之沿革，〈長城〉條云：

> 春秋之世，田有封洫，故隨地可以設關。而阡陌之間，一縱一横，亦非戎車之利也。觀國佐之對晉人則可知矣。至於戰國，井田始廢，而車變為騎，於是寇鈔易而防守難，不得已而有長城之築。《史記・蘇代傳》：燕王曰：「齊有長城鉅防，足以為塞。」《竹書紀年》：「梁惠成王二十年，齊閔王築防，以為長城。」《續漢志》：「濟北國盧有長城至東海。」《泰山記》：「泰山西有長城，緣河經泰山，一千餘里，至琅邪臺入海。」此齊之長城也。《史記・秦本紀》：「魏築長城，自鄭濱洛以北，有上郡。」《蘇秦傳》，說魏襄王曰：「西有長城之界。」《竹書紀年》：「惠成王十二年，龍賈帥師築長城於西邊。」此魏之長城也。《續漢志》：河南郡「卷有長城，經陽武到密。」此韓之長城也。《水經注》：盛弘之云：「葉東界有故城始犨縣，東至瀙水，達沘陽，南北數百里，

號為方城，一謂之長城。」《郡國志》曰：「葉縣有長城，曰方城。」此楚之長城也。若《趙世家》「成侯六年，中山築長城」，又言「肅侯十七年，築長城」，則趙與中山亦有長城矣。以此言之，中國多有長城，不但北邊也。[10]

亭林先生以爲，長城之修建，始於戰國，主要由於，春秋戰國，田制更易，戰爭形態已改變，由車戰變爲騎射，侵略者行動迅速，軍勢上易攻而難守，於是「不得已而有長城之築」。於是廣事蒐羅，徵引史籍，以說明「齊之長城」、「魏之長城」、「韓之長城」、「楚之長城」，「趙與中山亦有長城」，並分別彰明各國長城修築之年代，地理之位置，城廓之長度。今考戰國時期，各國疆域，齊在今山東河北一帶，魏在今陝西一帶，韓在今山西一帶，楚在今湖南湖北一帶，趙與中山在今山西一帶，大略皆在中原偏西一帶，而不似後世所稱長城，皆在北方邊鄙之地也。故亭林先生以爲，戰國時期，「中國多有長城，不但北邊也」。

《日知錄》卷三十一〈長城〉條又云：

其在北邊者，《史記・匈奴傳》：「秦宣太后起兵，伐殘義渠，於是秦有隴西、北地、

10 黃汝成：《日知錄集釋》卷三十一，（上海古籍出版社，二〇〇九年）頁一八〇〇。下引並同。

上郡，築長城以拒胡。」此秦之長城也。《魏世家》：「惠王十九年，築長城，塞固陽。」此魏之長城也。《匈奴傳》又言：「趙武靈王北破林胡、樓煩，築長城。自代並陰山，下至高闕為塞，而置雲中，雁門、代郡。」此趙之長城也。「燕將秦開襲破東胡，東胡卻千餘里。燕亦築長城，自造陽至襄平，置上谷、漁陽、右北平、遼西、遼東郡以拒胡。」此燕之長城也。「秦滅六國，而始皇帝使蒙恬將十萬之眾，北擊胡，悉收河南地。因河為塞，築四十四縣城臨河，徙適戍以充之，而通直道，自九原至雲陽，因邊山險塹谿谷可繕者治之，起臨洮，至遼東，萬餘里。又度河據陽山北假中。」此秦并天下之後所築之長城也。

至於在中原北邊之長城，亭林先生亦徵引載籍，主要依據《史記‧匈奴傳》，並參以三家之注（裴駰《史記集解》、司馬貞《史記索隱》、張守節《史記正義》），分別加以考察其地理位置，而云「此秦之長城」、「此魏之長城」、「此趙之長城」、「此燕之長城」、「此秦并天下之後所築之長城」。至於各國修築長城之用意，則並屬北拒匈奴，以衛疆土，此在各國，並無例外。

《日知錄》卷三十一〈長城〉條又云：

自此以後，則漢武帝元朔二年，遣將軍衛青等擊匈奴，取河南地，築朔方，復繕故秦時蒙恬所為塞，因河為固。魏明元帝泰常八年二月戊辰，築長城於長川之南，起自赤城，西至五原，延袤二千餘里。太武帝太平真君七年五月丙戌，發司、幽、定、冀四州十萬人築城上塞圍，起上谷，西至河，廣袤皆千里。北齊文宣帝天保三年十月乙未，起長城自黃櫨嶺，北至社平戍，四百餘里，立三十六戍。六年，發民一百八十萬築長城，自幽州北夏口，至恒州，九百餘里。先是，自西河總秦戍築長城東至於海，前後所築東西凡三千餘里，率十里一戍，其要害置州鎮凡二十五所。八年，於長城內築重城。自庫洛拔而東至於塢紇戍，凡四百餘里。而《斛律羨傳》云：「羨以北虜屢犯邊，須備不虞。自庫堆戍東距於海，隨山屈曲二千餘里，其間二百里中，凡有險要，或斬山築城，或斷谷起障，並置立戍邏五十餘所。」周宣帝大象元年六月，發山東諸州民修長城，立亭障，西自雁門，東至碣石。隋文帝開皇元年四月，發稽胡修築長城。五年，使司農少卿崔仲方發丁三萬，於朔方、靈武築長城，東距黃河，西至綏州，南至勃出嶺，綿歷七百里。六年二月丁亥，復令崔仲方發丁十五萬，於朔方以東，緣邊險要築數十城。七年，發丁男十萬餘人修長城。大業三年七月，發丁男百餘萬築長城，西逾榆林，東至紫河。四年七月辛巳，發丁男二十餘萬築長城，自榆林谷而東。此又後史所載繼築長城之事也。

亭林先生於秦二世滅亡之後，歷代修築長城之記載，又遍蒐史冊，加以彰明，其一爲漢武帝元朔二年。其二爲南北朝時北魏明元帝泰常八年。其三爲北魏太武帝太平眞君七年。其四爲北齊文宣帝天保三年。其五爲北周宣帝大象元年。其六爲隋文帝開皇元年、五年、六年、七年，共四次修築長城。其七爲隋煬帝大業三年、四年兩次修築長城。要之，亭林先生博覽史乘，於秦代滅亡以後，自漢代以迄隋代，前後約八百年間，歷代修築長城，至少有帝王七人，從事建築長城，凡十餘次之多，而隨時整修邊防長城之建設者，尙不在此限也。

夫戰國年代，七雄並立，各國之間，爲求保衛其疆土，紛紛自建長城，以鞏固其封域之安全。及至嬴秦，統一天下之後，華夏外患，主要來自北鄙邊境之匈奴，故自漢代至於隋朝，整修長城者，已如是之多，雖自唐代、宋代以下，以訖晚明時期，少有長城之修建，然而亭林先生於《日知錄》中〈長城〉一條，枚舉載籍，按時排列，相互比較，相互參證，綜此一條，則我國長城建築之沿革，及其整修之功用，實已提舉其要，若網在綱，有條而不紊，示人以南針矣。

三、結語

世人討論學術流變者，多推崇亭林先生爲清代考證學風開山之宗師，然而亭林先生之考證方法，究何所在，試以本篇前文所論推之，則其考證方法，至少擁有下列數種要點，茲略述如下。

亭林先生每考證一事一義，其第一步，必然博覽群書，廣蒐載籍，覓取相關相涉之資料，加以細心通讀。其第二步，則是自所博覽之資料中，精選其足堪憑信之原始資料，轉述資料，依時代先後，加以集錄排列，以見該事發展之沿革變遷。其第三步，則就此精選細錄之資料，貫串其事，分析其義，以求巨細無遺。其第四步，則就其分析資料之所得，精心創造，重新檢覈之後，始下斷語，作出評論。故亭林先生之考證方法，求眞步驟，實係一廣義之歸納方法全面運用而已。

《日知錄》之撰寫方式，以劄記體裁呈現，每條之中，各敘述一主要之事項，發明一事理之要旨，然亦有數條相互補述，共明一事一理相關之要旨者。其劄記每條之中，雖多引相關資料，實則乃取以徵信，以求言必有據，兼以代己立言，曲折表達己意，所謂「以古籌今」，廣徵古事，以期爲後世應用作參考，此則亭林先生學術考證用心之所在耳。

陸、顧亭林對清代學術之影響

顧亭林（一六一三～一六八二）初名絳，江蘇崑山人，國變後，改名炎武，字寧人，學者稱爲亭林先生，生於明萬曆四十一年，卒於清康熙二十一年，享年七十歲。

亭林先生生當滿清入關，明室危亡之際，曾經起兵抗清，事雖不濟，然而遍觀天下，地理險要，著書立說，光復之志，終生不衰。

晚明時代，學風趨於狂禪，士子束書不觀，游談無根，世道人心，多受感染，亭林先生，力矯其弊，倡導徵實之學，凡所立論，必求有據，以期於致用，其影響於後世者，頗爲巨大。

世之論清代學術流別者，咸推崑出顧亭林爲開山之祖，斯固然也，亭林之學，其最切徑者，曰「博學於文」，曰「行己有恥」，以爲「自一身至於天下國家，皆學之事也，自子臣弟友，以至出入往來辭受取與之間，皆有恥之事也」[1]然而亭林之學，實不止此，亭林嘗曰：「君子之

---

1 顧亭林：〈與友人論學書〉，載《亭林文集》卷三，（臺北，漢京文化事業公司，一九八四年）頁四〇。

爲學也，以明道也，以救世也。」[2]又曰：「今日者，拯斯人於塗炭，爲萬世開太平，此吾輩之任也。」[3]然則「經世致用」，爲亭林先生治學之目的，固無可疑者也。亭林先生又曰：「世之君子，苦博學明善之難，而樂夫一超頓悟之易，滔滔者天下皆是也。」[4]又曰：「夫心所以具衆理而應萬事，正其心者，正欲施之治國平天下，孔門未有專用心於內之說也，用心於內，近世禪學之說也。」[5]然則「斥理學末流」，亦當爲亭林先生主張之重心，且「博學於文」，實即針對晚明理學末流之束書不觀、游談無根而發者也，故乃謂近世心學，「陷於禪學而不自知，其去堯舜禹授受天下之本旨遠矣」[6]。且亭林身當明室覆亡，清人入關之際，崑山之破，其母王氏，聞變絕食而死，遺言後人，勿事異姓，無負國恩，[7]故終至亭林一生，不仕滿庭，遍觀天下，志存匡復，即於唐王桂王殉國之後，亭林所撰詩文，仍奉「隆武」「永曆」年號，《日知錄》中，稱明朝必曰本朝，稱崇禎必曰先帝，稱明初必曰國初，[8]然則「反清復明」之壯志，亦亭林畢生奉行之意願，且「行己有恥」，實即針對晚明學士大夫之辱志降身，如洪承疇、吳三桂、錢謙益等人而發者也，故曰：「士大夫之無恥，是謂國恥。」[9]要之，亭林先生立身爲學，論其趨向，則「博學於文」、「行己有恥」、「經世致用」、「斥理學末流」、「反清復明」，皆其犖犖大端，互爲表裏者也。

　　昔者，梁任公之論清代學術演變，以爲當分四期，一曰啓蒙四期，二曰全盛期，三曰蛻分期，四曰衰落期。其啓蒙時期之代表人物，則以顧亭林先生爲第一人焉，而與黃梨洲、王船山、顏習齋，並尊爲清初之大儒，開創一代新學風者也。其全盛時期之代表人物，則爲惠棟、戴震、段玉裁、王念孫、王引之、孔廣森等，是皆以考證訓詁治經小學者也。其蛻分時期之代表人物，則自莊存與、劉逢祿、龔自珍而下，以迄於康有爲、梁啓超等，乃專據《公羊傳》以縱論政事者也。其衰落時期之代表人物，則爲俞樾、孫詒讓、章炳麟等，斯皆能堅守考證訓詁之疆域壁壘者也。[10]然而，後三種時期之學術風氣，論其淵源，或多或少，皆嘗承襲顧亭林先生之治學精神與治學方法者焉。

清代初葉，晚明國祚，猶未衰歇，梨洲、船山、亭林，目睹世變，感傷國事，皆嘗側身軍旅，志存光復，及桂王遇害，匡復之望既絕，乃轉而著書立說，寄寓種族大義，仍求俟諸異日經世以致用者也，然而，船山竄身荒野，終老邊陲，積二百年，遺書方出，梨洲少時，受學於

2 顧亭林：〈與人書〉二十五，載《亭林文集》卷四，（臺北，漢京文化事業公司，一九八四年）頁九八。
3 顧亭林：〈病起與薊門當事書〉，載《亭林文集》卷三，（臺北，漢京文化事業公司，一九八四年）頁四八。
4 顧亭林：〈答友人論學書〉，載《亭林文集》卷六，（臺北，漢京文化事業公司，一九八四年）頁一三五。
5 顧亭林：《原抄本日知錄》卷二十「內典」條，（臺北，文史哲出版社，一九七九年）頁五二七。
6 顧亭林：《原抄本日知錄》卷二十〈心學〉條，（臺北，文史哲出版社，一九七九年）頁五二八。
7 顧亭林：〈先妣王碩人行狀〉，載《亭林餘集》，（臺北，漢京文化事業公司，一九八四年）頁一六三。
8 顧亭林：《原抄本日知錄》書前徐文珊教授所撰「敘例」。
9 顧亭林：《原抄本日知錄》卷十七〈廉恥〉條，（臺北，文史哲出版社，一九七九年）頁三八七。
10 梁啟超：《清代學術概論》，（臺灣商務印書館，一九七七年）頁八。

劉宗周，多承理學緒論，中年以後，爲學方向，始有變改，唯亭林當晚明王學盛極而衰之後，奮起矯之，氣象雄偉，規模宏大，博學讀書，務求古經之眞，而所開創之研究方法，亦復能針砭晚明理學之流弊，而有以自立，故亭林之學，影響於清代學術者，亦最爲深遠也。

清代乾隆嘉慶之時，國勢漸盛，晚明諸大儒者，亦已零落略盡，故一時英拔之才，用其智慧，或詮釋古籍，或考究名物，既可以藏身自全，亦可以戈獲功名，故學者競趨此途，而學術因之大昌，入於全盛時期，其治學精神，以「實事求是」爲主，其治學方法，以「無徵不信」爲要，是皆深受亭林先生之影響者也，蓋亭林先生之治學精神與方法，大要言之，一曰注重材料，如亭林自謂「古人采銅於山，今人則買舊錢，名之曰廢銅以充鑄」[11]者是也。二曰勤於動手，如亭林自謂「著書不如鈔書」[12]、「采山之銅」[13]，潘耒所謂「實錄奏報，手自鈔節」[14]者是也。三曰實地勘察，如潘耒所謂「先生足跡半天下，所至交其賢豪長者，考其山川風俗，疾苦利病」[15]，全祖望所謂「凡先生之遊，以二馬二騾，載書自隨，所至阨塞，即呼老兵退卒，詢其曲折，或與平日所聞不合，則即坊肆中發書而對勘之」[16]者是也。四曰特重創見，如亭林自謂「凡作書者，莫病乎其以前人之書，改竄爲自作也」[17]，「其必古人所未及就，後世所必不可無者，而後爲之」[18]者是也。五曰明辨源流，如潘耒所謂「綜貫百家，上下千載，詳考其得失之故，而斷之於心，筆之於書，朝章國典，民風土俗，原原本本，無不洞悉」[19]者是也。六曰循序漸進，如亭林自謂「讀九經自考文始，考文自知音始，以至諸子百家之書，亦莫不然」[20]者是也。七曰措諸實用，如亭林自謂「文之不可絕於天地間者，曰明道也，紀政事也，察民隱也，樂道人之善也」[21]，「凡文之不關於六經之指，當世之務者，一切不爲」[22]者是也。八曰虛懷若谷，如亭林自謂「人之爲學，不日進則日退，獨學無友，則孤陋而難成」[23]，「時人之言，亦不敢沒其人」[24]，「或古人先我而有者，遂削之」[25]者是也。亭林先生之治學精神與治學方法，明確如此，乾嘉諸儒效之，是榛蕪已闢，坦途在前，故一時人才輩出，學術昌盛，實皆受亭林先生所影響者也。

---

11 顧亭林：〈與人書〉十，載《亭林文集》卷四，（臺北，漢京文化事業公司，一九八四年）頁九三。

12 顧亭林：〈鈔書自序〉引其先祖之言，載《亭林文集》卷二，（臺北，漢京文化事業公司，一九八四年）頁二九。

13 顧亭林：〈與人書〉十，載《亭林文集》卷四，（臺北，漢京文化事業公司，一九八四年）頁九三。

14 潘耒：〈日知錄序〉，載黃汝成：《日知錄集釋》，（臺北，中華書局，一九七三年）頁一。

15 潘耒：〈日知錄序〉，載黃汝成：《日知錄集釋》，（臺北，中華書局，一九七三年）頁一。

16 全祖望：〈顧亭林先生神道表〉，載《結埼亭集》卷十二，（臺北，華世出版社，一九七七年）頁一四三。

17 顧亭林：〈鈔書自序〉，載《亭林文集》卷三，（臺北，漢京文化事業公司，一九八四年）頁二九。

18 顧亭林：《原抄本日知錄》卷二十一〈著書之難〉條，（臺北，文史哲出版社，一九七九年）頁五四八。

19 潘耒：〈日知錄序〉，載黃汝成：《日知錄集釋》，（臺北，中華書局，一九七三年）頁一。

20 顧亭林：〈答李子德書〉，載《亭林文集》卷四，（臺北，漢京文化事業公司，一九八四年）頁六九。

21 顧亭林：《原抄本日知錄》卷二十一〈文須有益於天下〉條，（臺北，文史哲出版社，一九七九年）頁五四七。

22 顧亭林：〈與人書〉三，載《亭林文集》卷四，（臺北，漢京文化事業公司，一九八四年）頁九一。

23 顧亭林：〈與人書〉一，載《亭林文集》卷四，（臺北，漢京文化事業公司，一九八四年）頁九〇。

24 顧亭林：《原抄本日知錄》卷二十一〈述古〉條，（臺北，文史哲出版社，一九七九年）頁五八九。

亭林所著之書，其最著者，爲《音學五書》及《日知錄》，《音學五書》三十八卷，一曰《古音表》三卷，二曰《易音》三卷，三曰《詩本音》十卷，四曰《唐韻正》二十卷，五曰《音論》十卷。亭林自謂：「某自五十以後，於音學深有所得，爲五書以續三百篇以來久絕之傳。」[26]夫古音之學，雖自宋代吳棫，即已首開研治之風，然至亭林《音學五書》之出，而後戴震、段玉裁、孔廣森、錢大昕、王念孫諸人繼之，而後古音之學乃得大明，實亦多由亭林先生之書所啓發者也。

《日知錄》三十二卷，亭林自謂「平生之志與業，皆在其中」[27]，「上篇經術，中篇治道，下篇博聞」，「有王者起，將以見諸行事，以躋斯世於治古之隆」[28]，其書以札記之體爲之，乾嘉以下，如錢大昕之《十駕齋養新錄》、王念孫之《讀書雜志》、王引之之《經義述聞》、陳澧之《東塾讀書記》等，其體例內容，實多屬仿自《日知錄》者也，然而《日知錄》有治道之論，有經世致用之理想存在，而王氏父子及錢氏等以下之書，則專論學術博聞，以視亭林先生之抱負志業，又有間矣。

亭林先生又有《天下郡國利病書》一百卷，《肇域志》一百卷，雖係纂輯未定之稿，然於乾嘉中研治地理掌故之學者，如顧祖禹《讀史方輿紀要》之倫，亦必有甚多之影響者也。至於亭林先生之《金石文字記》，首開清代鐘鼎碑石文字之研治，而錢大昕、洪頤煊、嚴可均等人繼之，金石之學，於是大昌，是皆受亭林先生之影響者也。

然則，乾嘉諸儒所承襲於亭林先生者，特僅在「博學於文」之一端而已，至於亭林先生所倡導之「反清復明」、「經世致用」諸端，時過境遷，乾嘉諸儒，皆無暇顧及之矣，唯戴東原撰《原善》、《緒言》、《孟子字義疏證》，於反對程朱理學方面，尚能延續一線，然亦非復亭林所斥晚明理學末流之志趣矣。

清代道光咸豐以後，海禁既通，學術丕變，一則由於鴉片戰爭之喪權辱國，民心士氣，大受挫傷，一則由於乾嘉考證已盛極而衰，俊傑之士，努力求變，一時學風，多不甘囿於訓詁文字章句之間，由是遂別求《公羊》思想，牽引西方政制，另闢徑路，力挽狂瀾，莊存與首著《春秋正辭》，劉逢祿更著《春秋公羊傳何氏釋例》，而宋翔鳳、魏源、龔自珍等，各有論著，以迄於同光之際，康有為著《新學偽經考》、《孔子改制考》、《禮運注》，崔適著《春秋復始》，是皆為假藉古代經典，比附西方學說，以論政制，以求變法而維新者也，梁任公以其躬親參與之身，乃曰：「最近數十年，以經術而影響於政體，亦遠紹炎武之精神也」[29]，亦「晚明遺獻思

---

25 顧亭林：《原抄本日知錄》書前「識語」。
26 顧亭林：〈與人書〉二十五，載《亭林文集》卷四，（臺北，漢京文化事業公司，一九八四年）頁九八。
27 顧亭林：〈與友人論門人書〉，載《亭林文集》卷三，（臺北，漢京文化事業公司，一九八四年）頁四六。
28 顧亭林：〈與人書〉二十五，載《亭林文集》卷四，（臺北，漢京文化事業公司，一九八四年）頁九八。
29 梁啟超：《清代學術概論》，（臺灣商務印書館，一九七七年）頁二二。

想之復活」[30]也，然則亭林先生「經世致用」之精神，終亦稍得試用於一時矣，此則清代學術蛻變時期之現象也。

洎乎光緒末年，異學並興，譚嗣同之《仁學》、嚴復之譯書、楊文會之佛學，一時競出，而堅守乾嘉諸儒考證之榘矱者，猶有一二大師存焉，俞曲園孫詒讓爲斯學之殿軍，而章炳麟之造詣，尤爲深邃，而更提倡種族革命之論，鼓吹排滿，其心思志節，實深受亭林先生之影響者，蓋章氏爲學，尊慕亭林，且嘗自名曰「絳」，取其與亭林先生同名，又字「太炎」，亦以亭林先生名爲炎武之故，其所用心，是眞能善繼亭林先生光復華夏之宏願者也。

要之，亭林先生影響於清代學術者，其一在開創考證求眞之徵實學風，其二在揭示新穎科學之歸納方法，其三在拓廣學術研究之門庭路徑，此三者，皆「博學於文」之所有事也，然而，亦並非亭林學術之全體也，亭林先生之爲學宗旨，「博學於文」之外，「行己有恥」、「經世致用」、「反清復明」、「斥理學末流」，皆其犖犖大端者，然自乾嘉諸儒，得其一體，衍爲樸學，遂蔚成清代學術之主流，而亭林先生所以被尊爲「開國儒宗」[31]者在此，「三百年來，亭林終不免以多聞博學見推」[32]者亦在此，然而，恐皆非亭林先生之心意也，清代學術之發展，乾隆嘉慶以下，其去清初，雖曰「歷年漸衰」[33]，環境改易，然而「讀先生書者雖多，而能言其大節者已罕」[34]，則是清代諸儒，其未能善學亭林先生之學，未能善繼亭林先生之志，[35]實亦不能辭其咎也。

（原刊載於拙著《清代學術史研究》，一九八八年臺北學生書局出版）

30 梁啟超：《中國近三百年學術史》，（臺北，中華書局，一九五八年）頁二九。

31 章學誠：《文史通義．浙東學術》有云：「世推顧亭林氏為開國儒宗。」（臺北，國史研究室，一九七八年）頁五一。

32 錢穆：《中國近三百年學術史》（臺灣商務印書館，一九六八年）頁一三一。

33 全祖望：〈顧亭林先生神道表〉，載《鮚埼亭集》卷十二，（臺北，華世出版社，一九七七年）頁一四三。

34 全祖望：〈顧亭林先生神道表〉，載《鮚埼亭集》卷十二，（臺北，華世出版社，一九七七年）頁一四三。

35 錢穆：《中國近三百年學術史》頁一四五云：「後之學亭林者，忘其行己之教，而師其博文之訓，已為得半而失半，又於其所以為博文者，棄其研治道論救世，而專趨於講經術務博聞，則半之中又失其半焉。」

柒、顧亭林對「理學」與「心學」之評論

一、引言

顧亭林（一六一三～一六八二）初名絳，江蘇崑山人，國變後，改名炎武，字寧人，學者稱爲亭林先生，生於明萬曆四十一年，卒於清康熙二十一年，享年七十歲。

明思宗崇禎十七年（一六四四）三月，流寇李自成攻陷北京，思宗自縊，四月，山海關守將吳三桂，因愛妾陳圓圓爲李自成部將所掠，憤而開關，引清兵入境，五月，清兵入北京，逐走李自成，趁勢南下，亭林先生與友人曾起兵抗清，次年七月，清兵陷崑山，亭林生母何太夫人爲清兵所傷，右臂折斷，清兵又陷常熟，亭林嗣母王太夫人聞變，絕食十五日而終，遺命亭林，毋仕二姓。

明亡之後，亭林先生六謁孝陵，六謁思陵，變姓名爲蔣山傭，不仕滿庭，嘗往來南北，遠出塞外，遍觀天下，地理險要，著書立說，以備俟諸異日，經世致用，以期光復之機。

華夏學術，自宋代以來，理學、心學，相繼昌盛，至於晚明時期，心學末流，入於狂禪，游談無根，束書不觀，影響於世道人心者甚鉅，亭林先生，起而拯之，以實事求是，闢空談之誤，以信而有徵，引領學風，又倡導經世之學，歸諸致用，一時風氣漸變，亭林先生因而亦爲後人所稱，尊之爲清代學術之開山大師。

亭林先生著述宏富，其所撰述，無慮數十餘種，而《日知錄》三十二卷，尤爲亭林先生平生志業之所寄寓。

亭林先生既倡導徵實考證之學，其於宋元以下之理學、心學，遂亦有其評論得失之意見，所論理學、心學之流弊，尤能針對其利病，而加以針砭者。茲編之述，即就亭林先生有關理學、心學之評論意見，加以表出，並略述一己之所見焉。

二、亭林爲學之基本之主張

亭林先生爲學，以宏揚孔孟精神爲目的，以「博學於文」、「行己有恥」爲致力之途徑，亭林先生〈與友人論學書〉云：

竊歎夫百餘年以來之為學者，往往言心言性，而茫乎不得其解也。命與仁，夫子之所罕

> 言也，性與天道，子貢之所未得聞也。性命之理，著之《易傳》，未嘗數以語人。其答問士也，則曰「行己有恥」，其為學，則曰「好古敏求」，其與門弟子言，舉堯、舜相傳所謂危微精一之說，一切不道，而但曰：「允執其中，四海困窮，天祿永終。」嗚呼！聖人之所以為學者，何其平易而可循也，故曰：「下學而上達。」顏子之幾乎聖也，猶曰：「博我以文。」其告哀公也，明善之功，先之以博學。自曾子而下，篤實無若子夏，而其言仁也，則曰：「博學而篤志，切問而近思。」[1]

今以《論語》所記者言之，〈子罕〉篇記載，「子罕言利，與命與仁」，〈公冶長〉篇記載，「子貢曰，夫子之文章，可得而聞也；夫子之言性與天道，不可得而聞也」，故亭林先生以爲，命與仁，夫子之所罕言，性與天道，子貢之所未得聞也，以爲「性命之理，著之《易傳》，未嘗數以語人」。又《論語》中〈子路〉篇記載，「子貢問曰：『何如斯可謂之士矣？』子曰：『行己有恥，使於四方，不辱君命，可謂士矣。』」〈述而〉篇記載，「子曰，我非生而知之者，好古，敏以求之者也」，故亭林先生以爲，孔子答弟子問士，則告以「行己有恥」，孔子自述爲學之方，則言「好古敏求」。又《論語》中〈堯曰〉篇記載，「堯曰，咨！爾舜！天之

1 顧亭林：《亭林文集》卷三，（臺北，漢京文化事業公司，一九八四年）頁四〇。

曆數在爾躬，允執其中！四海困窮，天祿永終，舜亦以命禹」，故亭林先生以為，孔子與門弟子論帝堯告舜所言，但曰允執其中，四海困窮，天祿永終，皆指執持中道，勤勞國事，以安百姓，勿使饑餒之事，故以為聖人之為學，平易而使人樂於遵循。

亭林先生又引孔子「下學而上達」（〈憲問〉），顏回言孔子「博我以文」（〈子罕〉）、子夏「博學而篤志，切問而近思，仁在其中矣」（〈子張〉）之言，加以綜合，而概括為「博學於文」、「行己有恥」二語，以作為致力效法孔孟精神之途徑。亭林先生〈與友人論學書〉又云：

> 今之君子則不然，聚賓客門人之學者數十百人，「譬諸草木，區以別矣」，而一皆與之言心言性，舍多學而識，以求一貫之方，置四海之困窮不言，而終日講危微精一之說，是必其道之高於夫子，而其門弟子之賢於子貢，祧東魯而直接二帝之心傳者也。我弗敢知也。

所謂「危微精一」之說，則指《尚書．大禹謨》所記，帝舜告禹之言，「人心惟危，道心惟微，惟精惟一，允執厥中」，至宋代以後，程顥、朱熹等人，加以發揮，以為此十六字，乃是堯舜以來聖賢相傳之「十六字心傳」，並以之作為宋明理學重要之思想指標，程頤云：「人心惟危，人欲也；道心惟微，天理也。」（《二程遺書》卷十二）朱熹云：「必使道心常為一身之主，而人心每聽命焉。」（〈中庸章句序〉）王陽明云：「人心之得其正者即道心，道心之失其正者即人心。」（《傳習錄》上）其義皆欲以理學心學之傳，爲接續聖賢傳心之道統。程朱理學之後，陸王心學繼之而起，陽明提倡致良知之說，以其簡易直接，其後學如泰州一派，更倡導良知現成，入於狂禪，影響於世道人心、社會風氣者甚鉅，故亭林先生以爲，「百餘年以來之爲學者，往往言心言性，而茫乎不得其解也」，蓋指心學末流而言。亭林先生〈與友人論學書〉又云：

> 《孟子》一書，言心言性，亦諄諄矣，乃至萬章、公孫丑、陳代、陳臻、周霄、彭更之所問，與孟子之所答者，常在乎出處、去就、辭受、取與之間。以伊尹之元聖，堯、舜其君其民之盛德大功，而其本乃在乎千駟一介之不視不取。伯夷、伊尹之不同於孔子也，而其同者，則以「行一不義，殺一不辜，而得天下不為」。是故性也、命也、天也，夫子之所罕言，而今之君子之所恆言也，出處、去就、辭受、取與之辨，孔子、孟子之所恆言，而今之君子所罕言也。謂忠與清之未至於仁，而不知不忠與清而可以言仁者，未之有也，謂不忮不求之不足以盡道，而不知終身於忮且求而可以言道者，未之有也。我弗敢知也。

今以《孟子》所記者言之，〈公孫丑上〉記載，人皆有不忍人之心，所謂惻隱之心、羞惡之心、辭讓之心、是非之心。〈盡心上〉記載，「盡其心者，知其性也」，〈告子上〉記載，孟子與告子論性諸章，皆屬言心言性者也。至於孟子答其弟子萬章、公孫丑、陳代、陳臻、周霄、彭更之所問，常在於君子立身，有關出處、去就、辭受、取與之事，則散見於〈公孫丑〉、〈萬章〉等各篇。至於〈萬章下〉記載，伯夷，聖之清者，伊尹，聖之任者，孔子，聖之時者，〈公孫丑上〉記載，治則進，亂則退，伯夷也；治亦進，亂亦進，伊尹也；可以仕則仕，可以止則止，孔子也。是伯夷、伊尹、孔子三人之不同者。而「行一不義，殺一不辜，而得天下，皆不爲也」，則是三人所相同者。綜上所舉，故亭林先生以爲，「性也、命也、天也，夫子之所罕言，而今之君子之所恆言也；出處、去就、辭受、取與之辨，孔子、孟子之所恆言，而今之君子所罕言也」。亭林先生〈與友人論學書〉又云：

> 愚所謂聖人之道者如之何？曰「博學於文」，曰「行己有恥」。自一身以至於天下國家，皆學之事也；自子臣弟友以至出入、往來、辭受、取與之間，皆有恥之事也。恥之於人大矣！不恥惡衣惡食，而恥匹夫匹婦之不被其澤，故曰：「萬物皆備於我矣，反身而誠。」嗚呼！士而不先言恥，則為無本之人，非好古而多聞，則為空虛之學。以無本之人，而講空虛之學，吾見其日從事於聖人而去之彌遠也。

亭林先生既據《論語》所言，綜合約舉，概括為「博學於文」、「行己有恥」，以作為論學之宗旨，又據《孟子》所言，於此宗旨，加以闡釋，以為「自一身以至於天下國家，皆學之事也，自子臣弟友以至出入、往來、辭受、取與之間，皆有恥之事也」，於此宗旨之含義，界定益為清晰。至於就「禮、義、廉、恥」四維之中，獨標「恥」之一維，並非捨其他三維於不顧，乃以「恥」之一維，尤要於其他三維，《日知錄》卷十三〈廉恥〉條，先言管子所稱「禮義廉恥，國之四維，四維不張，國乃滅亡」，又言「然而四者之中，恥尤為要」，「故士大夫之無恥，是謂國恥」[2]，故人而無恥，則禮義廉之三維，亦無法踐行，故四維之中，恥之一維，尤為其他三維之根源，故於人之立身行事方面，尤為重要。故乃以為，「人之不廉而至於悖禮犯義，其原皆生於無恥也」，是以強調，「士而不先言恥，則為無本之人，非好古而多聞，則為空虛之學。以無本之人，而講空虛之學，吾見其日從事於聖人而去之彌遠也」。

亭林先生既以宏揚孔孟精神為目的，又綜舉孔孟要義，而以「博學於文」，「行己有恥」為致力之途徑，宗旨既定，其評論理學與心學，遂亦以此宗旨，作為準則，以衡量歷代其他學術，以評論其得失。

2 黃汝成：《日知錄集釋》卷十三，（上海古籍出版社，二〇〇六年）頁七七二。

三、亭林對理學之評論

㈠對朱子理氣說之批評

亭林先生對理學之評論，集中在針對朱子而發，朱子理學之主張，其基本在理氣之論，受周敦頤〈太極圖說〉之影響頗深，朱子以爲，「理」爲宇宙之根源，屬於形而上者，而「氣」則依理而生，能發育萬物，屬於形而下者，然而，理與氣同時並存，渾淪而不可分，朱子〈答黃道夫〉云：「天地之間，有理有氣。理也者，形而上之道也，生物之本也。氣也者，形而下之器也，生物之具也。是以人物之生，必稟此理，然後有性。必稟此氣，然後有形。其性其形，雖不外乎一身，然其道器之間，分際甚明，不可亂也。」[3]又〈答劉叔文〉云：「所謂理與氣，此決是二物，但在物上看，則二物渾淪不可分開各在一處。」[4]《朱子語類》卷九十五云：「形而上者，無形無影是此理。形而下者，有情有狀是此器。」[5]《朱子語類》卷一云：「必欲推其所從來，則須說是先有理。」又云：「有是理後生是氣。」[6]朱子論理氣，雖分之爲二元，然此二元，仍不相離異，不相雜淆，理爲萬物生成之原理，然必得氣之集聚，而後得生成爲萬物。故朱子主張，萬事萬物，必須由理至氣，先由形上之理，而後始得形下之氣，此先後不可更易。

至於亭林先生，其所主張，則與朱子不同，《日知錄》卷一〈遊魂爲變〉條云：

張子《正蒙》有云：「太虛不能無氣，氣不能不聚而為萬物，萬物不能不散而為太虛。循是出入，是皆不得已而然也。然則聖人盡道其間兼體而不累者，存神其至矣。」其精矣乎！

又云：

> 盈天地之間，氣也，氣之盛者，神也。神者，天地之氣而人之心也。[7]

在思想史上，張載特別強調「氣」之宇宙觀，亭林先生對此，加以繼承其說，亭林先生以爲，宇宙間所充塞者爲氣，氣聚則爲萬物，氣散則萬物復歸於太虛，人爲萬物之一，人之生命存亡，亦由是也，《日知錄》卷一〈遊魂爲變〉條又云：

3 朱熹：《朱子文集》卷五十八，（臺北，德富文教基金會，二〇〇〇年）頁二七九九。
4 朱熹：《朱子文集》卷四十六，（臺北，德富文教基金會，二〇〇〇年）頁二〇九五。
5 黎靖德：《朱子語類》卷九十五，（臺北，華世出版社，一九八七年）頁二四二一。
6 黎靖德：《朱子語類》卷一，（臺北，華世出版社，一九八七年）頁一。
7 黃汝成：《日知錄集釋》卷一，（上海古籍出版社，二〇〇六年）頁三八。

> 邵氏《簡端錄》曰：「聚而有體謂之物，散而無形謂之變。唯物也，故散必於其所聚。唯變也，故聚不必於其所散。是故聚以氣聚，散以氣散。〔昧〕於散者，其說也佛；荒於聚者，其說也仙。」

人之生命，所來所去，皆由於氣之聚散，爲之主耳，此與佛家道家之說，自是不同，〈遊魂爲變〉條又云：

> 鬼者，歸也。張子曰：「氣之為物，散入無形，適得吾體。」此之謂歸。陳無己以「遊魂為變」為輪迴之說，呂仲木辨之曰：「長生而不化，則人多，世何以容？長死而不化，則鬼亦多矣。夫燈熄而然，非前燈也；雲霓而雨，非前雨也。死復有生，豈前生邪？」

人之死生存亡，爲人爲鬼，皆氣之聚散爲之也，亦猶燈之明滅而已，非有鬼神爲之主也。

亭林先生又復以爲，人死復歸於太虛，是萬物由氣而生，又復歸之爲氣，形而上者謂之道，形而下者謂之器，氣之聚散，萬物之變化，不能離器而獨存，此亭林先生與朱子不侔之重點，《日知錄》卷一〈形而下者謂之器〉條云：

「形而上者謂之道，形而下者謂之器。」非器則道無所寓，說在乎孔子之學琴於師襄也。已習其數，然後可以得其志；已習其志，然後可以得其為人。是雖孔子之天縱，未嘗不求之象數也，故其自言曰：「下學而上達。」[8]

亭林先生指出，道器雖分，「非器則道無所寓」，並以孔子習琴於師襄爲例，必先由具體之彈奏技巧（數）之中，多所習練，由生疏而至熟悉，然後逐漸可以體悟琴曲中所蘊涵之情感及心志，此即由具體事物之經驗中領悟抽象原理之事例，由下學其器而後能上達其道之途轍，故亭林先生，不以朱子「理在氣先」之說爲然也。

要之，亭林先生以爲，宇宙萬物，皆一氣之聚散，爲之主宰，氣爲形下之器，故主張爲學求知，必先致力於下學工夫，博學於文，然後能由形下知識，而逐漸達於形上之道，此所以與朱子理在氣先，爲學必先明理，遂不相侔也。

由此理氣之分，道器之辨，故亭林先生論學，亦特重「博學於文」，特重下學工夫，以爲「君子博學於文，自身而至於家、國、天下，制之爲度數，發之爲音容，莫非文也」（《日知錄》卷七〈博學於文〉條），而不似朱子，爲學先論理氣也。

8 黃汝成：《日知錄集釋》卷一，（上海古籍出版社，二〇〇六年）頁四二。

㈡分辨「古之理學」與「今之理學」

亭林先生對於宋明理學之批評，又提出「古之理學」，與宋明以來「今之理學」，作出比較討論，《亭林文集》卷三〈與施愚山書〉云：

> 理學之傳，自是君家弓治。然愚獨以為理學之名，自宋人始有之。古之所謂理學，經學也，非數十年不能通也。故曰：「君子之於《春秋》，沒身而已矣。」今之所謂理學，禪學也，不取之五經而但資之語錄，校諸帖括之文而尤易也。又曰：「《論語》，聖人之語錄也。」舍聖人之語錄，而從事於後儒，此之謂不知本矣。[9]

亭林先生以為，「理學之名，自宋人始有之」，而古之所謂理學，即經學也，研治經學，即在經書之中，探尋其義理，即在經書之中，闡釋其平易切實之義理，而非如「今之理學」，「置四海之困窮不言，而終日講危微精一」以近於禪學者也。全祖望〈亭林先生神道表〉云：

> 晚益篤志六經，謂古今安得別有所謂理學者，經學即理學也，自有舍經學以言理學者，而邪說以起，不知舍經學，則其所謂理學者，禪學也。

又云：

> 其書曰《下學指南》，或疑其言太過，是固非吾輩所敢遽定，然其謂經學即理學，則名言也。10

亭林先生以爲，「古之所謂理學，經學也」，而全祖望則以「經學即理學」一語，用以稱代，實則二人所言之義，並不相合，經學之與理學，也並不等同，全祖望所謂「經學即理學」，乃係綜括亭林先生〈與施愚山書〉及〈下學指南序〉兩文中之義旨而言之者，而實與亭林先生之意，相距頗遠，推尋亭林先生之意，既以「古之所謂理學」與「今之所謂理學」，相對爲言，其意乃在，「以經學爲根本，闡釋義理」，與「以禪學爲導向，講明心性」之差異而已。亭林先生〈答友人論學書〉云：

> 《大學》言心不言性，《中庸》言性不言心。來教單提心字而未竟其說，未敢漫為許可，

9 顧亭林：《亭林文集》卷三，（臺北，漢京文化事業公司，一九八四年）頁五八。

10 詹海雲：《鮚埼亭集校注》內編卷十二，（臺北，國立編譯館，二〇〇三年）頁二八二。

以墮于上蔡、橫浦、象山三家之學。竊以為聖人之道，下學上達之方，其行在孝弟忠信，其職在灑掃應對進退，其文在《詩》、《書》、《三禮》、《周易》、《春秋》；其用之身，在出處、辭受、取與；其施之天下，在政令、教化、刑法；其所著之書，皆以為撥亂反正，移風易俗，以馴致乎治平之用，而無益者不談。一切詩、賦、銘、頌、贊、誄、序、記之文，皆謂之巧言而不以措筆。其于世儒盡性至命之說，必歸之有物有則，五行、五事之常，而不入于空虛之論。僕之所以為學者如此，以質諸大方之家，未免以為淺近而不足觀，雖然，亦可以弗畔矣夫。

又云：

世之君子苦博學明善之難，而樂夫一超頓悟之易，「滔滔者天下皆是也」，無人而不論學矣，能弗畔于道者誰乎？相去千里，不得一面，敢率其胸懷，以報嘉訊，幸更有以教之。[11]

亭林先生以爲，聖人之道，在內以修己，外以治人，至於六經之書，皆可資之以發揮義理，以用於移風易俗，有益民生日用。因而反對宋明以來之理學思想，以其專在心性天理上作工夫，而非聖人本於經書以論之義理也。

㈢對宋代經學著述之肯定

亭林先生論學，既強調經學爲根本，則其於宋儒經學著述，亦時或加以稱許，《日知錄》卷一〈朱子周易本義〉條云：

> 《周易》自伏羲畫卦，文王作《彖辭》，周公作《爻辭》，謂之經。經分上下二篇。孔子作《十翼》，謂之傳。傳分十篇，《彖傳》上下二篇，《象傳》上下二篇，《繫辭傳》上下二篇，《文言》、《說卦傳》、《序卦傳》、《雜卦傳》各一篇。自漢以來，為費直、鄭玄、王弼所亂，取孔子之言逐條附於卦爻之下。程正叔《傳》因之，及朱元晦《本義》，始依古文，故於《周易上經》條下云：「中間頗為諸儒所亂，近世晁氏始正其失，而未能盡合古文。呂氏又更定，著為經二卷，傳十卷，乃復孔氏之舊云。」洪武初，頒五經天下儒學，而《易》兼用程、朱二氏，亦各自為書。永樂中修《大全》，乃取朱子卷次割裂，附之程《傳》之後，而朱子所定之古文仍復殽亂。「《彖》即文王所繫之辭，

11 顧亭林：《亭林文集》卷六，（臺北，漢京文化事業公司，一九八四年）頁一三五。

《傳》者孔子所以釋經之辭也，後凡言『傳』放此」，此乃《象上傳》條下義。今乃削「象上傳」三字，而附於「大哉乾元」之下。「象者，卦之上下兩象及兩象之六爻，周公所繫之辭也」，乃《象上傳》條下義。今乃削「象上傳」三字，而附於「天行健」之下。「此篇申《彖傳》、《象傳》之意，以盡〈乾〉、〈坤〉二卦之蘊，而餘卦之說因可以例推云」，乃《文言》條下義。今乃削「文言」二字，而附於「元者善之長也」之下。其「彖曰」、「象曰」、「文言曰」字皆朱子本所無，復依程《傳》添入。後來士子厭程《傳》之多，棄去不讀，專用《本義》。而《大全》之本乃朝廷所頒，不敢輒改，遂即監版《傳》、《義》之本刊去程《傳》，而以程之次序為朱之次序，相傳且二百年，惜乎朱子定正之書，竟不得見於世，豈非此經之不幸也夫！12

今案《周易》一書，有經有傳，六十四卦之卦形，卦下之彖辭，爻下之爻辭，所謂「經」也，經分上下二篇。至於孔子作十翼，乃謂之「傳」，傳爲十篇，所謂《彖傳》上下二篇、《象傳》上下二篇、《繫辭傳》上下二篇、《文言傳》、《說卦傳》、《序卦傳》、《雜卦傳》各一篇，共十篇。經傳之撰著，既有先後之不同，後人遂亦以「經」、「傳」分別列舉成書。然自漢代以來，費直、鄭玄、王弼等人，取十翼之中，〈彖傳〉、〈象傳〉、〈文言傳〉等，附列各卦卦辭爻辭之下，而經傳之分別，遂致紊亂。以至朱子，始復古本經傳之舊，而朱子之《周易本義》，後因明代修《五經大全》，朱子所訂之古本，又遭殽亂，故亭林先生乃曰，「惜乎朱子定正之書，竟不得見於世」，黃汝成《日知錄集釋》於此條注云：「汝成案，今御纂《周易折中》已復朱子之舊矣。」考《周易折中》一書，名雖御纂，實乃由大學士李光地於清康熙五十四年纂成，其書集錄古今各家《易》說，而以朱子、程子之說爲主，抒發《易》理，其最大特色，即在恢復朱子「經」、「傳」分別之舊貌也。

《日知錄》卷一〈卦爻外無別象〉條云：

> 聖人設卦觀象而繫之辭，若文王、周公是已。夫子作傳，傳中更無別象。其所言卦之本象，若天、地、雷、風、水、火、山、澤之外，惟「頤中有物」，本之卦名，「有飛鳥之象」，本之卦辭，而夫子未嘗增設一象也。荀爽、虞翻之徒，穿鑿附會，象外生象，以同聲相應為〈震〉、〈巽〉，同氣相求為〈艮〉、〈兌〉，水流濕，火就燥為〈坎〉、〈離〉，雲從龍則曰〈乾〉為龍，風從虎則曰〈坤〉為虎。《十翼》之中，無語不求其象，而《易》之大指荒矣。豈知聖人立言取譬，固與後之文人同其體例，何嘗屑屑於象

12 黃汝成：《日知錄集釋》卷一，（上海古籍出版社，二〇〇六年）頁三。

哉！王弼之注涉於玄虛，然已一掃《易》學之榛蕪，而開之大路矣。不有程子，大義何由而明乎？13

亭林先生以為，聖人設卦觀象而繫之辭，如文王畫卦、周公繫辭之類，及孔子作十翼，《傳》中更無別象，及至漢代，象數之學興盛，荀爽、虞翻之徒，別創卦變、升降、互體、旁通等例，以說《易經》，而《易》之大指荒矣。及於北宋，程頤撰《易傳》，發明大義，不涉象數，故亭林先生，特加稱許，以為有功於《易》學也，亭林先生〈與友人論易書〉云：

昔之說《易》者，無慮數十百家，如僕之孤陋，而所見及寫錄唐宋人之書，亦有十數家，有明之人之書不與焉，然未見有過於程傳者。14

其於伊川《易傳》，推崇可謂至矣。

《日知錄》卷一〈朱子周易本義〉條云：

秦以焚書而五經亡，本朝以取士而五經亡。今之為科舉之學者，大率皆帖括熟爛之言，不能通知大義者也。而《易》、《春秋》尤為繆盭。以《彖傳》合大象，以大象合爻，以爻合小象，二必臣，五必君，陰卦必云小人，陽卦必云君子，於是此一經者為拾瀋之書，而《易》亡矣。取胡氏《傳》一句兩句為旨，而以經事之相類者合以為題，《傳》為主，經為客，有以彼經證此經之題，有用彼經隱此經之題，於是此一經者為射覆之書，而《春秋》亡矣。復程、朱之書以存《易》，備三《傳》、啖、趙諸家之說以存《春秋》，必有待於後之興文教者。15

亭林先生以為，五經既由秦人焚書而殘缺。及至明代，《五經大全》頒定，而士人皆從帖括八股以習經義，以求登進，由是而五經荒廢，而《易》與《春秋》，受禍尤切，亭林先生於《易》，則推崇程頤、朱熹兩家，於《春秋》，則依據三《傳》，而推崇啖助、趙匡兩家，以為唐宋儒者說經之代表，而以振興經學之途，宜由乎此也。

《亭林文集》卷二〈儀禮鄭注句讀序〉云：

三代之禮，其存於後世而無疵者，獨有《儀禮》一經。漢鄭康成為之注，魏、晉已下至

13 黃汝成：《日知錄集釋》卷一，（上海古籍出版社，二〇〇六年）頁一〇。

14 顧亭林：《亭林文集》卷三，（臺北，漢京文化事業公司，一九八四年）頁四一。

15 黃汝成：《日知錄集釋》卷一，（上海古籍出版社，二〇〇六年）頁三。

> 唐、宋通經之士，無不講求於此。自熙寧中，王安石變亂舊制，始罷《儀禮》，不立學官，而此經遂廢，此新法之為經害者一也。南渡已後，二陸起於金谿，其說以德性為宗，學者便其簡易，羣然趨之，而於制度文為一切鄙為末事。賴有朱子正言力辨，欲修三《禮》之書，而卒不能勝夫空虛妙悟之事，此新說之為經害者二也。沿至於今，有坐皐比，稱講師，門徒數百，自擬濂、洛，而終身未讀此經一徧者。[16]

韓愈〈讀儀禮〉一文，謂《儀禮》難讀，而晚明張爾岐所撰《儀禮鄭注句讀》既成，分段標目，增益鄭注，然後《儀禮》一書，易於誦讀，亭林先生爲張書撰序，稱鄭玄以下，《儀禮》一書，歷經王安石倡新經學，罷廢《儀禮》，南宋金谿陸氏兄弟，倡導心學，人益不復致力實學，《儀禮》一書，經此二難，「賴有朱子正言力辨」，蓋朱子曾上〈乞修三禮劄子〉，建議朝廷，重修三《禮》之書，不獲行，而朱子本人，乃撰著《儀禮經傳通解》一書，闡釋此經，故亭林先生於此序中，稱譽朱子，於提倡禮學，具有卓識也。[17]

《日知錄》卷十四〈嘉靖更定從祀〉條云：

> 古人每事必祭其始之人，耕之祭先農也，桑之祭先蠶也，學之祭先師也，一也。《舊唐書》：「太宗貞觀二十一年二月壬申詔：以左丘明、卜子夏、公羊高、穀梁赤、伏勝、

高堂生、戴聖、毛萇、孔安國、劉向、鄭眾、杜子春、馬融、盧植、鄭玄、服虔、賈逵、何休、王肅、王弼、杜預、范甯等二十二人，代用其書，垂於國胄。自今有事於太學，並令配享宣尼廟堂，蓋所以報其傳注之功。」迄乎宋之仁、英，未有改易，可謂得古人敬學尊師之意者矣。

又云：

以今論之，唯程子之《易傳》，朱子之《四書章句集注》、《易本義》、《詩傳》及蔡氏之《尚書集傳》，胡氏之《春秋傳》，陳氏之《禮記集說》，是所謂「代用其書，垂於國胄」者爾。南軒之《論語解》、東萊之《讀詩記》抑又次之。而《太極圖》、《通書》、《西銘》、《正蒙》，亦羽翼六經之作也。[18]

16 顧亭林：《亭林文集》卷二，（臺北，漢京文化事業公司，一九八四年）頁三二。

17 《詩・秦風・黃鳥》哀秦穆公以三良殉葬之事，朱熹《詩集傳》中，亟加斥責，以為「穆公於此，其罪不可逃矣」，亭林先生於《日知錄》卷十九〈立言不為一時〉條中，於朱子之言，盛加稱許，以為朱子之書，帝王必讀，並指出至明英宗正統年間，始下旨廢止后妃從死惡規，當亦受朱子言論之影響。

18 黃汝成：《日知錄集釋》卷十四，（上海古籍出版社，二〇〇六年）頁八五四。

古代祭祀至聖先師孔子，而後有兩廡陪祀之儒者，唐太宗貞觀二十一年，詔以左丘明、卜子夏、公羊高等二十二人，配享宣尼廟堂，宋代以下，帝王詔令，續有儒者多人，得以配享，然其人之得當與否，則所見或不相同。亭林先生則謂，「以今論之」，唯程頤、朱熹、蔡沈、胡安國、陳澔，所撰五經之書，爲後世所遵用誦習，其人則足資配享孔聖廟堂，而張栻及呂祖謙，則又次之，而周敦頤、張載之書，亦足以羽翼六經。自後世言之，此非亭林一人之私見，實亦天下之公論也。

㈣對宋儒下學工夫之稱許

亭林先生對宋代理學之好言心性、理氣，多所批評，然對宋儒爲學，於下學工夫，多所致力處，亦時有稱許之言，《日知錄》卷七，〈忠恕〉條云：

> 《延平先生答問》曰：「夫子之道，不離乎日用之間。自其盡己而言，則謂之忠，自其及物而言，則謂之恕，莫非大道之全體。雖變化萬殊，於事為之末，而所以貫之者，未嘗不一也。」

又云：

> 慈谿黃氏曰：「天下之理，無所不在，而人之未能以貫通者，己私間之也。盡己之謂忠，推己及人之謂恕。忠恕既盡，己私乃克，此理所在，斯能貫通。故忠恕者，所以能一以貫之者也。」[19]

此言孔子教人之道，皆在日用之間，盡己心爲忠，推己心及物爲恕，凡所事爲，既切於己，又及於人，此所以爲一貫之道也。《日知錄》卷七〈夫子之言性與天道〉條云：

> 夫子之教人「文、行、忠、信」，而性與天道在其中矣，故曰「不可得而聞」。子曰：「二三子以我為隱乎？吾無隱乎爾。吾無行而不與二三子者，是丘也。」謂夫子之言性與天道不可得而聞，是疑其有隱者也。不知夫子之文章，無非夫子之言性與天道，所謂「吾無行而不與二三子者，是丘也」。

又云：

19 黃汝成：《日知錄集釋》卷七，（上海古籍出版社，二〇〇六年）頁三九六。

「動容周旋中禮者，盛德之至也」，孟子以為「堯、舜性之」之事。夫子之文章莫大乎《春秋》，《春秋》之義，尊天王，攘夷狄，誅亂臣賊子，皆性也，皆天道也。故胡氏以《春秋》為聖人性命之文，而「子如不言，則小子其何述」乎？

又云：

朱子曰：「聖人數人，不過孝弟忠信，持守誦習之間。」「此是下學之本。今之學者以為鈍根，不足留意，其平居道說，無非子貢所謂『不可得而聞』者。」又曰：「近日學者病在好高。《論語》未問『學而時習』，便說『一貫』，《孟子》未言『梁惠王問利』，便說『盡心』。《易》未看六十四卦，便讀《繫辭》。」此皆「躐等之病」。又曰：「聖賢立言，本自平易，今推之使高，鑿之使深。」[20]

亭林先生以爲，孔子教人之道，不離於人倫日用之間，不外於庸言庸行之際，故所從事者，雖在「文、行、忠、信」，而性命天道，即在其中，故夫子教人以下學之本，而學者用力之久，自能上達天理，故聖人之言語，本自平易，而不必推之使高，鑿之使深，而使人望之却步也。前引李延平、黃震、朱子之言，皆切近身心行爲，孝悌忠信之事，皆下學根本之事，故爲亭林先生所稱許而採取者也。

亭林先生輯有《下學指南》一書，其〈序〉云：

今之言學者必求諸語錄，語錄之書始于二程，前此未有也，今之語錄幾于充棟矣。而淫于禪學者實多，然其說蓋出于程門。故取慈谿黃氏《日鈔》所摘謝氏、張氏、陸氏之言，以別其源流，而衷諸朱子之說。夫學程子而涉于禪者，上蔡也，橫浦則以禪而入于儒，象山則自立一說，以排千五百年之學者，而其所謂「收拾精神，掃去階級」，亦無非禪之宗旨矣。後之說者遞相演述，大抵不出乎此，而其術愈深，其言愈巧，無復象山崖異之迹，而示人以易信。茍讀此編，則知其說固源于宋之三家也。嗚呼！在宋之時，一陰之〈姤〉也，其在于今，五陰之〈剝〉也。有能繇朱子之言，以達夫聖人下學之旨，則此一編者，其碩果之猶存也。孟子曰：「能言距楊墨者，聖人之徒也。」得不有望于後之人也夫！[21]

20 黃汝成：《日知錄集釋》卷七，（上海古籍出版社，二〇〇六年）頁三九九。

21 顧亭林：《亭林文集》卷六，（臺北，漢京文化事業公司，一九八四年）頁一三一。

亭林先生以為，今之言學者必求諸語錄，而語錄之書始於二程，前此則未嘗有也，自北宋以迄晚明，言理學、誦語錄，其說漸染禪學之風者，為數甚多，而其說蓋出於二程門下，其勢不可遏抑，亭林先生因取黃震《黃氏日鈔》所收錄者，加以摘出其中謝良佐、張九成、陸象山三人之說，而以朱子之言加以折中，考《宋元學案》卷二十四〈上蔡學案〉附錄引朱子云：「上蔡說仁說覺，分明是禪。」又云：「上蔡之說一傳而為張子韶，子韶一轉而為陸子靜。」[22]故亭林先生以為，程門後學之中，謝、張、陸三人，皆入於禪學。故勉人由朱子之言，以進於聖人「下學」之要旨也。亭林先生〈華陰縣朱子祠堂上梁文〉云：

> 兩漢而下，雖多保殘守缺之人，六經所傳，未有繼往開來之哲。惟絕學首明於伊雒，而微言大闡於考亭，不徒羽翼聖功，亦乃發揮王道，啟百世之先覺，集諸儒之大成。[23]

陝西華陰縣張廷掞、王山史、李子德、宋適等人，倡議修建朱子祠堂，而亭林先生遠行至此，亦力加讚許，捐錢倡導，並於祠堂上梁之日，撰為此文，稱譽朱子，「絕學首明於伊雒，而微言大闡於考亭，不徒羽翼聖功，亦乃發揮王道，啟百世之先覺，集諸儒之大成」，其所稱譽，可謂至矣。不止此也，《亭林文集》之中，言及修建朱子祠及考亭書院者，不一而足，如〈與李中孚書〉云：「華令遲君謀為朱子祠堂，卜於雲臺觀之右，捐俸百金，弟亦以四十金佐之。」

（《亭林文集》卷四），又〈與王山史書〉云：「朱子祠堂之舉，適有機緣，今同令弟及諸君相視形勢，定於觀北三泉之右。」（《亭林文集》卷四），又〈復張又南書〉云：「華下有晦翁舊事，歷五百餘年始得山史爲之表章，又十二年，而炎武重遊至此。及今不刱，更待何人？今移買山之資，先作建祠之舉。」（《亭林文集》卷四）又〈與潘次耕札〉云：「朱子祠堂，山史但能割地耳，經營之事，吾將一身任之。」（《亭林餘集》），又〈與蘇易公〉云：「關中有考亭書院之舉，因烽火弟以謭陋謬主其事。」（《蔣山傭殘稿》卷二）又〈與湯聖宏〉云：「向有棲跡華山之願，因烽火乍傳，暫居汾曲。近者風鶴稍寧，而關中二三君子重理前說，將建考亭書院，以奉先儒，並爲老人著述之所。」（《蔣山傭殘稿》卷三），又〈祝張廷尉書〉云：「鄙人以頒白之年，采山而隱，卜于西嶽，宗祀考亭。」（《蔣山傭殘稿》卷三），又〈留書與山史〉云：「考亭祠堂，原一字來言當事視爲迂闊之舉，當更作區畫，今候駕回，與子德合力經營。」（《蔣山傭殘稿》卷三），又〈與王山史〉云：「建祠之所，形家謂在二泉合流之中爲佳。」（《蔣山傭殘稿》卷三）茲就以上所縷舉者觀之，亭林先生之於朱子，或盛爲稱譽，或捐資建祠，或規畫形勢，或主持考亭書院，由是觀之，則亭林先生於朱子之理學，雖則有論學之異同，然於朱子推闡孔孟聖功，由下學而

22 全祖望：《宋元學案》卷二十四，（臺北，世界書局，一九六一年）頁五三八。

23 顧亭林：《亭林文集》卷五，（臺北，漢京文化事業公司，一九八四年）頁一二一。

至上達之途，未嘗不力加尊崇也。

亭林先生又有〈與友人辭往教書〉云：

> 羇旅之人，疾病顛連，而託跡于所知，雖主人相愛，時有蔬菜之供，而饔飧一切自給，在我無怍，于彼為厚，此人事之常也。若欲往三四十里之外，而赴張兄之請，則事體迥然不同。必如執事所云：有實心向學之機，多則數人，少則三四人，立為課程，兩日三日一會，質疑問難，冀得造就成材，以續斯文之統，即不能盡依白鹿之規，而其遺意須存一二，恐其未必辨此，則徒餔啜也，豈君子之所為哉？一身去就，係四方觀瞻，不可不慎！[24]

亭林先生一生，極少教授弟子，推此書之意，乃係友人挽請亭林先生前往授徒教學，先生雖不欲前往，而於「白鹿之規，存其遺意」，則亦未嘗不心嚮往之，考白鹿洞書院，在江西九江，宋孝宗淳熙六年，朱子年五十歲，奉詔知南康軍，曾重修白鹿洞書院，並撰〈白鹿洞書院學規〉，訂「父子有親，君臣有義，夫婦有別，長幼有序，朋友有信」，爲五教之目。訂「博學之，審問之，愼思之，明辨之，篤行之」，爲爲學之序。訂「言忠信，行篤敬，懲忿窒欲，遷善改過」，爲修身之要。訂「正其誼不謀其利，明其道不計其功」，爲處事之要。訂「己所不欲，勿施於人，行有不得，反求諸己」，爲接物之要。凡此，教育弟子，身心行爲，人倫日用，皆下學之事也，故亭林先生於此，亦嘗嚮往於心中者也。

總之，亭林先生於宋元儒者，取其下學而上達之方，羽翼六經之作，而於彼等天理性命之說，則多不表贊同也。

四、亭林對心學之評論

㈠對明代心學之批評

儒學發展，自宋至元，程朱理學盛行，至於明代中葉，王守仁出，繼承南宋象山心學，主張心外無理，提倡致良知之教，風行一時，又撰《朱子晚年定論》，以排拒朱子，亭林先生對此，皆曾加以批評，《日知錄》卷十八〈心學〉條云：

《論語》一書言「心」者三，曰「七十而從心所欲，不逾矩」，曰「回也，其心三月不

24 顧亭林：《亭林文集》卷六，（臺北，漢京文化事業公司，一九八四年）頁一三六。

> 違仁」，曰「飽食終日，無所用心」。乃「操則存、舍則亡」之訓，門人未之記，而獨見於《孟子》。夫未學聖人之操心，而驟語夫從心，此即所謂「飽食終日，無所用心」，而旦晝之所為，有牿亡之者矣。25

《論語》言心者三，以「從心所欲，不踰矩」（〈為政〉）爲最上，《孟子》言心，以孔子所言「操則存，舍則亡，出入無時，莫知其鄉」（〈告子〉），乃下學致力之事，夫由下學之途，用力之久，可以漸至上達之境，此由淺入深之道，而不可驟至也。而心學家言，乃以「從心」爲初學之教，其不迷於正途者鮮矣。〈心學〉條又云：

> 唐仁卿答人書曰：「自新學興而名家者，其冒焉以居之者不少，然其言學也，則心而已矣。元聞古有學道，不聞學心，古有好學，不聞好心。心學二字，六經、孔、孟所不道。今之言學者，蓋謂心即道也，而元不解也。何也？危微之旨在也，雖上聖而不敢言也。今人多怪元言學而遺心，孰若執事責以不學之易了，而元亦可以無辭於執事。子曰：『有能一日用其力於仁矣乎？』又曰：『一日克己復禮。』又曰：『終日乾乾行事也。』元未能也。孔門諸子，日月至焉，夫子猶未許其好學，而況乎日至未能也，謂之不學可也。但未知執事所謂學者果仁邪？禮邪？事邪？抑心之謂邪？外仁、外禮、外事以言心，雖

執事亦知其不可。執事之意必謂仁與禮與事即心也，用力於仁，用力於心也；復禮，復心也；行事，行心也。則元之不解猶昨也，謂之不學可也。又曰：孳孳為善者，心，孳孳為利者，亦未必非心。危哉，心乎！判吉凶，別人禽，雖大聖猶必防乎其防，而敢言心學乎？心學者，以心為學也。以心為學，是以心為性也。心能具性，而不能使心即性也。是故求放心則是，求心則非；求心則非，求於心則是。我所病乎心學者，為其求心也。心果待求，必非與我同類。心果可學，則『以禮制心，以仁存心』之言，毋乃為心障與！」

唐仁卿字伯元，明神宗萬曆中進士，其答人書以爲，「聞古有學道，不聞學心，古有好學，不聞好心」，以爲「心學」二字，爲孔孟六經所不道，而當時言學者，已謂「心即道也」，然而，「以心爲學」，而心可以爲善，亦可以爲利，則心之趨向，豈可不慎？且心可以判斷吉凶，辨別人禽，故聖人猶必慎防其防，而不敢侈言「心學」也。

亭林先生批評心學，主要針對陽明及其後學而發，以爲心學偏於心性，不務實學，《日知錄》卷七〈求其放心〉條云：

---

25 黃汝成：《日知錄集釋》卷十八，（上海古籍出版社，二〇〇六年）頁一〇四八。

> 「學問之道無他，求其放心而已矣。」然則但求放心，可不必於學問乎？與孔子之言「吾嘗終日不食，終夜不寢，以思，無益，不如學也」者，何其不同邪？他日又曰「君子以仁存心，以禮存心」，是所存者非空虛之心也。夫仁與禮，未有不學問而能明者也。孟子之意蓋曰：能求放心，然後可以學問。「使弈秋誨二人弈，其一人專心致志，惟弈秋之為聽。一人雖聽之，一心以為有鴻鵠將至，思援弓繳而射之。雖與之俱學，弗若之矣。」此放心而不知求者也。然但知求放心而未嘗「窮中罫之方，悉雁行之勢」，亦必不能從事於弈。[26]

《孟子・告子上》云：「孟子曰：『仁，人心也；義，人路也；舍其路而弗由，放其心而不知求，哀哉！人有雞犬放，則知求之；有放心，而不知求！學問之道無他，求其放心而已矣。』」亭林先生以爲，孟子之意，蓋曰，「能求放心，然後可以學問」，蓋以人能求其放失外馳之心，專心致志，然後爲學方易有所成就，故舉《孟子・告子上》另章「使奕秋誨二人奕」爲例，以說明心意專一爲學習之本。然而，此在後世心學家而言，則認爲心爲一身之主，人之修己爲學，務使此心安然自在，湛然自明，而衆理來集，內外通達，致使衆理皆歸攝於此心之中。然則，此二說也，不免有所差異。《日知錄》卷一〈艮其限〉條云：

慈溪黃氏《日鈔》曰：「心者，吾身之主宰，所以治事而非治於事，惟隨事謹省則心自存，不待治之而後齊一也。孔子之教人曰：『居處恭，執事敬，與人忠。』曾子曰：『吾日三省吾身，為人謀而不忠乎？與朋友交而不信乎？傳不習乎？』不待言心而自貫通於動靜之間者也。孟子不幸當人欲橫流之時，始單出而為『求放心』之說，然其言曰『君子以仁存心，以禮存心』，則心有所主，非虛空以治之也。至於齋心服形之老莊，一變而為坐脫立忘之禪學，乃始瞑目靜坐，日夜仇視其心而禁治之。及治之愈急而心愈亂，則曰『易伏猛獸，難降寸心』。嗚呼！人之有心，猶家之有主也，反禁切之，使不得有為，其不能無擾者，勢也，而患心之難降歟！」[27]

黃震以為，人之一身，心為之主，隨事省察，則其事能治，而吾心自存於中，不待有意治心，而後心方能齊一也。然至後世，其視自心，如身外之一物，求以心齋，期以坐忘，如仇視其心，而必瞑目以治之，則儒者入於老莊與禪學矣。〈艮其限〉條又引黃震之說云：

---

26 黃汝成：《日知錄集釋》卷七，（上海古籍出版社，二〇〇六年）頁四三七。

27 黃汝成：《日知錄集釋》卷一，（上海古籍出版社，二〇〇六年）頁三〇。

「夫心之說有二，古人之所謂存心者，存此心於當用之地也。後世之所謂存心者，攝此心於空寂之境也。造化流行，無一息不運，人得之以為心，亦不容一息不運，心豈空寂無用之物哉！世乃有游手浮食之徒，株坐攝念，亦曰存心。而士大夫溺於其言，亦將遺落世事，以獨求其所謂心。迨其心迹冰炭，物我參商，所謂老子之弊流為申、韓者，一人之身，已兼備之，而欲尤人之不我應，得乎？」此皆足以發明「厲，熏心」之義，乃周公已先繫之於《易》矣。

黃震以爲，古人存心，於此心當用處存之，而後世之人存心，則持此心於虛寂之處存之，則是視其心爲空虛無用之物，而與世事無關者也。沉溺久之，必將使其心憂危而不安也。亭林先生此條，乃就《易經》中〈艮卦〉九三爻「艮其限，列其夤，厲薰心」而引申其義，故以爲「周公已先繫之於《易》矣」。《日知錄》卷七〈行吾敬故謂之內也〉條云：

先王治天下之具，五典、五禮、五服、五刑，其出乎身，加乎民者，莫不本之於心，以為之裁制。親親之殺，尊賢之等，禮所生也。故孟子答公都子言義，而舉「酌鄉人」、「敬尸」二事，皆禮之用也，而莫非義之所宜。自此道不明，而二氏空虛之教，至於搥提仁義，絕滅禮樂，從此起矣。自宋以下，一二賢智之徒，病漢人訓詁之學得其粗迹，務矯之以歸於內，而達道、達德、九經、三重之事置之不論，此真所謂「告子未嘗知義」者也，其不流於異端而害吾道者幾希。28

亭林先生以爲，古代賢王，以禮義制度治理百姓，其理莫不本於仁心，發爲典章，自佛老之教興，仁義禮樂，反遭蔑棄，自宋代以下，一二賢智之徒，矯漢人訓詁繁瑣之弊，而務盡去其跡，歸之於內，九經常道，廢而不論，其學遂入於異端而不自知矣。

㈡論心學近於禪佛

亭林先生既以心學專從事於內，又論心學之說，近於禪宗佛理，《日知錄》卷七〈夫子之言性與天道〉條云：

樊遲問仁，子曰：「居處恭，執事敬，與人忠。」司馬牛問仁，子曰：「仁者，其言也訒。」由是而充之，「一日克己復禮」，有異道乎？今之君子學未及乎樊遲、司馬牛，而欲其說之高於顏、曾二子，是以終日言性與天道，而不自知其墮於禪學也。

28 黃汝成：《日知錄集釋》卷七，（上海古籍出版社，二〇〇六年）頁四三五。

又云：

> 《黃氏日鈔》曰：「夫子述六經，後來者溺於訓詁，未害也。濂洛言道學，後來者借以談禪，則其害深矣。」[29]

漢儒鑽研經學，習爲章句訓詁，傳至隋唐，而傳注之體興起，趨於繁瑣，適佛教傳入中土，至是大爲昌盛，加以禪宗乘勢而興，以教外別傳，不立文字，直指本心，見性成佛爲號召，強調頓悟法門，尤足以拯經疏瑣細之病，及至宋明時期，儒學因其激盪，更新內蘊，而理學心學，因之昌盛，然其與先秦孔孟儒學，相去亦愈益遠矣。故亭林先生之論心學，謂其言心言性，墮於禪學，《日知錄》卷十八〈內典〉條云：

> 古之聖人所以教人之說，其行在孝、弟、忠、信，其職在灑掃、應對、進退，其文在《詩》、《書》、《禮》、《易》、《春秋》，其用之身在出處、去就、交際，其施之天下在政令、教化、刑罰。雖其「和順積中而英華發外」，亦有體用之分，然並無用心於內之說。自老、莊之學行於戰國之時，而外義者，告子也，外天下、外物、外生者，莊子也。於是高明之士厭薄《詩》、《書》，以為此先王所以治天下之糟粕。而佛氏晚入中國，其

所言清淨慈悲之說，適有以動乎世人之慕向者。六朝諸君子從而衍之，由清淨自在之說而極之，以至於不生不死，入於涅槃，則楊氏之「為我」也；由慈悲利物之說而極之，以至於普度眾生，超拔苦海，則墨氏之「兼愛」也。天下之言，不歸楊則歸墨，而佛氏乃兼之矣。其傳寖盛，後之學者遂謂其書為「內典」。推其立言之旨，不將內釋而外吾儒乎？夫內釋而外吾儒，此左道惑眾之徒，先王之所必誅而不以聽者矣。[30]

亭林先生以爲，聖人教人，其行其職，皆在身心行爲，下學工夫之處，其學其用，則在六經教化之方，而無專門用心於內之說。自佛教入於中國，而傳統楊、墨、老、莊、告子之說，桴鼓與之相應，其勢大昌，而風靡一世，因謂儒者之學爲外道，佛氏之書反成爲內典矣。〈內典〉條又云：

《黃氏日鈔》云：「《論語》『曾子三省章』，《集注》載尹氏曰：『曾子守約，故動必求諸身。』語意已足矣。又載謝氏曰：『諸子之學皆出於聖人，其後愈遠而愈失其真，

29 黃汝成：《日知錄集釋》卷七，（上海古籍出版社，二〇〇六年）頁三九九。

30 黃汝成：《日知錄集釋》卷十八，（上海古籍出版社，二〇〇六年）頁一〇四五。

> 獨曾子之學專用心於內，故傳之無弊。』夫心，所以具衆理而應萬事，正其心者，正欲施之治國平天下。孔門未有專用心於內之說也，用心於內，近世禪學之說耳。象山陸氏因謂『曾子之學是裡面出來，其學不傳。諸子是外面入去。今傳於世者，皆外入之學，非孔子之真』，遂於《論語》之外，自謂得不傳之學。凡皆源於謝氏之說也。後有朱子，當於《集注》中去此一條。

黃震以爲，孔門未有專用心於內之說，《論語・學而》記曾子「吾日三省吾身」，不過反省己身行爲有無差失而已，朱子《集注》引謝良佐之言云：「諸子之學，皆出於聖人，其後愈遠而愈失其眞，獨曾子之學，專用心於內，故傳之無弊，觀於子思孟子，可見矣。惜乎其嘉言善行，不盡傳於世也，其幸存而未泯者，學者其可不盡心乎？」曾子在孔門之中，以大孝著稱，豈眞如謝良佐所言，「專用心於內，故傳之無弊」乎？謝氏在程朱學派之中，學最近禪，故有是言，趙順孫《四書纂疏》中《論語纂疏》，於此章朱注之下引輔廣之言云：「所謂用心於內，故其傳無弊，警策學者，尤爲有功，然其所謂用心於內者，亦非息心絕念，屛棄外事之謂，但當常存是心，不可放失。」[31] 輔氏之說，極爲中肯，故黃震亦云，「用心於內，近世禪學之說耳」，並以爲「後有朱子，當於《集注》中去此一條」。《日知錄》卷十八〈科場禁約〉條，於明神宗萬曆三十年三月，引禮部尚書馮琦上書之言云：

> 臣竊惟國家以經術取士，自《五經》、《四書》、《二十一史》、《通鑑》、《性理》諸書而外，不列於學者，而經書傳注又以宋儒所訂者為準。此即古人罷黜百家、獨尊孔氏之旨。自人文向盛，士習寖漓，始而厭薄平常，稍趨纖靡；纖靡不已，漸騖新奇；新奇不已，漸趨詭僻。始猶附諸子以立幟，今且尊二氏以操戈。背棄孔、孟，非毀程、朱，惟南華、西竺之語是宗是競。以實為空，以空為實；以名教為桎梏，以紀綱為贅疣；以放言高論為神奇，以蕩軼規矩、掃滅是非廉恥為廣大。取佛書言心言性略相近者竄入聖言，取聖經有「空」字、「無」字者強同於禪教。語道既為踳駁，論文又不成章。世道潰於狂瀾，經學幾為榛莽。[32]

由馮琦上書所言，可知傳統以經、史、性理諸書取士之制，至於明代中葉，已逐漸破壞，由於人情喜新厭故，趨於纖靡詭僻，遂至國家科場，也競以老莊佛語爲務，放言高論，非毀廉恥，既取佛書竄入儒典，又取聖經強同於禪教，世道潰決，經學荒廢，可見一般，亭林先生引此爲例，蓋亦有其不忍言者在也。

31 趙順孫：《論語纂疏》卷一，（臺北，啟聖圖書公司，一九七三年）頁一五一。

32 黃汝成：《日知錄集釋》卷十八，（上海古籍出版社，二〇〇六年）頁一〇五八。

㈢對「十六字心傳」之批評

宋儒以下，有所謂「十六字心傳」之說，也有所謂「道統相傳」之說，亭林先生於此，則不表同意，《日知錄》卷十八〈心學〉條云：

《黃氏日鈔》解《尚書》「人心惟危，道心惟微，惟精惟一，允執厥中」一章曰：「此章本堯命舜之辭，舜申之以命禹，而加詳焉耳。堯之命舜曰『允執厥中』。今舜加『危微精一』之語於『允執厥中』之上，所以使之審擇而能執中者也。此訓之之辭也，皆主於堯之『執中』一語而發也。堯之命舜曰：『四海困窮，天祿永終。』今舜加『無稽之言勿聽』，以至『敬修其可願』於『天祿永終』之上，又所以警切之，使勿至於困窮而永終者也。此戒之之辭也，皆主於堯之『永終』二語而發也。『執中』之訓，正說也。『永終』之戒，反說也。蓋舜以昔所得於堯之訓戒，並其平日所嘗用力而自得之者，盡以命禹，使知所以執中而不至於永終耳，豈為言心設哉？近世喜言心學，捨全章本旨而獨論人心、道心，甚者單摭『道心』二字，而直謂『即心是道』，蓋陷於禪學而不自知，其去堯、舜、禹授受天下之本旨遠矣。蔡九峰之作《書傳》，述朱子之言曰：『古之聖人將以天下與人，未嘗不以治之之法而並傳之。』可謂深得此章之本旨。九峰雖亦以是明帝王之心，而心者，治國平天下之本，其說固理之正也。其後進此《書傳》於朝者，乃因以『三聖傳心』為說。世之學者遂指此書十六字為傳心之要，而禪學者借以為據依矣。愚按，心不待傳也，流行天地間，貫徹古今而無不同者，理也。理具於吾心，而驗於事物。心者，所以統宗此理而別白其是非，人之賢否，事之得失，天下之治亂，皆於此乎判。此聖人所以致察於危微精一之間，而相傳以執中之道，使無一事之不合於理，而無有過不及之偏者也。禪學原於《莊》、《列》滑稽戲劇、肆無忌憚之語，懼理之形彼醜謬，而凡聖賢經傳之言理者，皆害己之具也。禪學以理為障，而獨指其心曰『不立文字，單傳心印』。此蓋不欲言理，為此遁辭，付之不可究詰云爾。聖賢之學，自一心而達之天下國家之用，無非至理之流行，明白洞達，人人所同，歷千載而無間者，何傳之云！俗說浸淫，雖賢者或不能不襲用其語，故僭書其所見如此。」[33]

考《尚書．大禹謨》記帝舜告禹之言云：「來，禹！降水儆予，成允成功，惟汝賢，克勤于邦，克儉于家，不自滿假，惟汝賢。汝惟不矜，天下莫與汝爭能；惟汝不伐，天下莫與汝爭功。予懋乃德，嘉乃丕績。天之歷數在汝躬，汝終陟元后。人心惟危，道心惟微，惟精惟一，允執厥

33 黃汝成：《日知錄集釋》卷十八，（上海古籍出版社，二〇〇六年）頁一〇四八。

中。無稽之言勿聽，弗詢之謀勿庸。可愛非君？可畏非民？衆非元后何戴？后非衆罔與守邦。欽哉！愼乃有位，敬修其可願。四海困窮，天祿永終。惟口出好興戎，朕言不再。」[34]朱子弟子蔡沈，述朱子之意，作《尚書集傳》，而黃震解〈大禹謨〉「人心惟危」四句，而曰，「蓋舜以昔所得於堯之訓戒，並其平日所嘗用力而自得者，盡以命禹，使知所以執中而不至於永終耳，豈爲言心設哉！」黃氏「豈爲言心設哉」，此語最得其要，黃震又云，「近世喜言心學，捨全章本旨而獨論人心、道心，甚者單摭『道心』二字，而直謂『即心是道』，蓋陷於禪學而不自知，其去堯、舜、禹授受天下之本旨遠矣」，蓋帝王能允執厥中，勿使四海困窮，勿使天祿永終，乃堯、舜、禹三君警切叮嚀之語，與「道心」、「人心」、「心傳」、「密旨」，本無關聯。後世因而以爲「三聖傳心」，「十六字爲傳心之要」，遂爲禪學者借以爲據依矣。黃震又云，「心不待傳」，天地萬物，各有其理，理具在人心，人心靈明，可驗察萬理，分別是非。此靈明之心，人人所同，不待乎傳，故黃震又云，「聖賢之學，自一心而達之天下國家之用，無非至理之流行，明白洞達，人人所同，歷千載而無間者，何傳之云」。

宋代朱子，取《禮記》中〈大學〉、〈中庸〉二篇，而與《論語》、《孟子》，合爲《四書》，自是之後，《四書》遂爲歷代士子之所必讀，朱子又撰爲《四書章句集注》一書，其〈中庸章句序〉有云：

中庸何為而作也？子思子憂道學之失其傳而作也。

蓋自上古聖神，繼天立極，而道統之傳，有自來矣。其見於經，則「允執厥中」者，堯之所以授舜也。「人心惟危，道心惟微，惟精惟一，允執厥中」者，舜之所以授禹也。堯之一言，至矣盡矣；而舜復益以三言者，則所以明夫堯之一言，必如是而後可庶幾也。

蓋嘗論之：心之虛靈知覺，一而已矣。而以為有人心道心之異者，則以其或生於形氣之私，或原於性命之正，而所以為知覺者不同；是以或危殆而不安，或微妙而難見耳。然人莫不有是形，故雖上知不能無人心；亦莫不有是性，故雖下愚不能無道心。二者雜於方寸之間，而不知所以治之，則危者愈危，微者愈微，而天理之公，卒無以勝夫人欲之私矣。精，則察夫二者之間而不雜也；一，則守其本心之正而不離也。從事於斯，必使道心常為一身之主，而人心每聽命焉；則危者安，微者著，而動靜云為，自無過不及之差矣。

夫堯、舜、禹，天下之大聖也；以天下相傳，天下之大事也。以天下之大聖，行天下之大事，而其授受之際，丁寧告戒，不過如此，則天下之理，豈有加於此哉？

自是以來，聖聖相承，若成湯、文、武之為君，皋陶、伊、傅、周、召之為臣，既皆以

34 孔穎達：《尚書正義》卷四，（臺北，藝文印書館，一九九三年）頁五二。

> 此而接夫道統之傳。若吾夫子，則雖不得其位，而所以繼往聖、開來學，其功反有賢於堯、舜者。然當是時，見而知之者，惟顏氏、曾氏之傳得其宗。及曾氏之再傳，而復得夫子之孫子思，則去聖遠而異端起矣。
>
> 子思懼夫愈久而愈失其真也，於是推本堯、舜以來相傳之意，質以平日所聞父師之言，更互演繹，作為此書，以詔後之學者。蓋其憂之也深，故其言之也切；其慮之也遠，故其說之也詳。其曰「天命」、「率性」，則道心之謂也；其曰「擇善固執」，則精、一之謂也；其曰「君子時中」，則執中之謂也。世之相後，千有餘年，而其言之不異，如合符節。歷選前聖之書，所以提挈綱維，開示蘊奧，未有若是其明且盡者也。
>
> 自是而又再傳，以得孟氏，為能推明是書，以承先聖之統。及其沒，而遂失其傳焉。則吾道之所寄，不越乎言語文字之間，而異端之說，日新月盛，以至於老、佛之徒出，則彌近理而大亂真矣。然而尚幸此書之不泯，故程夫子兄弟者出，得有所考，以續夫千載不傳之緒；得有所據，以斥夫二家似是之非。蓋子思之功，於是為大，而微程夫子，則亦莫能因其語而得其心也。[35]

朱子既取〈大禹謨〉中「人心惟危，道心惟微，惟精惟一，允執厥中」之十六字，以爲堯、舜、禹三聖道統相傳之根據，又參以唐代韓愈〈原道〉所謂「堯以是傳之舜，舜以是傳之禹，禹以是傳之湯，湯以是傳之文武周公，文武周公傳之孔子，孔子傳之孟軻，軻之死，不得其傳」之說，而續之以「程夫子兄弟者出，得有所考，以續夫千載不傳之緒，得有所據，以斥夫二家似是之非。蓋子思之功，於是爲大，而微程夫子，則亦莫能因其語而得其心也」。由是而自堯舜禹湯，以至二程兄弟，直接孟子之「心傳」，於焉成立，而「道統」之說，亦由是得以相傳相續焉。《日知錄》卷十八〈心學〉條云：

> 《中庸章句》引程子之言曰：「此篇乃孔門傳授心法。」亦是借用釋氏之言，不無可酌。[36]

觀乎亭林之言，以及前文所引，借黃震之言，以抒發一己之心意者，則亭林先生於「十六字心傳」以及「道統」之說，皆不謂其爲然也。

考禪宗之傳，源自印度，相傳佛祖於靈山會上，拈花示衆，摩訶迦葉，會心微笑，得付以正法眼藏，涅槃妙心，實相無相，微妙法門，是爲西天初祖，傳經二十七代，至達摩大師，爲西天二十八祖，達摩渡海東來，爲東土初祖，經慧可、僧璨、道信、弘忍，傳至六祖惠能，爲

35 趙順孫：《中庸纂疏》（臺北，啟聖圖書公司，一九七三年）頁五六。

36 黃汝成：《日知錄集釋》卷十八，（上海古籍出版社，二〇〇六年）頁一〇五一。

第六祖，遷居廣東曹溪，光大禪宗，發揚頓悟之教，提出直指人心，見性成佛之旨，近代學者陳寅恪，有〈論韓愈〉一文，以爲韓愈在唐代文化史上之特殊地位者有六，其一爲「建立道統，證明傳授之淵源」，以爲「南北朝之舊禪學，已採用阿育王經傳等書，僞作《法藏因緣傳》，以證明其學說之傳授，至唐代之新禪宗，特標教外別傳之旨，以自矜異，故尤不得不建立一新道統，證明其淵源之所從來，以壓倒同時之舊學派」，「退之從其兄會謫居韶州，雖年頗幼小，又歷時不甚久，然其所居之處，爲新禪宗之發祥地，復值此新學說宣傳極盛之時，以退之之幼年領悟，斷不能於此新禪宗學說濃厚之環境氣氛中無所接受感發，然則退之道統之論，表面上雖由《孟子》卒章之言所啓發，實際上乃因禪宗教外別傳之說所造成，禪學於退之之影響亦大矣哉！宋儒僅執退之與大顚之關係，以爲破獲贓據，欲奪取其道統者，似於退之一生經歷與其原委，猶未達一間也」。[37]則朱子言道統，雖不以韓愈爲道統中人，而自以道統之傳，另有淵源，[38]然其「道統」之說，受韓愈〈原道〉之影響，爲不可否認者也。

由上所述，可以得知，唐宋儒者，與禪宗「道統」之傳，其關係之密切，有如此者，故亭林先生於程子所謂《中庸》乃孔門「傳授心法」者，而斷之曰，「亦是借用釋氏之言」，則不爲無因也。

㈣論學風衰敝，影響國族淪亡

亭林先生以爲，學術影響人心，人心影響風俗，風俗形成，社會從風而靡，不可扼挽，《日知錄》卷七〈夫子之言性與天道〉條云：

> 孔門弟子不過四科，自宋以下之為學者則有五科，曰「語錄科」。五胡亂華，本於清談之流禍，人人知之。孰知今日之清談，有甚於前代者。昔之清談談老莊，今之清談談孔孟，未得其精而已遺其粗，未究其本而先辭其末。不習六藝之文，不考百王之典，不綜當代之務，舉夫子論學論政之大端一切不問，而曰「一貫」，曰「無言」。以明心見性之空言，代修己治人之實學。股肱惰而萬事荒，爪牙亡而四國亂，神州蕩覆，宗社丘墟。昔王衍妙善玄言，自比子貢，及為石勒所殺，將死，顧而言曰：「嗚呼，吾曹雖不如古人，向若不祖尚浮虛，戮力以匡天下，猶可不至今日。」今之君子，得不有愧乎其言？[39]

---

37 陳寅恪：〈論韓愈〉，見《金明館叢稿初編》，（北京，三聯書店，二〇〇一年）頁三一九。

38 陳榮捷教授有〈朱子與道統〉及〈朱子道統觀之哲學性〉二文，收入所著《新儒學論集》，（中央研究院中國文哲研究所籌備處出版，一九九五年）於朱子所論「道統」問題，分析細密，可資參考。

39 黃汝成：《日知錄集釋》卷七，（上海古籍出版社，二〇〇六年）頁三九九。

亭林論晚明時代，狂禪盛行，人肆其言，無所忌憚，魏晉清談老莊玄言之禍，引致五胡亂華，當今侈談心性，以爲發揮孔孟，故亭林先生以爲，未得其精華而已遺其粗迹，未究其本根而已先忽略其末節，以至六經之書，百代之典，治世之要，爲政之方，一切不問，而惟求「一貫」之道，「無言」之妙，「以明心見性之空言，代修己治人之實學」，而國事荒亂，四郊多壘，終至國族淪亡，夷狄入主。亭林先生痛心於此，其引王衍之言，實以深責乎當前之士子，以彼等鼓盪一代之風氣，操持一時之人心，而有以致此災禍也。《日知錄》卷十八〈朱子晚年定論〉條云：

> 蓋自弘治、正德之際，天下之士厭常喜新，風氣之變已有所自來，而文成以絕世之資，倡其新說，鼓動海內。嘉靖以後，從王氏而詆朱子者，始接踵於人間。而王尚書發策謂：「今之學者偶有所窺，則欲盡廢先儒之說而出其上；不學，則借一貫之言以文其陋；無行，則逃之性命之鄉，以使人不可詰。」此三言者，盡當日之情事矣。故王門高弟為泰州、龍溪二人，泰州之學一傳而為顏山農，再傳而為羅近溪、趙大洲。龍溪之學一傳而為何心隱，再傳而為李卓吾、陶石簣。昔范武子論王弼、何晏二人之罪深於桀、紂，以為一世之患輕，歷代之害重，自喪之惡小，迷眾之罪大。而蘇子瞻謂李斯亂天下，至於焚書坑儒，皆出於其師荀卿高談異論而不顧者也。[40]

明孝宗弘治（一四八八～一五〇五）、武宗正德（一五〇六～一五二一）、世宗嘉靖（一五二二～一五六六）之間，不足百年，而王守仁（一四七二～一五二九）即生於其間，陽明卒後，其門下弟子眾多，而龍溪、泰州兩派，最近禪佛，王艮提倡良知現成，不用安排思索，再傳之後，入於狂禪，至於李贄，則更欲衝破禮教，蔑棄道德矣。〈朱子晚年定論〉條又云：

> 以一人而易天下，其流風至於百有餘年之久者，古有久矣。王夷甫之清談，王介甫之新說，其在於今，則王伯安之良知是也。《孟子》曰：「天下之生久矣，一治一亂。」撥亂世反之正，豈不在於後賢乎！

又云：

> 《學蔀通辯》又曰：「佛教入中國，常有夷狄之禍。今日士大夫尚禪尚陸，使禪佛之魂駸駸復返，可為世道之憂。」嗚呼，辛有之適伊川，其豫見於百年之後者矣。後之論者，當與陶弘景之詩同錄。41

40 黃汝成：《日知錄集釋》卷十八，（上海古籍出版社，二〇〇六年）頁一〇六五。

《日知錄》此條有亭林先生原注，前節注引《宋史》林之奇之言云：「昔人以王（弼）、何（晏）之罪甚於桀、紂，本朝靖康禍亂，王氏（安石）實負王、何之責。」後節注引《隋書・五行志》云：「梁天監中，茅山隱士陶弘景爲五言詩曰：『夷甫任散誕，平叔坐談空，不意昭陽殿，忽作單于宮。』及大同之季，公卿唯以談玄爲務，侯景亂作，遂居昭陽殿。」甚矣，立言之不可以不愼也，豈可逞一時之快而貽無窮禍患於後世乎！亭林先生於此條之中，以王夷吾（衍）、王介甫（安石）、王伯安（守仁）三人並舉爲例，豈不有深意存乎？

《日知錄》卷十八〈李贄〉條云：

> 《神宗實錄》：「萬曆三十年閏二月乙卯，禮科給事中張問達疏劾李贄：『壯歲為官，晚年削髮，近又刻《藏書》、《焚書》、《卓吾大德》等書，流行海內，惑亂人心。以呂不韋、李園為智謀，以李斯為才力，以馮道為吏隱，以卓文君為善擇佳耦，以秦始皇為千古一帝，以孔子之是非為不足據，狂誕悖戾，不可不毀。尤可恨者，寄居麻城，肆行不簡，與無良輩游庵院，挾妓女，白晝同浴，勾引士人妻女入庵講法，至有攜衾枕而宿者，一境如狂。又作《觀音問》一書，所謂觀音者，皆士人妻女也。後生小子喜其猖狂放肆，相率煽惑，至於明劫人財，強摟人婦，同於禽獸而不之恤。……』」愚按，自古以來，小人之無忌憚而敢於叛聖人者，莫甚於李贄。然雖奉嚴旨，而其書之行於人間自

若也。昔晉虞預論阮籍，比之伊川被髮，所以胡虜遍於中國，以為過衰周之時。試觀今日之事，髡頭也，手持數珠也，男婦賓旅同土牀而宿也，有一非贊之所為者乎？蓋天將使斯人有裂冠左衽之禍，而豫見其形者乎？殆亦《五行志》所謂「人痾」者矣。然推其作俑之繇，所以敢於詆毀聖賢而自標宗旨者，皆出於陽明、龍溪禪悟之學。後之君子悲神州之陸沈，憤五胡之竊據，而不能不追求於王、何也。42

陽明門下，龍溪泰州二派，最近於禪，而李贄（卓吾）嘗從王艮之子王襞受學，又嘗從羅汝芳問學，是以李贄之學，自於泰州最近。然卓吾率直任性，不守繩墨，行事怪僻，遠於人情，論其爲學淵源，自可推至姚江，屬陽明數傳後學。亭林先生之於李贄，嚴予評論，然而，於此條之末，乃云「後之君子悲神州之陸沈，憤五胡之竊據，而不能不追求於王、何也」，此云王、何，明雖指王弼、何晏，實則，推其用意，豈不直斥陽明心學之入於狂禪，爲禍於國族乎！《日知錄》卷十三〈正始〉條云：

41 黃汝成：《日知錄集釋》卷十八，（上海古籍出版社，二〇〇六年）頁一〇六八。

42 黃汝成：《日知錄集釋》卷十八，（上海古籍出版社，二〇〇六年）頁一〇六九。

> 有亡國，有亡天下。亡國與亡天下奚辨？曰：易姓改號，謂之亡國；仁義充塞，而至於率獸食人，人將相食，謂之亡天下。魏、晉人之清談，何以亡天下？是《孟子》所謂楊、墨之言，至於使天下無父無君而入於禽獸者也。

又云：

> 是以講明六藝，鄭、王為集漢之終；演說老莊，王、何為開晉之始。以至國亡於上，教淪於下，羌胡互僭，君臣屢易，非林下諸賢之咎而誰咎哉！[43]

亭林先生以爲，亡國與亡天下不同，改朝換代，謂之亡國，至於仁義廢棄，道德淪溺，文化衰竭，則是亡天下之事，是故學術壞則教化衰，教化衰則人心壞，人心壞則風俗變，風俗變則亡國亡天下之慘禍，相繼而至矣，無父無君，人將相食。此魏晉清談所以致於亡天下之慘禍也。亭林先生以爲，「講明六藝，鄭（玄）、王（肅）爲集漢之終；演說老莊，王（弼）、何（晏）爲開晉之始」，學術教化，人心風俗，常與國族興亡相終始，亭林先生所感慨於懷者，豈僅僅在於魏晉一代之事乎？

五、結語

綜合前文所述，約可得數項意見，以作結語如下：

1.亭林先生論學，以彰明孔孟學術之眞精神爲目的，而以「博學於人」、「行己有恥」爲達成此目的之途徑，亦即以此基本主張，衡量歷代學術之利弊得失。

2.「博學於文」、「行己有恥」，切問近思，道德倫常，確可代表孔孟爲學之眞精神，然亦並非孔孟學術之全部也，「子罕言利，與命與仁」（《論語．子罕》），孔子確罕言利，孟子答梁惠王，亦曰「何必曰利」，然而，「仁」爲孔門宗旨，孔子言之極多，「不知命，無以爲君子」（《論語．堯曰》），則孔子於仁於命，重視可知，〈子罕〉篇中「與命與仁」，「與」字或作動詞，乃讚許之義，則孔子於「利」與「命」及「仁」，自可分別言之，不必皆罕言也。至於《孟子》書中，言性命之處，更不在少。夫子之道，「下學而上達」，下學工夫，不離人倫日用，而能上達天理，兩者一貫，方能得孔學之全也。

3.孔門四科，德行、言語、文學、政事，已有門類不同，孔子之後，「儒分爲八」（《墨子．顯學》），則學術同源而異流，有所差別，也屬自然之現象。然則孔孟之後，學術因有流變，而後始能

43 黃汝成：《日知錄集釋》卷十三，（上海古籍出版社，二〇〇六年）頁七六五。

發展，不必所言所論，事事必與孔孟相符相合，方屬中肯。

4. 學術之演進，因外來之激盪，或內在之需要，因而增益其內容，擴展其新境，亦時或有之，中夏學術，自漢代經注，魏晉玄理，迄至隋唐注疏，流於瑣碎，佛教東來，自是大昌，宋明儒者，受此激盪，有所取資，充實內蘊，增加活力，推展新境，亦屬自然趨勢。《日知錄》卷二十一〈詩體代降〉條云：「三百篇之不能不降而楚辭，楚辭之不能不降而漢魏，漢魏之不能不降而六朝，六朝之不能不降而唐也，勢也。」[44]學術思想，雖非詩詞，然其發展，不能不有所改變，亦同於此，皆勢爲之也。

5. 亭林先生以爲，「古之理學，經學也」，「今之理學，禪學也」，重視經學者，自經學中探索義理；重視理學者，自宇宙人生中體悟至道。其事可以相輔，而不必相非。

6. 宋儒「十六字心傳」之說，出於僞古文《尚書．大禹謨》中，宋儒未知其僞，加以援用，以說道統傳心，未可全非，亭林先生在世之時（亭林先生生於明萬曆四十一年，卒於清康熙二十一年），未見閻若璩（閻氏生於明崇禎九年，卒於清康熙四十三年）《尚書古文疏證》一書，閻書於康熙二十二年，方始完成首卷，於康熙三十八年，方始完成四卷，閻氏卒時，該書並未全部完成。設如亭林先生得見閻氏之書，（閻氏書中第三十一條為〈言人心惟危，道心惟微，純出《荀子》所引《道經》〉）雖不必即更改《日知錄》中〈心學〉之評論意見，然其措辭，或許更加嚴厲，也未可知。

7. 亭林先生，於宋儒理學，批評較少，僅針對其性命天道之說，加以評論，而於宋儒之經學著作，下學工夫，亦嘗爲稱許之言。其於明代心學，則批評較多，以其近於禪宗佛理，而於心學末流，批評尤多，此則亭林先生，身處晚明，是時狂禪流行，其有害於風俗人心者，親身感受，故其批評，亦特爲嚴厲也。

8. 學術亡國，其事誠或有之，蓋學術影響人心世道，進而影響社會國家之趨向，一言足以喪邦，故立言不可不愼也，然而，亭林先生生當亡國亡天下之災禍，持華夷之辨，痛文化淪喪，感慨於心，故於玄理心學末流之弊害，責之或未免過於嚴苛焉。

捌、顧亭林《日知錄》中論歷代風俗對當前社會之啟示

一、引言

顧亭林（一六一三～一六八二）初名絳，江蘇崑山人，國變之後，改名炎武，字寧人，學者稱為亭林先生，生於明萬曆四十一年，卒於清康熙二十一年，享年七十歲。

明思宗崇禎十七年（一六四四）三月，流寇李自成陷北京，思宗自盡於萬壽山，四月，山海關守將吳三桂因愛妾陳圓圓為李自成部將劉宗敏所掠，憤而開關，引清兵入境，五月，清兵攻破北京，逐走李自成，遂趁勢南下，攻掠大江南北，亭林先生，曾與友人起兵於崑山抗清，六月，清兵圍攻崑山，七月，城破，官員民衆，被殺者極多，亭林先生因省母在外，未及於難，七月，清兵攻陷常熟，亭林嗣母聞變，絕食十五日而死，臨終遺命亭林，勿事二姓。時明唐王立於閩中，改元隆武，遙授亭林為兵部職方司主事。

明亡之後，亭林先生六謁孝陵，六謁思陵，遍觀天下地理形勢，密謀恢復，著書立說，以

備異日，經邦濟世，振興國族之準備。

亭林先生著述宏富，其中最重要者，爲《日知錄》三十二卷，亭林先生自言，《日知錄》上篇經術，中篇治道，下篇博聞，「有王者起，將以見諸行世，以躋斯世於治古之隆，而未敢爲今人道也」（〈與人書〉二十五），是以《日知錄》中，原本含有經世致用之精神，而導正社會風氣，亦屬經世目的中之一環，亭林先生〈與人書八〉云：「引古籌今，亦吾儒經世之用，然此等故事，不欲令在位之人知之。」又〈與人書九〉云：「目擊世趨，方知治亂之關，必在人心風俗，而所以轉移人心，整頓風俗，則教化紀綱，爲不可闕矣。」故亭林先生以爲，惟有加強教化，改變風俗，轉移人心，方能進而求取國家社會之長治久安。

以下，即選取《日知錄》中，評論歷代風俗之見解，加以分析，其善良者，可以激勵人心，從而效法，其不善者，亦可引起世人，警惕於心，要之，前人之經驗，對於當前之社會，應可產生不少啓示之作用。

二、歷代風俗與啓示

㈠風俗常隨時代更易而有所改變

亭林先生博覽載籍，遍觀史冊，因此，常從歷史之發展上以探究社會風俗轉變之現象與原因。

上古時期，夏商周三代，世風淳厚，民性樸實，至於周平王東遷以後，進入春秋時期，社會風氣，尚能維持淳厚之習俗，至於戰國時期，則社會風氣，已有極大之轉變，顧亭林《日知錄》卷十三〈周末風俗〉條云：

> 《春秋》終於敬王三十九年庚申之歲，西狩獲麟。又十四年，為貞定王元年癸酉之歲，魯哀公出奔。二年，卒於有山氏。《左傳》以是終焉。又六十五年，威烈王二十三年戊寅之歲，初命晉大夫魏斯、趙籍、韓虔為諸侯。又一十七年，安王十六年乙未之歲，初命齊大夫田和為諸侯。又五十二年，顯王三十五年丁亥之歲，六國以次稱王，蘇秦為從長。自此之後，事乃可得而紀。自《左傳》之終以至此，凡一百三十三年，史文闕軼，考古者為之茫昧。如春秋時猶尊禮重信，而七國則絕不言禮與信矣。春秋時猶宗周王，而七國則絕不言王矣。春秋時猶嚴祭祀，重聘享，而七國則無其事矣。春秋時猶論宗姓氏族，而七國則無一言及之矣。春秋時猶宴會賦詩，而七國則不聞矣。春秋時猶有赴告策書，而七國則無有矣。邦無定交，士無定主，此皆變於一百三十三年之間。史之闕文，而後人可以意推者也。不待始皇之并天下，而文、武之道盡矣。馴至西漢，此風未改，

> 故劉向謂其「承千歲之衰周，繼暴秦之餘弊」，「貪饕險詖，不閑義理」。觀夫史之所錄，無非功名勢利之人，筆札喉舌之輩，而如董生之言「正誼明道」者，不一二見也。蓋自春秋之後，至東京而其風俗稍復乎古，吾是以知光武、明、章果有變齊至魯之功，而惜其未純乎道也。自斯以降，則宋慶曆、元祐之間為優矣。嗟乎，論世而不考其風俗，無以明人主之功。余之所以斥周末而進東京，亦《春秋》之意也。[1]

自歷史演進而言，春秋時代，起於魯隱公元年，即周平王四十九年（西元前七二二年），終於魯哀公十四年，即周敬王三十九年（西元前四八一年）。戰國時代，始於周威烈王二十三年（西元前四〇三年），王命晉大夫魏斯、趙籍、韓虔爲諸侯，實行三家分晉，終於秦始皇二十六年（西元前二二一年）統一六國。然而，《左傳》記述春秋時代之史事，直至魯哀公二十七年，即周貞定王三年（西元前四六六年）。而周顯王三十六年（西元前三三三年），燕、趙、韓、魏、齊、楚等六國合從以拒秦，蘇秦爲從約長，自此至六國族滅，後世尚有《戰國策》、《史記．六國年表》等，略記其事跡。因此，惟有春秋末期以至戰國之前，約一百三十三年，其事跡之記載，不易明瞭。因此，亭林先生在《日知錄》此條之中，比較春秋時期與戰國時期，發現有史可徵者，其風氣習俗，已有明顯之差異，並舉出六項明顯差別之現象，說明春秋時期與戰國時期之習俗，已有極大之變更，而變更之關鍵，即在由春秋末期以至戰國初期一百三十三年之中。

亭林先生比較春秋時期與戰國時期風俗之分別，有六項極大之差異。其一，春秋時期仍然注重禮義信用，而戰國時期，奸僞叢生，禮義信用，已破壞殆盡。其二，春秋時代，諸侯創導尊王攘夷，對周天子尚能保持形式上之尊重，至於戰國時期，雖然仍有七八位周天子相繼在位，然七國對之，視若無睹，周天子早已名實俱不存在於人心之中。其三，春秋時期，各國諸侯仍然重視祭祀天地神祇之禮儀，謹守外交聘問往來之儀節，然至戰國時期，各國往來，以權謀詐欺相交，外交禮儀，已盪然無存。其四，春秋時期，猶以宗族氏姓爲重，而至戰國時期，能逞口才詐謀，則布衣可致權貴，宗族氏姓，已不論矣。其五，春秋時期，行人往聘，飲宴賦詩，守禮言志，仍然頻繁，而至戰國時期，爭用武力，詩禮之會，已經絕跡。其六，春秋時期，國有大事，仍然赴告天子及諸侯各國，而至戰國時期，赴告之事，已不復再現。要之，戰國諸侯，全以武力詐謀相抵拒，而戰爭殺伐之殘酷，遠過春秋，禮義信實，已爲陳跡，此風俗之破敝敗壞，皆轉變於春秋戰國間一百三十三年之中，此風盛起，馴至秦始皇族滅六國，統一天下，政苛法酷，而古代淳樸風俗，亦銷耗殆盡。此一頹弊風氣，約三百年後，至於東漢光武帝時，方

1 黃汝成：《日知錄集釋》卷十三，（上海古籍出版社，二〇〇六年）頁四九九。

才稍爲轉變恢復，而華夏民族之生命活力，已大受損傷，不易復挽。是以每逢時代之巨變，而風俗亦隨之暗中更易，有非常情所能逆測者。

實則，苟能細心考察，則典章制度之破壞，道德禮義之毀棄，人性根本之變易，仍然有其脈絡可尋，隱約而可體悟於心中者也。

㈡風俗常隨戰爭條件需要而有所改變

風俗習慣，有因戰爭條件需要而改變者，顧亭林《日知錄》卷十三〈秦紀會稽山刻石〉條云：

> 秦始皇刻石凡六，皆鋪張其滅六王、并天下之事。其言黔首風俗，在泰山則云「男女禮順，慎遵職事。昭隔內外，應不清淨」，在碣石門則云「男樂其疇，女修其業」，如此而已。惟會稽一刻，其辭曰「飾省宣義，有子而嫁，倍死不貞。防隔內外，禁止淫泆，男女絜誠。夫為寄豭，殺之無罪，男秉義程。妻為逃嫁，子不得母，咸化廉清。」何其繁而不殺也？考之《國語》：「自越王句踐棲於會稽之後，惟恐國人之不蕃，故令壯者無取老婦，老者無取壯妻。女子十七不嫁，其父母有罪。丈夫二十不取，其父母有罪。生丈夫，二壺酒一犬。生女子，二壺酒一豚。生三人，公與之母。生二人，公與之餼。」

《內傳》子胥之言亦曰「越十年，生聚」，《吳越春秋》至謂句踐「以寡婦淫泆過犯，皆輸山上。士有憂思者，令遊山上，以喜其意」。當其時，蓋欲民之多，而不復禁其淫泆。傳至六國之末，而其風猶在，故始皇為之厲禁，而特著於刻石之文。以此與滅六王、并天下之事並提而論，且不著之於燕、齊，而獨著之於越，然則秦之任刑雖過，而其坊民正俗之意固未始異於三王也。漢興以來，承用秦法以至今日者多矣，世之儒者言及於秦，即以為亡國之法，亦未之深考乎？[2]

秦始皇統一天下之後，專爲記述其功勞，曾經六度刻石立碑，用以宣揚其兼併六國之事蹟，《史記・秦始皇本紀》之中，記載始皇六次刻石，惟有〈會稽刻石〉之中，特別指出男女婚嫁之意義，夫妻一倫之重要，理應絜誠相愛，而不應作出違悖情義之外鶩行爲。亭林先生探索〈會稽石刻〉立碑之義，主要針對越地風俗而發，因《左傳》哀公元年（西元前四九四年）記載，吳王夫差大敗越軍，越王勾踐以甲士五千人棲於會稽山上，吳越構和，越王生聚教訓，爲使庶民繁多，國力充沛，乃鼓勵民衆婚嫁生產，雖至淫泆犯禮，也不罪過，《國語》及《吳越春秋》，皆記述其事，其上有所激勵，民衆遍行於下，遂成風俗，秦始皇統一六國，巡行天下，至於會稽，

2 黃汝成：《日知錄集釋》卷十三，（上海古籍出版社，二〇〇六年）頁七五一。

對此情況，不免憂心風俗之糜爛，人倫之失當，婚姻制度之破壞，乃於刻石之中，特別加以叮嚀，加以禁制，其意義不失爲可取，故亭林先生以爲，「秦之任刑雖過，而其坊民正俗之意，固未始異於三王也」，然而，後世「言及秦法，即以爲亡國之法」，對於秦始皇之評論，未免也不甚公允。

吳越爭霸，秦滅六國，分別爲春秋戰國規模巨大之戰爭，由於戰爭需要，而人情風俗，亦隨之大幅改變，趨於敗壞，此古今中外，常有之事，老子以爲，「兵者不祥之器」，孟子主張，「善戰者服上刑」，此所以維護和平之益爲可貴也。

㈢風俗常因個人行事倡導而有所改變

社會風俗，有因個人行事倡導，而致改變者，顧亭林《日知錄》卷十三〈兩漢風俗〉條云：

> 漢自孝武表章六經之後，師儒雖盛，而大義未明。故新莽居攝，頌德獻符者遍於天下。光武有鑑於此，故尊崇節義，敦厲名實，所舉用者，莫非經明行修之人，而風俗為之一變。至其末造，朝政昏濁，國事日非，而黨錮之流，獨行之輩，依仁蹈義，舍命不渝，「風雨如晦，雞鳴不已」，三代以下風俗之美，無尚於東京者。故范曄之論，以為「桓、靈之間，君道秕僻，朝綱日陵，國隙屢啟，自中智以下，靡不審其崩離。而權強之臣息

其窺盜之謀，豪俊之夫屈於鄙生之議」，「所以傾而未頹，決而未潰，皆仁人君子心力之為。」可謂知言者矣。使後代之主循而弗革，即流風至今，亦何不可！而孟德既有冀州，崇獎跅弛之士。觀其下令再三，至於求「負汙辱之名、見笑之行、不仁不孝而有治國用兵之術者」，於是權詐迭進，姦逆萌生。故董昭太和之疏，已謂「當今年少，不復以學問為本，專更以交游為業；國士不以孝悌清修為首，乃以趨勢求利為先」。至正始之際，而一二浮誕之徒，騁其智識，蔑周、孔之書，習老、莊之教，風俗又為之一變。夫以經術之治，節義之防，光武、明、章數世為之而未足；毀方敗常之俗，孟德一人變之而有餘。後之人君將樹之風聲，納之軌物，以善俗而作人，不可不察乎此矣。

又云：

東京之末，節義衰而文章盛，自蔡邕始。其仕董卓，無守；卓死驚嘆，無識。觀其集中濫作碑頌，則平日之為人可知矣。以其文采富而交遊多，故後人為立佳傳。嗟乎，士君子處衰季之朝，常以負一世之名，而轉移天下之風氣者，視伯喈之為人，其戒之哉！[3]

3 黃汝成：《日知錄集釋》卷十三，（上海古籍出版社，二〇〇六年）頁七五二。

漢武帝時，聽從董仲舒之建議，罷黜百家學說，獨尊儒術，表彰六藝，一時師儒，雖然極盛，而儒者行爲尚未淳厚，至於西漢末年，王莽攝位，而士大夫獻符稱頌者，極爲普遍，有識之士，引以爲恥。東漢初年，光武帝起於民間，躬行儉約，尊崇儒雅，講論經術，特尚節義，砥勵名節，因此，風俗士習，漸趨敦厚，故亭林先生以爲，「三代以下，風俗之美，無尚於東京者」，並且以爲，倘若「後代之主，循而弗革，即流風至今，亦何不可」，不幸東漢末年，曹操擁兵自重，挾天子以令諸侯，又欲專獎人才，不論德義，以助其爭衡天下，至於求「負汙辱之名，見笑之行，不仁不孝，而有治國用兵之術者」，用爲爪牙，《三國志・魏書・武帝紀》也記載漢獻帝初平十五年（二一〇年），曹操下令曰：「若必廉士而後可用，則齊桓其何以霸世！今天下得無有被褐懷玉而釣于渭濱者乎？又得無盜嫂受金而未遇無知者乎？二三子其佐我明揚仄陋，唯才是舉，吾得而用之。」[4]夫一人之心，影響於千萬人之人心，於是權謀詭詐，姦人逆行，一時競出，而社會風俗士習，從此大爲改變，士民亦不以墮落汚穢爲恥，而但求富貴其身，以致社會風氣，從此變爲不堪聞問，流害久遠，而不易扼挽拯救。故亭林先生對此，不禁深爲感歎，而曰：「夫以經術之治，節義之防，光武、明、章，數世爲之而未足；毀方敗常之俗，孟德一人變之而有餘」，對於曹操，行事只求目的，不擇手段，以致影響深遠，流惡無窮，可謂深惡而痛絕。亭林先生〈與人書九〉云：「目擊世趨，方知治亂之關，必在人心風俗，而所以轉移人心，整頓風俗，則教化紀綱爲不可闕矣。百年必世養之而不足，一朝一夕敗之而有餘。」[5]其意義也與此條相同。（曾國藩〈原才〉云：「風俗之厚薄奚自乎？自乎一二人之心所嚮而已。」又云：「此一二人者之心嚮義，則衆人與之赴義，一二人者之心嚮利，則衆人與之赴利。」又云：「風俗之于人心，始乎微，而終乎不可禦者也。」可爲亭林先生此文注腳。）

東漢末年，靈帝獻帝之時，董卓挾持君主，禍亂朝綱，司徒王允，聯絡呂布，誅殺董卓，而蔡邕當時，負於文名，爲董卓所逼，仕於朝廷，聞董卓被殺，不禁歎息，王允因而誅殺蔡邕，士人多爲惋惜，《後漢書》卷六十〈蔡邕傳〉，曾記載其事[6]，而亭林先生以爲，「東京之末，節義衰而文章盛，自蔡邕始」，雖然，責之未免稍苛，但其用意，則在激勵儆惕知識分子，立身行事，不可不謹愼以自勗勉也。

要之，社會之中，或身居高位，或身負重望，深具影響力者，閱讀亭林先生此條，宜有所感，而格外應該善用自己之影響力，以其一言一行，往往成爲社會羣衆效法學習之對象，更應導民爲善，而不宜有意無意之間，驅民爲惡，破壞善良風俗。

㈣風俗常因學術方向而有所改變

4 陳壽：《三國志》卷一，（臺北，鼎文書局，一九九一年）頁三二。
5 顧亭林：《顧亭林文集》卷四，（臺北，漢京文化事業公司，一九八四年）頁九三。
6 范曄：《後漢書》卷六，（臺北，鼎文書局，一九九一年）頁二〇〇六。

社會風俗，常常受到當時學術之影響，而有所改變者，顧亭林《日知錄》卷十三〈正始〉條云：

魏明帝殂，少帝即位，改元正始，凡九年。其十年，則太傅司馬懿殺大將軍曹爽，而魏之大權移矣。三國鼎立，至此垂三十年，一時名士風流，盛於洛下。乃其棄經典而尚老、莊，蔑禮法而崇放達，視其主之顛危若路人然，即此諸賢為之倡也。自此以後，競相祖述。如《晉書》言王敦見衛玠，謂長史謝鯤曰：「不意永嘉之末，復聞正始之音。」沙門支遁以清談著名於時，莫不崇敬，以為「造微之功，足參諸正始」。《宋書》言羊玄保二子，太祖賜名曰咸、曰粲，謂玄保曰：「欲令卿二子有林下正始餘風。」王微〈與何偃書〉曰：「卿少陶玄風，淹雅修暢，自是正始中人。」《南齊書》言袁粲言於帝曰：「臣觀張緒有正始遺風。」《南史》言何尚之謂王球「正始之風尚在」。其為後人企慕如此。然而《晉書．儒林傳序》云：「擯闕里之典經，習正始之餘論，指禮法為流俗，目縱誕以清高。」此則虛名雖被於時流，篤論未忘乎學者。是以講明六藝，鄭、王為集漢之終；演說老莊，王、何為開晉之始。以至國亡於上，教淪於下，羌胡互僭，君臣屢易，非林下諸賢之咎而誰咎哉！

又云：

有亡國，有亡天下。亡國與亡天下奚辨？曰：易姓改號，謂之亡國；仁義充塞，而至於率獸食人，人將相食，謂之亡天下。魏、晉人之清談，何以亡天下？是《孟子》所謂楊、墨之言，至於使天下無父無君而入於禽獸者也。

又云：

是故知保天下，然後知保其國。保國者，其君其臣肉食者謀之；保天下者，匹夫之賤與有責焉耳矣。[7]

漢獻帝建安二十五年（二二〇年），曹丕篡漢，自立爲魏文帝，次年（二二一年），劉備即帝位，號爲昭烈帝，八年後（二二九年），孫權稱帝，號爲吳大帝。自是三國鼎立。魏文帝卒，明帝繼立，明帝卒，少帝立，改元正始（二四〇年），七年後，改元嘉平（二四九年），是年，司馬懿殺大司馬

7 黃汝成：《日知錄集釋》卷十三，（上海古籍出版社，二〇〇六年）頁七五五。

曹爽。三國鼎立，至是已達三十年。自正始年間，一時風流名士，齊集洛陽，阮籍、嵇康、山濤、劉伶、阮咸、向秀、王戎，常集於竹林之下，肆意酣暢，不務禮法，號稱竹林七賢，一時學風，崇慕老莊，祖尚虛玄，倡導清談，後世企羨，匯成風氣，至於其極，遂使司馬氏亡於異族，而五胡十六國交亂中原，故亭林先生感歎而言，「是以講明六藝，鄭（玄）王（肅）爲集漢之終，演說老莊，王（弼）、何（晏）爲開晉之始。以至國亡於上，教淪於下，羌胡互僭，君臣屢易，非林下諸賢之咎而誰咎哉！」學術轉移，人心盪失，不僅導致易姓改號之亡國，更導致於率獸食人，仁義阻塞之亡天下慘禍。則學術能影響風俗，爲之倡議領導者，豈能不小心警惕？故亭林先生於此條之末，大聲疾呼，「是故知保天下，然後知保其國，保國者，其君其臣肉食者謀之；保天下者，匹夫之賤與有責焉耳矣」。

當今社會，崇尚自由，知識分子，放言高論，肆無所忌，然而中夜思之，清明在躬之時，亦曾念及勿以學術殺天下乎！

(五)風俗常因領導者個人性格而改變

社會風俗，常隨領導人居上位者之個性，而有所改變，顧亭林《日知錄》卷十七〈宋世風俗〉條云：

《宋史》言：「士大夫忠義之氣，至於五季，變化殆盡。宋之初興，范質、王溥猶有餘憾。藝祖首褒韓通，次表衛融，以示意向。真、仁之世，田錫、王禹偁、范仲淹、歐陽修、唐介諸賢，以直言讜論倡於朝。於是中外薦紳，知以名節為高，廉恥相尚，盡去五季之陋。故靖康之變，志士投袂，起而勤王，臨難不屈，所在有之。及宋之亡，忠節相望。」嗚呼！觀哀、平之可以變而為東京，五代之可以變而為宋，則知天下無不可變之風俗也。〈剝．上九〉之言「碩果」也，陽窮於上，則復生於下矣。

人君御物之方，莫大乎抑浮止競。宋自仁宗在位四十餘年，雖所用或非其人，而風俗醇厚，好尚端方，論世之士謂之君子道長。及神宗朝，荊公秉政，驟獎趨媚之徒，深鋤異己之輩。鄧綰、李定、舒亶、蹇序辰、王子韶諸姦，一時擢用，而士大夫有「十鑽」之目。干進之流，乘機抵隙。馴至紹聖、崇寧，而黨禍大起。國事日非，膏肓之疾，遂不可治。後之人但言其農田、水利、青苗、保甲諸法為百姓害，而不知其移人心、變士習為朝廷之害。其害於百姓者，可以一旦而更，而其害於朝廷者，歷數十百年，滔滔之勢，一往而不可反矣。李〔愿〕中謂：「自王安石用事，陷溺人心，至今不自知覺。人趨利而不知義，則主勢日孤。」此可謂知言者也。《詩》曰：「毋教猱升木，如塗塗附。」夫使慶曆之士風一變而為崇寧者，豈非荊公教猱之效哉！

〈蘇軾傳〉：熙寧初，安石創行新法。軾上書言：「國家之所以存亡者，在道德之淺深，不在乎強與弱；曆數之所以長短者，在風俗之厚薄，不在乎富與貧。臣願陛下務崇道德而厚風俗，不願陛下急於有功而貪富強。……近歲樸拙之人愈少，巧進之士益多，惟陛下哀之救之。」當時論新法者多矣，未有若此之深切者。根本之言，人主所宜獨觀而三復也。

又云：

陸游〈歲暮感懷〉詩：「在昔祖宗時，風俗極粹美。人材兼南北，議論忘彼此。誰令各植黨，更仆而迭起。中更夷狄禍，此風猶未已。倘築太平基，請自厚俗始。」8

宋代武力不盛，故王安石得君行道，變法圖強，為各方士人所注目所企盼，其法非不良善，然而行之過於急切，往往與傳統之制度相牴牾，以致在朝耆老，群起反對，而安石個性倔強，自信極篤，有所施行，必求其成，以致賢人遠避，奸佞之徒，急求倖進，安石不得已而用之，反受其害，歐陽修〈朋黨論〉言，「君子與君子，以同道為朋，小人與小人，以同利為朋」，故君子多眞朋，小人多偽朋，小人見利而爭先，利盡而交疏，又反相賊害，安石一生，如此受害者多矣，故亭林先生深加惋惜，以為興利除弊，宜以得人為先，而得人尤以品格為要也。故亭林先生引述東坡所論，以爲是根本之言。

亭林先生論宋代風俗，以爲「觀（漢）哀、平之可以變而爲東京，五代之可以變而爲宋，則知天下無不可變之風俗」，風俗可以因人而變易，風俗淳厚，國家安定，人民乃得幸福，故陸游詩言，「倘築太平基，請自厚俗始」，其啓發世人，亦已深矣。

㈥社會輿論常能影響風俗走向

社會輿論有時足以影響風俗之良窳，顧亭林《日知錄》卷十三〈清議〉條云：

> 古之哲王所以正百辟者，既已制官刑儆於有位矣，而又為之立閭師，設鄉校，存清議於州里，以佐刑罰之窮。「移之郊遂」，載在《禮經》；「殊厥井疆」，稱於〈畢命〉。兩漢以來，猶循此制，鄉舉里選，必先考其生平，一玷清議，終身不齒。君子有懷刑之懼，小人存恥格之風。教成於下而上不嚴，論定於鄉而民不犯。降及魏、晉，而九品中正之設，雖多失實，遺意未亡。凡被糾彈付清議者，即廢棄終身，同之禁錮。

8 黃汝成：《日知錄集釋》卷十三，（上海古籍出版社，二〇〇六年）頁七五八。

又云：

> 天下風俗最壞之地，清議尚存，猶足以維持一二，至於清議亡而干戈至矣。[9]

古代帝王，設立百官，以教民守法，又爲之設鄉校，立師長，以存清議於鄉里之中，《左傳》襄公三十一年記云：「鄭人游于鄉校，以論執政，然明謂子產曰：『毀鄉校如何?』子產曰：『何爲?夫人朝夕退而游焉，以議執政之善否，其所善者，吾則行之，其所惡者，吾則改之，是吾師也，若之何毀之?我聞忠善以損怨，不聞作威以防怨，豈不遽止，然猶防川，大決所犯，傷人必多，吾不克救也，不如小決使道，不如吾聞而藥之也。』然明曰：『蔑也，今而後知吾子之信可事也，小人實不才，若果行此，其鄭國實賴之，豈唯二三臣。』仲尼聞是語也，曰：『以是觀之，人謂子產不仁，吾不信也。』」[10]子產不毀鄉校，即是保存清議，鼓勵民衆自由評論之風氣，此在古代，應屬極可珍貴之行政措施，能如此，在位者方能深知自己之過失，而加以改進，能如此，國家方能進步，風俗方能淳厚，社會方能維持公正，選拔才學之士，方能特重操守品德，故亭林先生特別強調，「天下風俗最壞之地，清議尚存，猶足以維持一二，至於清議亡而干戈至矣」，此在古代，尚且如此，而在當今民主社會，則輿論之力量，豈不更加重要！

(七)社會風俗以敦厚淳樸為重

人情喜新厭舊，社會風俗也極易步入綺靡輕慢，在位者不得不謹慎以對，顧亭林《日知錄》卷十三〈重厚〉條云：

> 世道下衰，人材不振。王伾之吳語，鄭綮之歇後，薛昭緯之〈浣溪沙〉，李邦彥之俚語辭曲，莫不登諸巖廊，用為輔弼。至使在下之人慕其風流，以為通脫，而棟折榱崩，天下將無所芘矣。及乎板蕩之後而念老成，播遷之餘而思者俊，庸有及乎？有國者登崇重厚之臣，抑退輕浮之士，此移風易俗之大要也。

又云：

> 何晏之「粉白不去手，行步顧影」，鄧颺之「行步舒縱，坐立傾倚」，謝靈運之「每出入，自扶接者常數人」，後皆誅死。而魏文帝「體貌不重，風尚通脫，是以享國不永，

9 黃汝成：《日知錄集釋》卷十三，（上海古籍出版社，二〇〇六年）頁七六四。

10 孔穎達：《左傳正義》卷四十，（臺北，藝文印書館，一九九三年）頁六八八。

後祚短促」。史皆附之〈五行志〉，以為「貌之不恭」。昔子貢於禮容俯仰之間，而知兩君之疾與亂，夫有所受之矣。子曰：「君子不重則不威，學則不固。」揚子《法言》曰：「言輕則招憂，行輕則招辜，貌輕則招辱，好輕則招淫。」[11]

世風良窳，與人才優劣，往往互爲影響，例如唐人王伾，順宗時曾任左散騎常侍，性卑陋，好賕賂，（事見《舊唐書》一三五，《唐書》卷一六八）。又如唐人鄭綮，昭宗時曾官中書門下平章事，善爲詩，多詼諧，時號歇後體，時有「歇後鄭五作宰相」之語，（事見《舊唐書》卷一七九）。又如唐人薛昭緯，昭宗時爲禮部侍郎，擅文章詞作，（事見《舊唐書》卷一五三）。又如宋人李邦彥，欽宗時，任太宰，常用俚語作辭曲，都人目爲「浪子宰相」，（事見《宋史》卷三五二）所舉四人，身爲輔政大臣，而肆爲俚俗辭曲，未免有欠莊重，居上位者如此，身居要津，動見觀瞻，影響士風所向，社會群衆，起而效法，習俗更加趨於輕薄，俟其風氣既成，雖然力加挽救，恐也不易成功，故亭林先生以爲，「有國者登崇重厚之臣，此移風易俗之大要也」。

亭林先生又舉出何晏、鄧颺、謝靈運，及南北朝時西魏文帝爲例，以爲舉凡纖弱、柔慢、綺靡之行爲，由社會名士倡導於上，人群少年，學習於下，形成風氣，蔚爲習俗，則對於社會國家，必然產生令人擔憂之情況。所以，亭林先生又引孔子教人崇尚莊重，揚雄教人遠避輕佻之言詞，叮嚀世人，努力培養社會敦厚淳樸之風俗，方屬最爲重要之事。

㈧為人處世以能明辨是非為要

士人之立身處世，最重要者，在能判斷是非，顧亭林《日知錄》卷十三〈鄉原〉條云：

老氏之學所以異乎孔子者，「和其光，同其塵」，此所謂「似是而非」也。〈卜居〉、〈漁父〉二篇盡之矣，非不知其言之可從也，而義有所不當為也。子雲而知此義也，〈反離騷〉其可不作矣。尋其大指，生斯世也，為斯世也，善斯可矣。此其所以為莽大夫與？[12]

《論語．子路》記：「子曰，不得中行而與之，必也狂狷乎！狂者進取，狷者有所不爲也。」[13]孔子以爲，人之性格，有三種類型，一爲狂者型，二爲狷者型，三爲中行型。狂者之特點，是勇於進取，奮發有爲；狷者之特點，是堅守原則，有所不爲；中行型之特點，是行事能符合中道，又能兼有狂者、狷者之長處。《論語．陽貨》記：「子曰，鄉原，德之賊也！」[14]鄉原乃一

11 黃汝成：《日知錄集釋》卷十三，（上海古籍出版社，二〇〇六年）頁七七六。
12 黃汝成：《日知錄集釋》卷十三，（上海古籍出版社，二〇〇六年）頁七八〇。
13 邢昺：《論語注疏》卷十三，（臺北，藝文印書館，一九九三年）頁一一八。
14 邢昺：《論語注疏》卷十七，（臺北，藝文印書館，一九九三年）頁一五六。

種貌似忠厚，虛心假意，善於取悅流俗之人，《孟子．盡心下》記孟子對鄉原之形容爲，「非之無舉也，刺之無刺也，同乎流俗，合乎污世，居之似忠信，行之似廉潔，衆皆悅之，自以爲是，而不可與入堯舜之道，故曰德之賊也。」[15]此種是非不明，善惡不分，取媚世俗之人，正是孔子所厭惡之類型。因此，如《老子》第四章所謂「和其光，同其塵」，其人生態度，「似是而非」，自然也不爲孔子所讚同。（河上公《老子注》釋此二句云：「言雖有獨見之明，當如闇昧，不當以曜亂人也。常與衆遮同垢塵，不當自別殊。」）亭林先生又舉屈原忠心被謟，流放湘沅，行吟澤畔，曾有「寧正言不諱，以危身乎」，「將從俗富貴，以媮生乎」，「寧與黃鵠比翼乎，將與雞鶩爭食乎」[16]等等之心中矛盾考慮，而問於漁父，漁父也曾告以，「世人皆濁，何不淈其泥而揚其波？衆人皆醉，何不餔其糟而歠其釃？何故深思高舉，自令放爲」[17]之建議。而《漢書．揚雄傳》記揚雄曾「怪屈原文過相如，至不容，作〈離騷〉，自投江而死，悲其文，讀之未曾不流涕也。以爲君子得時則大行，不得時則龍蛇，遇不遇命也，何必湛身哉！乃作書，往往摭〈離騷〉文而反之，自岷山投諸江流以弔屈原，名曰〈反離騷〉。」[18]是揚雄不能眞知屈原立身之準則，以至後來附從王莽篡漢，世人多深惜之。又《日知錄》卷三〈夸毗〉條云：

「天之方懠，無為夸毗。」〈釋訓〉曰：「夸毗，體柔也。」天下惟體柔之人，常足以遺民憂而召天禍。夏侯湛有云：「居位者以善身為靜，以寡交為慎，以弱斷為重，以怯言為信。」白居易有云：「以拱默保位者為明智，以柔順安身者為賢能，以直言危行者為狂愚，以中立守道者為凝滯。故朝寡敢言之士，庭鮮執咎之臣。自國及家，寖而成俗。故父訓其子曰『無介直以立仇敵』，兄教其弟曰『無方正以賈悔尤』。且慎默積於中，則職事廢於外。強毅果斷之心屈，畏忌因循之性成。反謂率職而居正者不達於時宜，當官而行法者不通於事變。是以殿最之文，雖書而不實；黜陟之典，雖備而不行。」羅點有云：「無所可否，則曰得體；與世浮沈，則曰有量。眾皆默，己獨言，則曰沽名；眾皆濁，己獨清，則曰立異。」觀三子之言，其於末俗之敝可謂懇切而詳盡矣。至於佞諂日熾，剛克消亡，朝多沓沓之流，士保容容之禍。苟由其道，無變其俗，必將使一國之人皆化為巧言令色孔壬而後已。然則喪亂之所從生，豈不階於夸毗之輩乎？是以屈原疾楚國之士，謂之「如脂如韋」，而孔子亦云「吾未見剛者」。[19]

15 孫奭：《孟子注疏》卷十四，（臺北，藝文印書館，一九九三年）頁二六三。
16 洪興祖：《楚辭補注》卷六，（香港，中華書局，一九六三年）頁二八九。
17 洪興祖：《楚辭補注》卷七，（香港，中華書局，一九六三年）頁二九五。
18 班固：《漢書》卷八十七，（臺北，鼎文書局，一九九一年）頁三五一五。
19 黃汝成：《日知錄集釋》卷三，（上海古籍出版社，二〇〇六年）頁一六二。

《詩經・大雅・板》云：「天之方懠，無爲夸毗。」《毛傳》云：「懠，怒也。夸毗，以體柔人也。」[20]以體柔人，指巧言令色，取悅於人，而不別是非，近於鄉原，亭林先生在此條之中，引述夏侯湛（原注，〈抵疑〉）、白居易（原注，《長慶集・策》）、羅點（原注，《宋史》本傳）三人指陳當時士風所言，綜而觀之，皆屬爲人處世，退縮規避，盡去圭角，圓滑老到，多方應酬，明哲保身，曲意取巧，善觀顏色，從而牟取利祿之行爲，皆屬不能直道而行，剛健自強之行徑，此類不別是非，心無權衡之人，充斥社會，然又何時無之？何地無之？故亭林先生不禁感慨於心，以爲「觀三子之言，其於末俗之敝可謂懇切而詳盡矣」，「苟由其道，無變其俗，必將使一國之人皆化爲巧言令色孔壬而後已」，其敗壞世風民俗，誠可畏矣。

(九)當政在位者應倡導儉約

傳統社會，視儉約爲美德，然尤貴於居位者能加以倡導，顧亭林《日知錄》卷十三〈儉約〉條云：

> 「國奢示之以儉」，君子之行宰相之事也。漢汝南許劭為郡功曹。同郡袁紹，公族豪俠，去濮陽令歸，車徒甚盛，入郡界，乃謝曰：「吾輿服豈可使許子將見之！」遂以單車歸家。晉蔡充好學，有雅尚，體貌尊嚴，為人所憚。高平劉整，車服奢麗，嘗語人曰：「紗

穀，吾服其常耳。遇蔡子尼在坐，而經日不自安。」北齊李德林父亡，時正嚴冬，單衰徒跣，自駕靈輿，反葬博陵。崔諶休假還鄉，將赴弔，從者數十騎，稍稍減留，比至德林門，纔餘五騎，云：「不得令李生怪人熏灼。」李僧伽修整篤業，不應辟命。尚書袁叔德來候僧伽，先減僕從，然後入門。曰：「見此賢，令吾羞對軒冕。」夫惟君子之能以身率物者如此，是以居官而化一邦，在朝廷而化天下。[21]

《禮記‧檀弓》云：「國奢，則示之以儉。」言國人過於奢侈，則爲政者宜以節儉示之，使能改正。蓋儉爲美德，故導民儉約，不止爲君子當行之事，亦屬當國宰相應行之事也。亭林先生於此條之中，舉出許劭、蔡充、李德林、李僧伽四人能行儉約，故能影響他人之事，用以說明君子因能儉約立身，方能居官而化一邦，在朝廷而化天下。《日知錄》卷十三〈大臣〉條云：

《記》曰：「大臣法，小臣廉，官職相序，君臣相正，國之肥也。」故欲正君而序百官，必自大臣始。……「季文子卒，大夫入歛，公在位。宰庀家器為葬備，無衣帛之妾，無

20 孔穎達：《毛詩正義》卷十七，（臺北，藝文印書館，一九九三年）頁六三二。

21 黃汝成：《日知錄集釋》卷十三，（上海古籍出版社，二〇〇六年）頁七八一。

食粟之馬，無藏金玉，無重器備，君子是以知季文子之忠於公室也。相三君矣，而無私積，可不謂忠乎？」諸葛亮自表後主曰：「成都有桑八百株，薄田十五頃，子孫衣食，悉仰於家，自有餘饒。至於臣在外任，無別調度，隨身衣食，悉仰於官，不別治生，以長尺寸。若臣死之日，不使內有餘帛，外有嬴財，以負陛下。」及卒，如其所言。夫廉不過人臣之一節，而《左氏》稱之為忠，孔明以為無負者，誠以人臣之欺君誤國，必自其貪於貨賂也。夫居尊席膴，潤屋華身，亦人之常分爾，豈知高后降之弗祥，民人生其怨詛，其究也，乃與國而同敗邪！誠知夫大臣家事之豐約，關於政化之隆污，則可以審擇相之方，而亦得富民之道矣。22

《禮記．禮運》以爲，大臣如能謹守法度，小臣自然也能廉潔自持，不敢妄作非爲，進而方能使官職有序，君臣相互砥礪，行於正道，方是國家之福。《左傳》襄公五年，記魯大夫季文子之卒，入斂之時，襄公親臨視斂，見其家中各項設施，極爲儉約，而季文子曾經擔任三位魯君宰輔，達三十四年之久，乃家無私藏積蓄，自可謂之爲忠於國家。《三國志．蜀書．諸葛亮傳》，記載亮將出師北伐，上表後主，自陳於成都有桑樹八百株，薄田十五頃，子孫衣食，悉仰於家，自有餘饒等等，亦足見其廉潔而不貪於貨賂。亭林先生因而言道，「誠知夫大臣家事之豐約，關於政化之隆污，則可以審擇相之方，而亦得富民之道矣」，國君能謹愼選擇輔政之宰相，其於富國裕民，自然有莫大之關係，古今之例，尚不止此也。

㈩淨化社會風氣以官吏戒貪為要務

政府官員貪瀆，影響於社會人心風俗者，極為深遠，顧亭林《日知錄》卷十三〈貴廉〉條云：

> 漢元帝時，貢禹上言：「孝文皇帝時，貴廉潔，賤貪污，賈人贅婿及吏坐贓者皆禁錮，不得為吏。賞善罰惡，不阿親戚。罪白者伏其誅，疑者以與民，亡贖罪之法。故令行禁止，海內大化。天下斷獄四百，與刑錯亡異。武帝始臨天下，尊賢用士，闢地廣境數千里，自見功大威行，遂從耆欲。用度不足，乃行一切之變，使犯法者贖罪，入穀者補吏，是以天下奢侈，官亂民貧，盜賊並起，亡命者眾。……故亡義而有財者顯於世，欺謾而善書者尊於朝，誖逆而勇猛者貴於官。故俗皆曰：『何以孝弟為，財多而光榮。何以禮義為，史書而仕宦。何以謹慎為，勇猛而臨官。』故黥劓而髡鉗者，猶復攘臂為政於世。行雖犬彘，家富勢足，目指氣使，是為賢耳。故謂居官而置富者為雄傑，處姦而得利者

---

22 黃汝成：《日知錄集釋》卷十三，（上海古籍出版社，二〇〇六年）頁七八三。

為壯士。兄勸其弟，父勉其子，俗之敗壞，乃至於是。察其所以然者，皆以犯法得贖罪，求士不得真賢，相守崇財利，誅不行之所致也。今欲興至治，致太平，宜除贖罪之法。相守選舉不以實及有贓者，輒行其誅，亡但免官。則爭盡力為善，貴孝弟，賤賈人，進真賢，舉實廉，而天下治矣。」[23]

漢元帝時，貢禹論政，以爲文帝之時，「貴廉潔，賤貪污」，凡犯罪收贓者，皆禁錮之，不准爲吏，「賞善罰惡，不阿親戚」，故令出必行，「海內大化」。然而，至漢武帝時，因開疆闢土，國家用度大增，乃行權變之法，使犯法者可以入錢贖罪，獻穀者可以由是爲官，遂使天下風氣，因而大變，習爲奢靡，禮敬富貴，主要原因，在於犯法得以錢財贖罪，一無廉恥，因爲，「凡民之所以輕爲盜賊，吏之所以易作姦慝者，以赦贖數而有僥望也」，「赦贖數，則惡人昌而善人傷矣」，同時，「大惡之資，終不可化，雖歲赦之，適勸奸耳」（漢王符《潛夫論．述赦》語）。因此，貢禹以爲，「今欲興至治，致太平，宜除贖罪之法」，同時，「進眞賢，舉實廉，而天下治矣」。又《日知錄》卷十三〈除貪〉條云：

漢時贓罪被劾，或死獄中，或道自殺。唐時贓吏多於朝堂決殺，其特宥者乃長流嶺南。睿宗太極元年四月制：「官典：主司枉法，贓一匹已上，並先決一百。」而改元及南郊赦文，每曰：「大辟罪已下，已發覺未發覺，已結正未結正，繫囚見徒，罪無輕重，咸赦除之。官典犯贓，不在此限。」……宋初，郡縣吏承五季之習，黷貨厲民，故尤嚴貪墨之罪。開寶三年，董元吉守英州，受贓七十餘萬，「帝以嶺表初年，欲懲掊克之吏，特詔棄市」。而南郊大赦，十惡、故劫殺及官吏受贓者不原。史言宋法有可以得循吏者三，而不赦犯贓其一也。天聖以後，士大夫皆知飾簠簋而厲廉隅，蓋上有以勸之矣。于文定謂：「本朝姑息之政甚於宋世，敗軍之將，可以不死，贓吏巨萬，僅得罷官，而小小刑名反有凝脂之密，是輕重胥失之矣。」蓋自永樂時，贓吏謫令戍邊，宣德中改為運磚納米贖罪，寖至於寬，而不復究前朝之法也。嗚呼，法不立，誅不必，而欲為吏者之毋貪，不可得也。

又云：

朱子謂：「近世流俗，惑於陰德之論，多以縱舍有罪為仁。」此猶人主之以行赦為仁也。孫叔敖斷兩頭蛇而位至楚相，亦豈非陰德之報邪？

23 黃汝成：《日知錄集釋》卷十三，（上海古籍出版社，二〇〇六年）頁七九〇。

唐柳氏家法：「居官不奏祥瑞，不度僧道，不貸贓吏法。」此今日士大夫居官者之法也。宋包拯戒子孫：「有犯贓者，不得歸本家，死不得葬大塋。」此今日士大夫教子孫者之法也。24

漢代法規較嚴，故犯貪贓罪被劾，處分也較嚴厲。唐時執法亦嚴，凡官員貪贓者，多不在赦除之列。宋代初年，因郡縣官吏，沿襲五代舊習，貪贓害民，故朝廷懲治貪污罪犯，尤爲嚴格。及至明代，法網漸寬，成祖永樂年間，貪官受贓，有僅令戍邊者，宣宗宣德年間，貪官受贓，有改爲運磚納米贖罪者，而官吏貪瀆之風，由是更盛。亭林先生因而感歎，「法不立，誅不必，而欲爲吏者之毋貪，不可得也」。

亭林先生又舉出朱子論當時惑於陰德之說，（原注，朱熹《文集》卷四十五〈答廖子晦〉），以及〈柳氏家法〉（原注，柳玭〈序訓〉）、及包拯訓戒子孫之言，（原注，《宋史·包拯傳》）用以告誡世人，爲官戒貪，乃是士大夫立身之第一要務，也是國家吏治清明之根本大計。

實則，吏治修明，官無貪瀆，乃近代法治國家之理想，亦爲政府能力高低之指標，然而，能否踐行，亦端視在位者有無決心而已。

㈩社會慶賀生日習俗之反思

生日慶賀之俗，古已有之，顧亭林《日知錄》卷十三〈生日〉條云：

> 生日之禮，古人所無。《顏氏家訓》曰：「江南風俗，兒生一期，為制新衣，盥浴裝飾。男則用弓矢紙筆，女則刀尺針縷，並加飲食之物及珍寶服玩，置之兒前，觀其發意所取，以驗貪廉智愚，名之為『試兒』。親表聚集，因成宴會。自茲以後，二親若在，每至此日，常有飲食之事。無教之徒，雖已孤露，其日皆為供頓，酣暢聲樂，不知有所感傷。梁孝元年少之時，每八月六日載誕之辰，〔常〕設齋講；自阮修容薨後，此事亦絕。」是此禮起於齊、梁之間。逮唐、宋以後，自天子至於庶人，無不崇飾。此日開筵召客，賦詩稱壽，而於昔人反本樂生之意，去之遠矣。[25]

亭林先生此條，首言「生日之禮，古人所無」，顏之推《顏氏家訓．風操》所論，即後世兒女出生，及其年滿週歲，爲測其性向，而作「抓週」之事，名爲「試兒」，自亦適當，故「自茲以後，二親若在，每至此日，常有飲食之事」。至於父母亡故，已成孤露，其日仍酣暢飲宴，

24 黃汝成：《日知錄集釋》卷十三，（上海古籍出版社，二〇〇六年）頁七八五。

25 黃汝成：《日知錄集釋》卷十三，（上海古籍出版社，二〇〇六年）頁八一三。

不知感傷，便成不當之舉，故梁元帝自其母親阮修容卒後，亦禁絕齋講，此是齊、梁人習慣。然則生日之禮，本有「反本樂生」之意，既樂其生於世間，又追懷父母之劬勞，故後世名「生日」爲「母難日」，蓋有深意存焉。《日知錄》卷十四〈聖節〉條云：

《舊唐書》：「太宗貞觀二十年十二月癸未，上謂司徒長孫無忌等曰：『今日是朕生日，世俗皆為歡樂，在朕翻成傷感。今君臨天下，富有四海，而承歡膝下，永不可得，此子路所以有負米之恨也。《詩》云：「哀哀父母，生我劬勞。」奈何以劬勞之日，更為宴樂乎？』因泣數行下，左右皆悲。」其時無所謂聖節也。「玄宗開元十七年八月癸亥，上以降誕日，宴百寮於花萼樓下。百寮表請『以每年八月五日為千秋節，王公以下獻鏡及承露囊，天下諸州咸令宴樂，休假三日，仍編為令。』從之。十八年閏六月辛卯，禮部奏請千秋節休假三日，及村閭社會並就千秋節先賽白帝，報田祖，然後坐飲散之。八月丁亥，上御花萼樓。以千秋節百官獻賀，賜四品已上金鏡、珠囊、縑彩，五品已下束帛有差。上賦八韻詩，又制〈秋景〉詩。此節名、餔宴之所起也。[26]

唐太宗貞觀二十年十二月癸未，大臣欲爲天子賀壽，太宗以生母亡故，感念不已，奈何以深懷親恩劬勞之日，反更爲宴樂之事，因加以拒之。至唐玄宗開元十七年八月癸亥，天子以降誕之日，大宴臣僚於花萼樓下，百官上表奏請每年八月五日爲千秋節，天下諸州咸令宴樂，休假三日，天子准奏其事。唐代爲國史上富強時代，貞觀、開元，尤稱盛世，然而，開元之後，即繼之以天寶，安史之亂起矣，此所以玄宗之不如太宗歟！〈生日〉條又云：

《太祖實錄》：「洪武五年八月庚辰，罷天下進賀聖節、冬至表箋。上曰：『正旦為歲之首，天運維新，人君法天出治，臣下進表稱賀，禮亦宜之。生辰、冬至，於文繁矣。昔唐太宗謂生辰是父母劬勞之日，況朕皇考、皇妣早逝，每於是日，不勝悲悼，忍受天下賀乎？宜皆罷之。』自是每聖節之日，齋居素食，不受朝賀。十三年七月，韓國公李善長等累表上請，然後許之。其年九月乙巳，上御奉先殿受朝賀，宴羣臣於謹身殿，歲以為常。」然而不受獻，不賦詩，不賜酺，不齋醮，則聖諭所云「勉從中制」者也。

在歷史上，明太祖亦可稱爲英明之君主，對於群臣進賀聖壽之奏表，卻仿效唐太宗之謙辭，以爲「皇考、皇妣早逝，每於是日，不勝悲悼，忍受天下賀乎？宜皆罷之」，是以每逢是日，皆齋居素食，不受朝賀，也確屬難得之行爲。

26 黃汝成：《日知錄集釋》卷十四，（上海古籍出版社，二〇〇六年）頁八三五。

亭林先生有〈與友人辭祝書〉一篇，有云：

> 昨見子德云：明府將以賤辰光臨賜祝。竊惟生日之禮，古人所無。〈小弁〉之逐子，始說我辰，〈哀郢〉之故臣，乃言初度。故唐文皇以劬勞之訓，垂泣以對羣臣，而近時孫退谷、張簣山著論次（欲）廢此禮。彼居常處順者，猶且辭之，況鄙人生丁不造，情事異人，流離四方，偷存視息。若前史王華、王肅、陸襄、虞荔、王慧龍之倫，便當終身布衣疏食，不聽音樂，不參喜事。即不能然，而又以此日接朋友之觴，炫世俗之目，豈不於我心有戚戚乎？知我者當閔其不幸而弔慰之，不當施之以非禮之禮，使之拂其心而夭其性也。用是直攄衷曲，布諸執事，惟祈鑒之。[27]

亭林先生於晚明之際，當清兵南侵之時，亭林先生生母，重傷於崑山城破之日，先生嗣母，絕食十五日而卒，遺命先生，勿事二姓，亭林先生，自屬「生丁不造，情事異人」，當其生辰，友人欲爲之祝壽，而亭林先生辭以「知我者當閔其不幸而弔慰之，不當施之以非禮之禮，使之拂其心而夭其性也」，言語懇切而傷痛。

要之，生辰之禮，原有「反本」、「樂生」兩重意義，生辰之日，家庭添此成員，親人爲之慶賀，亦屬人情之常。且如其人有功社稷，世人爲之上壽，崇功報德，亦屬自然流露。唯不當因「樂生」而忘「反本」，遺忘「哀哀父母，生我劬勞」之意也。

三、結語

亭林先生博覽載籍，熟讀史乘，在《日知錄》中，針對歷代風俗之良窳，不僅敘述其史事，評論其得失，兼亦討論其形成之原因，先生〈與人書八〉云：「引古籌今，亦吾儒經世之用。」因此，善用歷史教訓，藉古代史事，以提供後世之人取爲借鏡，正屬亭林先生討論歷代風俗之基本用意，亭林先生〈與人書九〉亦云：「目擊世趨，方知治亂之關，必在人心風俗，而所以轉移人心，整頓風俗，教化紀綱爲不可闕矣。」《日知錄》卷八〈法制〉條云：「法制禁令，王者之所不廢，而非所以爲治也。其本在正人心、厚風俗而已。」是以風俗人心，乃立國之根本，其重要可以想見，因此，讀先生書者，於歷代風俗之善良者，固可取爲效法，其不善者，亦可取作惕戒，要之，以古爲鑑，對於當前社會風俗之改良，宜可產生不少啓示之作用焉。

（此文於二〇一三年十月二十九日，在中央研究院「儒學的理論與應用」國際學術研討會中宣讀）

27 顧亭林：《顧亭林文集》卷三，（臺北，漢京文化事業公司，一九八四年）頁四八。

國家圖書館出版品預行編目資料

顧亭林《日知錄》研究

胡楚生著. – 初版. – 臺北市：臺灣學生，2014.03
面；公分：

ISBN 978-957-15-1604-2 (平裝)

1. （清）顧炎武 2. 日知錄 3. 研究考訂

071.7 103001806

顧亭林《日知錄》研究

著 作 者：胡楚生
出 版 者：臺灣學生書局有限公司
發 行 人：楊雲龍
發 行 所：臺灣學生書局有限公司
臺北市和平東路一段七十五巷十一號
郵政劃撥帳號：00024668
電話：(02)23928185
傳真：(02)23928105
E-mail：student.book@msa.hinet.net
http：//www.studentbook.com.tw
本書局登記證字號：行政院新聞局局版北市業字第玖捌壹號
印 刷 所：長欣印刷企業社
新北市中和區中正路九八八巷十七號
電話：(02)22268853

定價：新臺幣五〇〇元

西元二〇一四年三月初版

07171

ISBN 978-957-15-1604-2 (平裝)